К. Медведев

БОЛЬШАЯ КНИГА КРЕМЛЕВСКИХ ТАЙН

Как
остановить старение,
предсказывать будущее
и читать людей,
словно книгу

УДК 615.89
ББК 53.59
М42

Медведев, К.

М42 Большая книга кремлевских тайн. Как остановить старение, предсказывать будущее и читать людей, словно книгу / Константин Медведев. — М.: АСТ: АСТ МОСКВА, 2008. — 310, [10] с. — (Кремлевские секреты).

ISBN 978-5-17-055855-1 (ООО «Издательство АСТ»)
ISBN 978-5-9713-9442-6 («ООО Изд-во «АСТ МОСКВА»)

В этой книге — секреты, которые до сих пор были доступны лишь элите.

Вы узнаете, как при помощи специальных техник сохранить молодость, настроив тело на особую волну омоложения, а сознание на прием так называемых «вибраций Вселенной». Вы научитесь управлять интуицией и заглядывать в будущее и сумеете не просто наладить отношения с окружающими людьми, вы сможете управлять ими так, как вам хочется. Элитные знания теперь доступны вам.

Популярное издание

Константин Медведев

БОЛЬШАЯ КНИГА КРЕМЛЕВСКИХ ТАЙН

Как остановить старение, предсказывать будущее и читать людей, словно книгу

Художественный редактор С. Ващенок

Подписано в печать 19.06.2008. Формат 84x108/ 32.
Усл. печ. л. 16,8. Тираж 4 000 экз. Заказ № 1751.

Общероссийский классификатор продукции ОК-005-93, том 2 — 953000, книги, брошюры
ООО «Издательство АСТ» . 141100, Россия, Московская область, г. Щелково, ул. Заречная, д. 96
Наши электронные адреса: WWW.AST.RU E-mail: astpub@aha.ru
ООО Издательство «АСТ МОСКВА». 129085, г. Москва, Звездный б-р, д. 21, стр. 1

Отпечатано с готовых диапозитивов в типографии ООО « Полиграфиздат»
144003, г. Электросталь, Московская область, ул. Тевосяна, д. 25

СОДЕРЖАНИЕ

КРЕМЛЕВСКИЕ СЕКРЕТЫ

Мое знакомство с Мастерами

Ом мани пеме хунг.
Ом мани пеме хунг.
Шри!

Раскатистый басовитый многоголосый распев лам плавно обволакивает все твое существо, свинцовой тяжестью давит на плечи, темя, проникает внутрь с каждым очередным ударом гонга. Все мелькает перед глазами, бордово-желтое, золотое. Свист ветра в ушах, что-то вязкое, словно жидкий мед. И пузырьки. Несет и несет вверх. Потом обнаруживаешь свое сидящее со скрещенными ногами тело, болтающим головой как позапрошловековая китайская фарфоровая статуэтка. Причем обнаруживаешь, наблюдая за ним откуда-то сверху...

Мне доводилось бывать в буддийских дацанах Бурятии, Калмыкии, Питера. Но здесь, в Тибете, чувствуешь что-то неуловимо особенное, притягивающее. То ли это суровая красота горных пейзажей, словно сошедших с картин Рериха. То ли простота, юмор и душевность лам. То ли наивная, по-детски, доверчивость и открытость местных жителей. Да, в России сейчас этого не хватает.

Я познакомился с Мастером во время одного из своих путешествий на Тибет, где в одном из буддийских храмов проходил посвящение в практику Пхо-ва.

Я жил в монастырской «гостинице» для иностранных буддистов. А их здесь бывает довольно много и довольно часто. До сих пор, правда, не могу понять, какого рожна тут делает большинство из них (как впрочем, и я сам), ерзают во время практики, зевают, чешутся. Словно все блохи Америки или прочей какой-нибудь Швеции решили вцепиться в многострадальную плоть своего земляка. Бывают среди них и упертые практики, справедливости ради надо сказать. Но в основном возникает ощущение, что люди приехали сюда ради модной тусовки.

В тот день я не сразу понял, что случилось, когда среди иностранного гвалта вдруг услышал родную русскую речь. После практик такое случается. В голове хотя и относительно чисто, но ощущение, что тетя Шура, уборщица, помыла пол и расставила все вещи не по своим местам. Плавают какие-то отдельные факты, событийные отрывки, но никак не желают оформиться в какой-то стройный смысловой ряд. Например, если кто-то произносит слово «молоко», память вытаскивает из себя, что молоко — оно белое, вроде. Но при том что оно белое, ты никак не желаешь вспомнить, что молоко можно пить, ну и так далее.

Так вот, когда в голове моей, наконец, что-то соединилось с чем-то, я обернулся. И, обернувшись, увидел перед собой девушку и мужчину, оживленно о чем-то беседующих.

Выждал я некоторое время, пока темп их разговора не снизился до того уровня, когда не так бестактно можно и прервать его, а затем подошел поприветствовать земляков и пообщаться с ними. Особо душевного общения, впрочем, не получилось. Каждый был занят своим делом. Вежливо так обменялись замечаниями о практиках, преподаваемых нам (они тоже обучались в монастыре), о погоде — как обычно. С тем и разошлись. Честно говоря, я и сам не настолько уж общительный. Просто «на чужой сторонушке...», как говорится.

Вторая встреча произошла благодаря моей многолетней дурацкой привычке вставать с петухами и издеваться с утра пораньше над своим телом.

До начала буддийских практик есть еще пара часов, на улице предрассветная темень и холод не то чтобы собачий, но что-то около того. Я сделал разминку, растяжку, как обычно, и по обычной же программе встал «столбом» лицом на восток. Ноги широко расставлены, руки подняты на уровень плеч и словно охватывают большущий шар. Глаза полуприкрыты и созерцают лениво выплывающий диск тибетского солнца. Через некоторое время неподвижного стояния мышцы расслабляются, руки словно плавают на поверхности воды, поддерживаемые натянутыми сухожильно-мышечными меридианами и выстроенными в одну цепь костно-суставными комплексами. Ноги, почти буквально ощущаешь это, прорастают корнями глубоко в землю. Дыхание замедляется, мышление останавливается. Еще через некоторое время волны вибраций поднимаются от земли через ступни, заполняют все тело. И ты, словно только что выпустивший стрелу лук, звенишь, сотрясаемый мелкой дрожью. Или трепещешь, как наполненный ветром парус. Еще немного подождать — и вот оно, блаженство единения со всем Сущим! И это не я уже стою на этой древней святой земле, но я как бы и являюсь сейчас ею. Эти величественные горы, это солнце, небо, птицы, растительность — все это я. Ради одного только безмолвного, внесловесного понимания факта этого Единения стоит «пахать» над собой долгие и нудные часы, месяцы, годы...

Я вспоминаю, как начиналась практика «стояния столбом». Это была жуть кромешная! Поначалу выстоять каких-то 5–10 минут казалось каторгой. Руки, плечи отваливались, шея ныла, слабость, дрожь в ногах, противный липкий холодный пот. Пальцы словно деревянные и холодные как лед, судорогой сводит все тело. Жуть, одним словом!

А сейчас стою вот уже час на холоде, а от тела, как от печки, пышет жаром — и это блаженное расслабление!

А для людей, у кого проблемы со спиной? Остеохондрозы, грыжи там всякие, сколиозы. Не знаю, что им поможет так радикально, как «столб»! Надо лишь не бояться начать и найти мужество продолжать работу. Нужно лишь не обращать внимания на «добрых» советчиков и участливых сердобольцев. Верить в себя и в свои силы. И результат придет, не может не прийти! Очень мудрые люди изобрели это упражнение.

Когда я закончил «стоять столбом» и собрал энергию в нижней части живота, я обернулся. И то, что я увидел, заставило меня, мягко говоря, удивиться! Вчерашние мои знакомые, Николай и Мария, стояли шагах в 20 от меня, примерно в той же позе, что и я несколько мгновений назад. То-то мне было неуютно периодически. Словно кто-то сверлил взглядом мою спину, затылок. Поначалу я решил, что парочка издевается, подшучивает надо мной. Но при более пристальном наблюдении я заметил, что слишком уж они расслаблены, безмятежны и неподвижны для шутников. При этом положение их ног напрочь отметало всякие мысли о возможной шутке. Бедра их были практически параллельны поверхности земли! Это при том, что я тихонько наблюдал за ними, выполняя упражнения, в течение 5–7 минут. Сам я стою в среднем «столбе». Не высоко, не низко. Пытался стоять в низкой позиции, но позвоночник изгибается, таз уходит назад. А это недопустимо. Да и ноги минут через 5 начинают гудеть от чудовищного напряжения.

Прошло уже минут 20, как они продолжали стоять «в столбе», не шелохнувшись. И бог знает, сколько еще они стояли, до того как я обернулся. Чем больше я наблюдал за ними, тем сильнее начинал их уважать. Неслабые ребята! Поначалу я искоса посматривал на них, выполняя цигуновские пассы руками. А потом и вовсе забросил это дело и открыто остолбенело уставился на неожиданно возникших в моей жизни Мастеров. Кажется, мое пристальное, беззастенчивое внимание их ничуть не смущало. Они с безмятежными улыбками еще около получаса радовались жизни, стоя «столбом», затем одновременно плавно вышли из позы.

Когда я, распираемый любопытством, безо всяких предисловий подскочил к ним со своими расспросами, настала пора идти в храм к началу буддийских практик.

Николай, однако, обещал ответить на некоторые возникшие у меня вопросы и даже кое-что показать из своего арсенала. Удача, похоже, вновь улыбнулась мне во весь свой белозубый рот!

О «кремлевской» системе из первых рук

Крепкий, хорошо развитый, с разработанными ладонями и предплечьями мужчина средних лет, с черными, тронутыми легкой сединой, коротко стриженными волосами — вот что представлял собой внешне Николай. Ничего особенного. Взгляд прямой и открытый. Глаза не отводит и не опускает, но при этом смотрит доброжелательно, без тени высокомерия. Пройдет такой мимо, и не задержится на нем взгляд. Станешь искать в нем Мастера и не найдешь ничего, что подчеркивало бы это. Мария была девушкой под стать Николаю. Серой мышкой ее не назовешь и близко. Спортивная фигура. Все на месте. Но красоту таких женщин начинаешь понимать, взглянув в их глаза, а не туда, куда обычно глядят все... Она была шатенка, лет 25–27 (я обалдел, когда впоследствии узнал, что ей 43). Мария скромно представилась инструктором по Непальской йоге. Никогда раньше не слышал о такой. Николай оказался врачом-рефлексотерапевтом, знатоком нетрадиционной (восточной) медицины, включающей всякие там укалывания иглами, прижигания, точечный массаж, лечение травами и прочими снадобьями. Помимо этого он был специалистом по цигун. Причем специалистом высокого класса, в чем я имел возможность убедиться и убеждался позже не раз.

Точно так же, как и Мария в своей области (пару раз видел, что она вытворяла со своими суставами, это, я вам скажу, что-то!), он вряд ли был рядовым инструктором.

При более близком знакомстве, возникшем благодаря общим интересам и увлечениям, выяснилось, что Николай и Мария работали в одном интересном учреждении, целью и задачей которого были забота о здоровье высокопоставленных (очень высокопоставленных!) товарищей и их августейших половинок. И находились Мария и Николай как бы в командировке от этого самого учреждения, с целью повышения квалификации и мастерства (хотя, на мой взгляд, повышать было нечего и некуда). В списке командировочных заданий, помимо различных лечебно-оздоровительных систем, было задание изучить и адаптировать к кремлевской жизни практики тибетских мастеров, буддизм и другие религиозные доктрины Ближнего и Дальнего Востока, а также юго-восточной Азии и т. п.

Брови мои со страшной скоростью поползли куда-то в сторону макушки от удивления, когда я узнал, как эта парочка оказалась в Тибете. В жизни своей не предположил бы, что нашим партократам не чужды занятия в духе энергетических практик. Зачем тратить свободное время на разные там асаны, цигуны и медитации, вместо того чтобы блистательно представлять себя и страну на разных зарубежных фуршетах и раутах и нежиться где-нибудь на Багамах или Карибах. Я высказал свои сомнения ребятам. Мария усмехнулась: «Так-то оно так, но, видишь ли, *там* ставят перед собой задачу максимального продления жизни. Сам знаешь, из них песок сыплется, а они заводят себе молоденьких любовниц, веселятся, устраивают праздник жизни. Для этого всего нужны практически неиссякаемые запасы энергии. Целая структура работает на то, чтобы эту энергию доставлять по адресу: разрабатываются тренинги, системы упражнений, рационы, индивидуальные программы. Опять же, дамам грезится, что еще немного — и они постигнут рецепт вечной молодости. У них, понимаешь ли, мода на молодых любовников». В ее словах слышались презрительные нотки. Мне стало не по себе: с одной стороны, мы в Тибете, с другой — уши есть везде. Если человек настолько открыто обсуждает власти предержащие, он либо потенциальный самоубийца, либо... «Вы решили не возвращаться?» — осторожно спросил я. Николай рассмеялся: «А ты сообразительный, однако. Так и есть. Поддастала нас эта суета вокруг старческих мощей, нуждающихся в перманентной реанимации. Хотим работать с обычными, нормальными людьми, которые нуждаются в наших советах ничуть не меньше, нежели эти красные дьяволята». «Откроете школу на Западе?» — выпалил я в лоб. «Ведем переговоры, — уклончиво ответила Мария, — все должно получиться. Только вот...» «Что?» — «Да жалко, что наши-то, свои люди так и останутся без необходимых им знаний. Хотелось бы в своей стране помочь кому-то, пойми, мы же не из-за денег решили развязаться с Союзом. Просто осточертело это все, живешь как под колпаком, шаг в сторону — побег». «А что, вам не разрешено заниматься преподаванием?» — наивно осведомился я. «Да какое, — горестно вздохнул Николай. — Они же все жуткие собственники. Они считают, что знание может и должно принадлежать только им. Им — вечная жизнь и молодость, энергия, а остальным — ничего. Да ленивые такие, черти, говоришь им, внушаешь, что, мол, надо работать над собой, заниматься своим телом, дыханием, правильно питаться... А им хоть кол на голове теши. Они считают, что им надо только рот вовремя разевать, чтобы туда все в готовом виде загружалось и оставалось только проглотить». «Не хотят работать над собой?» — «Да ясно, что не хотят! И других нельзя учить. Вот мы и сваливаем. Живем, в общем-то на всем готовом, имеем все, что нужно. Но осточертело». «Слушай, — Мария обратилась к Николаю. — А может, мы оставим ему [она имела в виду меня] наши конспекты? Он найдет способ опубликовать в России. Вот и получится, что мы все-таки что-то хорошее сделаем для своих, а?» — «Почему нет? — он внимательно посмотрел на меня. — А ты-то сам как к этой идее отнесешься? Возьмешься за такую задачу? Не побоишься? Не сейчас, а когда в стране дышать легче станет. А такое время неизбежно придет».

«Не побоюсь. Только вот нужны будут какие-то комментарии с вашей стороны. Я не знаю, что там, в ваших конспектах, но вдруг не смогу адекватно разобраться?» «Да не проблема, — Николай еще раз испытующе посмотрел на меня. — Мы тут еще как минимум неделю. Сейчас дадим тебе материалы, изучай, спрашивай — ответим на все вопросы».

Вот так я вдруг оказался хранителем секретных установок, которые были созданы специально для отечественной верхушки периода развитого социализма. Я бы подумал, что все это блеф, если бы не был точно уверен в том, что Николай и Мария — настоящие Мастера. Что же, оставалось разобраться в том, что они мне предоставили, прояснить для себя некоторые вопросы — а потом по оказии довести информацию до широкой российской аудитории. Тогда мне не приходило в голову, что я смогу это сделать только через несколько лет — по не зависящим от меня обстоятельствам. Однако должен отметить, что на протяжении этих нескольких лет я сам практиковал систему, которую сейчас довожу до вашего сведения, а заодно приобщил к ней ряд своих знакомых. Результаты превзошли все ожидания. Мы честно воплощали все принципы, разработанные для кремлевской элиты: если надо было делать упражнения — делали их, надо было в чем-то себя ограничить — ограничивали, старались постоянно правильно дышать и вообще соблюдать скрупулезно все инструкции. И получилось вот что:

- каждый из нас (а адаптировали к себе систему около 30 человек) выглядит сейчас примерно на 10 лет моложе своего биологического возраста;
- мы перестали болеть простудными и вирусными заболеваниями; у меня, например, банальный насморк был последний раз, наверное, до той моей поездки на Тибет;
- у нас улучшилось зрение (например, моя супруга практически избавилась от близорукости и астигматизма);
- мы избавились от проблем в работе желудочно-кишечного тракта;
- стабильно, как часы, работает выделительная система; почки очевидно оздоровились;
- гораздо лучше теперь функционируют:
  — опорно-двигательный аппарат;
  — дыхательная система;
  — нервная система;

- у нас не возникает депрессий, навязчивостей и страхов;
- улучшилась память, у некоторых из нас появились экстросенсорные способности;
- развилась интуиция, умение предвидеть возможный исход разных событий.

Однако, как я уже сказал, в то время мне еще только предстояло познакомиться с кремлевской системой на практике. А пока я пытался осмыслить то, о чем узнал. Да, черт побери, тяжело было представить, как какой-нибудь босс, с трудом ворочающий языком, закручивает свое бренное тело в какую-нибудь матсьендрасану или истово отпевает некую буддийскую или шиваитскую мантру, перебирая четки трясущейся рукой (впрочем, Мастера сетовали на леность своих подопечных и нежелание заниматься требующими приложения энергии практиками). На мои прямые вопросы Николай ответил, что только некоторые из его «клиентов» оказались способны работать «по-взрослому». А остальные так, время от времени, по мере необходимости пользовались его услугами специалиста по акупунктуре и знатока различных видов массажа.

Итак, в течение недели я обращался к моим Наставникам с вопросами, осмысливал ответы, делал записи. Теперь пришло время сдержать данное тогда в Тибете обещание и обнародовать наработки, которые волей случая попали мне в руки. По их настоянию в книге я представляю базовый уровень так называемой «кремлевской» системы, наиболее простой, понятный и необходимый и боссу и простому смертному. Почему я называю систему «кремлевской», думаю, вам понятно. Она была разработана для высшего эшелона совдеповской власти, с ее помощью ставили на ноги партийных «членов», чуть ли не из гроба поднимали генсеков, превращали их стареющих жен и подруг в майские цветуёчки и т. д. Конечно, мне не называли конкретных имен. Но очевидно, что конечным «продуктом» системы (т. е. ее основными принципами, комплексами упражнений) пользовались люди, как минимум вхожие в Кремль.

Я выполняю обещание

Много воды утекло с того времени, когда я встретил Николая и Марию. Страна начала как-то неуклюже, то ли с родовыми муками, то ли с позывами на рвоту от отвращения, становиться на новые, непривычные для себя рельсы...

Все вокруг начали делиться на своих и чужих, левых, правых и неправых. В копейку оценивалась бесценная человеческая жизнь. Все покупалось и продавалось.

Грустно было смотреть на страну, которая как пожилая женщина, привыкшая трудиться, в одночасье по воле злого рока потеряла все и теперь вынуждена стыдливо протягивать сложенную лодочкой ладонь, чтобы не умереть с голоду.

Мне рассказывали случай, когда одна пожилая женщина пыталась вынести тайком буханку хлеба из магазина. Продавщица, молодая девушка, заметила это и схватила женщину за руку, ругая ее при этом и осмеивая. Милиционер, проходивший мимо, узнал в этой несчастной женщине свою старую школьную учительницу то ли по литературе, то ли по истории и заплатил за хлеб... Говорят, соседи через несколько дней позвонили и вызвали милицию. Когда наряд приехал, все увидели старую учительницу с петлей на шее. Рядом на столе лежала нетронутая буханка хлеба...

Я забросил живопись (до того был художник по специальности), как-то не смог переключиться на халтуру, которую тогда называли модерном. Стал преподавать восточные единоборства, ушел глубоко в себя и, похоже, надолго завис в этом состоянии. Помню, частенько посещала мысль «свалить» в какой-нибудь буддийский монастырь или в горы отшельником, да что-то все мешало, не срасталось. Собственно я практически и был отшельником. Отшельником в миру. Мудрые говорили, что трудное это дело жить в миру, не являясь частью его.

Впрочем, просто жить, превозмогая трудности, и оставаться при этом человеком, не наступая никому на горло ради собственной выгоды, а наоборот помогать слабым, нуждающимся в твоей помощи, это может быть даже труднее. Далее я хотел бы привести некоторые практики, которые, как мне кажется, могут помочь человеку. Нормальному обычному человеку, живущему нормальной человеческой жизнью, с ее радостями и неудачами, взлетами и падениями. Для того чтобы в полной мере практиковать системы, разработанные мастерами прошлого, необходимо перестроить свою жизнь так, чтобы все, что человек делает, было как бы в тени этих практик. То есть мастер, живущий в социуме, отслеживает все составляющие своего взаимодействия с окружающим миром, с людьми в первую очередь. Как он общается, как ведет себя, как обходит «подводные камни», возникающие при взаимодействии с людьми, и тому подобное. Одним словом можно сказать, что все, что делает мастер, является практикой, тренировкой. Для большинства людей это неприемлемо. Если мы выходим из дома, и нам наступают на ногу, толкают, да еще при этом орут, чтоб «смотрел куда прешь», наше равновесие будет непременно нарушено. А мастер, скорее всего, эту ситуацию обойдет, так как отслеживает все составляющие событий и понимает, что все не возникает случайно, само по себе.

Есть древняя японская легенда о двух мастерах, изготовлявших самурайские мечи. Первый мастер воткнул свой меч в ручей и все проплывающие мимо листья были разрезаны надвое острым как лезвие бритвы мечом. Когда меч воткнул второй мастер, листья, приближавшиеся к мечу, благополучно огибали его и уплывали невредимыми. Возможно, это вымысел, но и в самом деле гармония, мир, баланс — когда нет победителей и нет проигравших, в этом истинный смысл боевых искусств. Как впрочем, и любых других систем, ориентированных на максимальное раскрытие человеческих возможностей.

...Через неделю после нашей первой встречи Николай и Мария уехали в неизвестном направлении, я ничего не слышал о них довольно давно. И вот буквально год назад я увидел их фотографию на развороте одного глянцевого журнала. Они улыбались, все такие же моложавые, подтянутые, белозубые. А вокруг них стояли такие же стройные и сильные люди. Из небольшой статьи я узнал, что герр и фрау Циммерман-Николай держат в центре Германии школу самосовершенствования. Они сами ведут практические занятия, активно продвигая принципы даосизма, цигун, йоги, тибетской гимнастики и самомассажа и прочих восточных практик. «Когда-то благодаря этой системе продлили свою жизнь многие именитые люди в России, — сказал в интервью журналу герр Циммерман-Николай. — Мы любим вашу страну и надеемся, что наша система будет известна и у вас. Она должна стать достоянием каждого человека».

«Ну конечно! — мысленно воскликнул я. — Пришло время выполнить свое обещание! Надо срочно готовить книжку, время пришло».

Кремлевские тайны, о которых вы узнаете из этой книги

Теперь вы знаете, как создавалась «кремлевская» система и для кого. Поговорим немного о ее эффективности, и о том, что эта система даст лично вам. Может быть кто-то усомнился, что «кремлевская» система работает. Может быть, кто-то скептически качает головой и говорит: «Ну-ну, что же это они с такой замечательной системой так плохо правили, развалили всю страну... Не было бы этих "живых трупов" у власти, может, и жили бы получше». Для сомневающихся небольшой урок истории.

Наша страна перенесла самую страшную войну за все существование человечества. И не просто перенесла, а вынесла на своих плечах. По оценкам западных специалистов на восстановление СССР после войны должно было потребоваться 50–80 лет. Никак не меньше. А мы восстановили экономику за первую послевоенную пятилетку. Без мудрого управления такой рывок был бы невозможен. Это раз.

Наша страна имела огромный вес и авторитет в мире. Это сейчас можно без спросу размещать свои комплексы ПВО прямо у наших границ. А вот попробовали бы натовцы сделать это при Брежневе, о чьей дряхлости так любят рассказывать анекдоты. Это два.

И, наконец, бесплатная система здравоохранения и образования, которая была в СССР, — это мечта для многих процветающих стран. В замечательных США, с которых мы берем теперь пример, вся медицина платная. Любители сериалов, наверное, вспомнят душевные муки докторов из «Скорой помощи», которые и рады бы сделать операцию больному ребеночку из бедной семьи, да не могут. Страховки нет. Ну, а советское образование (абсолютно бесплатное) котировалось и пока еще котируется во многих западных странах. Легко ли было создать такую систему и заставить ее работать? Думается, что не просто. Это три. А можно написать еще и четыре, и пять, и десять пунктов, доказывающих, что не все у нас было плохо. Управлять наши лидеры умели, и добиваться своего тоже, причем делали они это успешно даже в очень преклонном возрасте.

А сейчас открою вам первую «кремлевскую» тайну — особенной популярностью пользовались два комплекса: омоложения и развития интуиции.

Без молодости и энергии, понятное дело, много не направишь, тем более, что возраст у наших правителей был отнюдь не юный. Без интуиции и умения видеть чуть дальше противника невозможно было бы разрешить многие внутри и внешнеполитические кризисы. Именно об этих двух комплексах — двух тайнах здоровья и управления — и пойдет речь в этой книге.

Я не случайно объединил молодость и интуицию в одну книгу. На самом деле интуиция и молодость взаимосвязаны. Молодость и умение провидеть — это особый настрой нашего организма: тела и сознания. Настрой организма на здоровье и аккумуляцию энергии — это молодость, а настрой сознания на прием сигналов, которые посылает нам Вселенная (сны, странные совпадения, стечения обстоятельств и т. д.), — это интуиция.

Существуют специальные техники, которые создают этот настрой. О них вы узнаете из моей книги. Но начнем мы не с этих техник и тренингов, а с главного — с очищения организма. Это первый шаг к обретению специального настроя.

Очищение необходимо и для омоложения организма, и для развития интуиции. С молодостью все, надеюсь, понятно. Быть бодрым и энергичным нам мешают болезни, болезни возникают из-за зашлакованности организма, значит, очищение — это путь к омоложению.

Очищение имеет большое значение и для развития интуиции и вообще сверхспособностей. Давайте вспомним магов, шаманов, астрологов, которые всегда помогали правителям, стояли в тени трона, но их слово весило порой больше, чем слова министров и стратегов. Известно, что перед тем, как стать провидцем, такой человек проходил специальную процедуру — посвящение. Детали ее разняться от культу́ры к культуре, но общее одно: человек в том числе постился и очищался. Что происходило во время этой процедуры? С научной, медицинской, точки зрения, очищались сосуды, восстанавливалось кровообращение, изменялся химический состав клеток и тканей (в лучшую сторону, разумеется). В результате улучшалась память, восприятие, внимание. Человек, прошедший очищение, начинал подмечать больше деталей, лучше анализировать происходящее, одним словом, быстрее соображал.

С точки зрения духа, очищаясь, будущий специалист по работе с психической энергией избавлялся от стереотипов, чужого влияния, обычаев, что позволяло взглянуть на мир незамутненным, чистым взором. Видеть то, что есть, а не то, что должно.

Поэтому очищение (конечно специальное, выстроенное по определенным законам) оказывает поразительное действие, и обойти его мы с вами никак не можем. С него и начнем.

Ну, а после, когда первый шаг будет сделан, когда вы почувствуете легкость, когда энергия будет, что называется, бить через край, мы приступим к изучению интереснейших техник омоложения и развития интуиции. Им будут посвящены вторая и третья часть книги.

В основе «кремлевской» системы — восточные оздоровительные практики

Думаю, всем уже понятно, что в основе так называемой «кремлевской» системы здоровья лежат восточные оздоровительные практики. Это совершенно закономерно. Именно восточные философы ставили своей целью так сбалансировать все системы человеческого тела, чтобы они пребывали в состоянии максимальной гармонии — это в то время, как, согласно западной традиции, каждый орган, каждая система рассматриваются как некое суверенное поле, которое нужно и должно врачевать независимо от других органов и систем. Именно восточные целители разрабатывали веками теоретические предпосылки бессмертия и научились продлять человеческую жизнь на весьма продолжительное время — а западные представители медицины решали локальные проблемы конкретных недугов и практически не предпринимали шагов в направлении обеспечения максимальной продолжительности человеческой жизни. Восточное знание представителям западной цивилизации всегда казалось сокровенным, альтернативным — и поэтому свои изыскания кремлевские инструкторы сосредоточили именно там.

Итак, был взят курс на восточные практики, базирующиеся на изучении законов Вселенной, конечная задача которых — достижение бессмертия.

Из Конспекта Кремлевских Мастеров.

Согласно восточной доктрине, над всем сущим стоит Творец-Абсолют, Запредельное, находящееся в сфере небытия, то есть за пределами мира сотворенного. Его обычно называют Уцзи. Весь мир проявленных форм сотворен им при помощи намерения и тонкоматериальной субстанции, которую назовем «Ци» (с китайского — «воздух, газ, энергия и т. д.»). Самая распространенная трактовка Ци — энергия. Она имеет две полярности: Инь — пассивное, темное, холодное, женское; и Ян — активное, светлое, горячее, мужское. Находясь в состоянии покоя, в равновесии, Инь и Ян представляют собой баланс, великий предел, или Тайцзи. В материальном мире состояние Тайцзи означает мир, любовь, свет: собаки не кусают людей, люди не кусают друг друга, воевать не с кем и не за чем. Американцы не кричат, что они лучшие в мире, русские не пьют водку, атмосфера не отравляется выхлопами, реки не загаживаются отбросами производства, чистую воду перестали продавать в бутылках, потому что ее полно в любом ручейке, протекающем возле дома. Нет бедных и обездоленных, все счастливы и довольны. Боюсь, что тысячи полторы лет (по скромным подсчетам) человечеству такое счастье не грозит. Для одного отдельно взятого человека, достигшего состояния Тайцзи, это как минимум означает просветление (хотя отдаю себе отчет в том, что этот термин практически ничего не объясняет). В состоянии противоборства, конфликта Инь и Ян творят мир проявленных форм. Этот конфликт не то чтобы совсем уж война. Никто здесь не хочет «замочить» другого (как Путин террористов). Скорее это можно сравнить с соревнованием, где каждый хочет стать первым, как в спорте например. Но так же, как и в спорте, для того чтобы стать первым, нужен кто-то, относительно кого ты бы стал первым. Нужен соперник, нужен конфликт, иначе неувязка. Поэтому Инь и Ян борются друг с другом, побеждают друг друга попеременно, безо всякой надежды победить раз и навсегда. Эту борьбу противоположностей можно наблюдать как смену дня (Ян) и ночи (Инь), лета и зимы, добра и зла и т. д. и т. п. Поэтому вынужден вас огорчить: добро никогда не победит зло, как, впрочем, и наоборот. Ведь существование одного из них зависит от наличия другого. На этой планете именно так все и задумано. И Сатана никогда не придет в этот мир (хотя, собственно, когда и куда он уходил, если он в голове у любого праведника?). Продолжая сражаться, Инь и Ян помимо прочего (опустим подробности) порождают так называемые пять элементов, или пять действий . Из этих пяти элементов состоит весь материальный мир. Из них же состоит и человек. Это Огонь, Земля (почва), Металл, Вода, Дерево.

Помню, прочитав этот теоретический пассаж, я обратился к Николаю с вопросом:

— Если они все знали про Тайцзи, то почему их политика формировалась настолько бестолково? Почему они затевали войны, когда заведомо известно, что победителей и побежденных по определению нет и быть не может? Они были совсем плохими учениками?

— Я же говорил тебе, они не отличались прилежностью. У них были узкие цели, и они хотели, чтобы работал на эти цели кто-нибудь другой, а не они сами.

Мы будем работать с энергией

Известно, что человеческий организм — это особая система, разработанная и предназначенная для длительной жизни, в том числе в условиях лишений и долговременных перегрузок. Естественные механизмы, заложенные в человеке изначально, настроены на реабилитацию, возрождение, самовоспроизводство. Однако на практике мы сталкиваемся совершенно с другим: мы стареем, болеем, впадаем в немочь и слабоумие. С чем это связано? Наши исследования показали, что виной тому становится закупорка каналов, по которым передается энергия. Всем известен принцип работы любого электроприбора. Когда он включен в сеть, он функционирует. В сети начинает падать напряжение — и он барахлит. То же самое происходит, если перетирается кабель. Если доступ тока прекращается, прибор перестает работать. Разве не аналогия с человеком? Когда его энергетические меридианы настроены на прием энергии извне, он нормально функционирует, жизнедеятелен. Происходит сбой в работе меридианов, образуется застой энергии — и, как результат, человек выбивается из колеи. Цепочка такова: недомогания, болезни, органические поражения, смерть. Если же поддерживать постоянно энергетические меридианы в нужном состоянии, то энергия будет свободно циркулировать в теле человека и он будет неподвластен болезням, старению, а смерть отодвинется неопределенно далеко.

Главными элементами системы энергообмена являются особые зоны головного и спинного мозга, а также глаза, через которые у нас и происходит процесс поглощения и передачи энергии. Несколько тысяч лет назад у человека был третий глаз, который представлял собой орган интуиции, поскольку работал как антенна, передающая и улавливающая энергию. В течение эволюции человек утратил третий глаз и его функции делегировались глазам, которые изначально были только органами зрения.

Анализ сверхвозможностей человека и путей их реализации — не тема данной книги. Несомненно, что мы настроены на ритм Вселенной, что мы подвержены влиянию магнитных бурь, катаклизмов на Солнце и прочих событий космического масштаба, сопровождающихся выбросом энергии. Известно, что именно благодаря возможности подключаться к Высшим энергоинформационным полям человек получает возможность считывать некие программы, которые определяют его жизнь, трансформировать и адаптировать их, работать под их руководством.

Однако моя цель у́же, нежели рассмотрение этих связей и анализ влияния Глобального энергетического поля на человека. В своей книге я представляю первичные методики, освоив которые можно реанимировать работу своих энергетических меридианов, а значит, повернуть вспять процессы старения, болезни; использовать циркуляцию энергии для естественного омоложения и оздоровления своего организма; вернуть потерянную в процессе эволюции способность предвидеть будущее; натренировать интуицию. Мы вернемся к истокам, к начальному уровню энергообмена со Вселенной, изучением которого занимаются секретные лаборатории ведущих мировых держав. Я не ставлю перед собой задачу проникнуть в их тайные разработки и, тем более, обнародовать их. Я просто выполняю свое обещание, данное несколько лет назад людям, которых я, как вы уже поняли, склонен называть Кремлевскими Мастерами.

«КРЕМЛЕВСКАЯ» СИСТЕМА ОЧИЩЕНИЯ

Что дает «кремлевская» система очищения

Не будем уже останавливаться на том, что очищение нам необходимо для дальнейших занятий по омоложению и развитию интуиции. Кроме того:

Во-первых, наступает реальное и стойкое улучшение самочувствия.

Во-вторых, само очищение происходит очень мягко, безболезненно.

В-третьих, чистка не нарушает привычного ритма жизни.

В-четвертых, организм возвращается в то исходное состояние, когда все регулировалось само, не вызывая никаких сбоев.

А самое главное — очищение «по-кремлевски» стабилизирует все показатели жизни, не только здоровье! Ведь каждый наш внутренний орган энергетически привязан к какой-то сфере жизни. Когда он очищается, успеху в данной сфере загорается зеленый свет! Так происходит потому, что энергия, ранее тратившаяся на обезвреживание токсинов, высвобождается и поступает в наше распоряжение.

Чистите кишечник — исчезают денежные проблемы, чистите печень — вы становитесь творческим человеком, а в вашу жизнь приходит изобилие, чистите почки — начинается карьерный рост, про-

чищаете сосуды — повышается ваш авторитет, степень влияния на других и так далее.

Высвобождаемые чистками по-кремлевски запасы энергии — колоссальны! А чем больше энергетический ресурс человека, тем он могущественнее, тем шире его возможности. У кого много энергии, тот богат. Богат во всех отношениях. Так что чистка дает ключи к решению очень многих проблем, никак с ней напрямую не связанных.

Сигналами зашлакованности организма являются:

- любые (!) болезни;
- субъективное ощущение невозможности привести в порядок свои дела;
- апатия, приступы пессимизма;
- безволие, невозможность сформулировать текущие и перспективные цели и задачи;
- ипохондрия и — на ее фоне — повышенная склонность к болезням;
- внешняя квелость, отсутствие энергии, блеска в глазах;
- не мотивированное ничем конкретным чувство дискомфорта;
- синдром хронической усталости.

Многим из читателей, кто уже не раз обращался к литературе по очищению органов и систем организма, бросится в глаза, что приведенные мной признаки зашлакованности несколько отличаются от традиционно обсуждаемых. И так будет на каждом шагу: «кремлевская» система, как я уже говорил, разительно отличается от прочих систем оздоровления.

Если хотите, в ней больше логики, она четче и продуктивнее, в ней меньше общих мест и неоправданных сложностей.

Что касается признаков забитости изнутри грязью, то тут все предельно ясно. Все болезни появляются только (!) на фоне энергетической недостаточности, а она — в свою очередь — есть следствие зашлакованности. Я об этом уже говорил. Болезнь и заполненность изнутри всяким мусором, необходимость носить в себе килограммы нечистот закономерно вызывают у человека апатию, безволие и пр. Попробуйте таскать целыми днями на спине мешки с дерьмом, совершенно непонятно зачем, бессмысленно и обреченно. Какие вы при этом будете испытывать чувства? Каковы будут ваши желания? Если вы не знаете, почему у вас дурное настроение и недомогание, — это значит, что вы таскаете эти самые мешки, только внутри себя — что еще печальнее. Почему? Потому что вы даже не можете определить для себя, что вас гнетет. Вам просто плохо.

У вас случаются время от времени такие состояния? Если да, то давайте решать вашу проблему. Она, на самом деле, не так уж и сложна. У вас все получится — будьте уверены: у всех, кто работает над собой по «кремлевской» системе, все рано или поздно получается.

Очищение — это не только здоровье! Великая тайна человеческого организма

То, что для поддержания своего здоровья на приемлемом уровне надо периодически очищаться, известно всем. Но мало кто знает о другом воздействии чисток: они регулируют эмоциональные проявления, приводя в порядок психику, и... открывают путь к успеху в жизни. Я уже вскользь говорил об этом. Например, вы очищаете кишечник, и у вас автоматически налаживается финансовая сторона жизни. Очень заманчивая перспектива, согласны? Вам никогда такое не приходило в голову? Вы ничего такого не слышали? А это факт. Предоставляю слово Мастерам.

ПЯТЬ ЭЛЕМЕНТОВ И ВНУТРЕННИЕ ОРГАНЫ

Из конспектов Кремлевских Мастеров

Вся Вселенная проникнута незримой энергией, которую на Востоке называют *ци*. *Ци* — это всемогущая сила, несущая жизнь и управляющая всеми процессами во Вселенной. Эта энергия присутствует везде и может принимать бесконечное множество форм. Все, что мы видим и слышим, осязаем, обоняем и ощущаем на вкус, — не что иное, как внешние проявления *ци*.

Несмотря на это многообразие, все во Вселенной можно отнести к одной из пяти категорий, которые соответствуют пяти разновидностям *ци*, называемым стихиями: Огню, Воде, Земле, Дереву и Металлу. Весь материальный мир состоит из этих пяти элементов. И человек — не исключение. Каждый внутренний орган, система, часть тела и человек в целом несут в себе какую-то стихию. Личная стихия человека зависит от года его рождения, то есть у каждого она своя. А вот органы являются воплощением вполне конкретных элементов, и это одинаково у всех людей.

В организме человека каждый элемент представлен двумя внутренними органами — плотным и полым, одним или несколькими внешними и какой-то разновидностью тканей. Плотные органы — это кладовые энергии. Они производят и накапливают питательные вещества и жизненную силу *ци*. Полые органы — фильтрующие, служат для восприятия пищи, пищеварения и всасывания, это «рабочие лошадки».

Стихии **Огня** соответствуют сердце (плотный орган) и тонкий кишечник (полый орган).

Сердце обеспечивает продвижение крови по сосудам, одновременно контролируя состояние их самих. Этот орган также управляет психической деятельностью. От него зависит состояние духа, работа сознания, память, мышление и сон. Любые нарушения психики и такие явления, как беспричинный страх, сердцебиение, бессонница, легко устраняются очищением сердечно-сосудистой системы.

Тонкий кишечник выполняет функции временного хранения частично переваренной в желудке пищи, обеспечивает дальнейшую ее обработку, всасывание питательных веществ в кровь, транспортировку непереваренных остатков в толстую кишку.

Ткани, представляющие Огонь: кровеносные сосуды.

Внешние органы: язык.

Цвета: красный, розовый, оранжевый.

Вкус: горький.

Ощущение: жара.

Эмоция: радость.

Качества: активность, энергичность, страсть, агрессия, энтузиазм, лидерство.

Сферы влияния: общественная деятельность, популярность, авторитет, самореализация.

Время суток: 11.00–15.00.

Время года: лето.

Элемент **Земли** представлен желудком (полый орган) и селезенкой (плотный орган).

Желудок осуществляет начальную переработку пищи и последующий ее перевод в тонкую кишку.

Селезенка контролирует процесс пищеварения, транспорт питательных веществ, кровь и мышцы. Благодаря работе селезенки, кровь остается в пределах сосудов, что предотвращает кровоизлияния. Состояние мышц, их масса и сила зависят от обеспеченности питательными веществами, выработка и транспортировка которых контролируется селезенкой. Кроме того, «земная» энергия селезенки поддерживает работу поджелудочной железы и нормальную локализацию внутренних органов, предотвращая их опущение.

Ткани, представляющие Землю: мышцы.

Внешние органы: ротовая полость.

Цвета: желтый, коричневый.

Вкус: сладкий.

Ощущение: влажность.

Эмоция: сострадание.

Качества: стабильность, надежность, уверенность, терпение, заботливость, честность, методичность.

Сфера влияния: домашний очаг, семья, брак.

Время суток: 7.00–11.00.

Время года: конец лета и начало осени.

Металлу соответствуют легкие (плотный орган) и толстый кишечник (полый орган).

Легкие обеспечивают процесс дыхания, контролируют поток *ци*, поступающий в организм вместе с воздухом, водный обмен и состояние кожи и волос.

Толстая кишка принимает из тонкого кишечника переваренную пищу. В ней происходит всасывание питательных веществ в кровь, формирование и выведение кала.

Ткани: волосы, кожа.

Внешний орган: нос.

Цвета: белый, серый.

Вкус: острый.

Ощущение: сухость.

Эмоции: грусть, тоска.

Качества: сообразительность, хитрость, могущество, предприимчивость, целеустремленность, жесткость.

Сферы влияния: власть, деньги, интеллект.

Время суток: 3.00–7.00.

Время года — осень.

Стихия **Воды** представлена в организме почками (плотный орган) и мочевым пузырем (полый орган).

Почки накапливают жизненную энергию *ци*, обеспечивающую рост и развитие организма, репродуктивную функцию (им подчинена матка) и образование костного мозга, который в свою очередь управляет развитием костей и продуцирует кровяные клетки.

Мочевой пузырь выполняет функции сбора и выведения мочи.

Ткани, соответствующие Воде: кости.

Внешний орган: уши.

Цвет: голубой, синий, черный, фиолетовый.

Вкус: соленый.

Ощущение: холод.

Эмоция: страх.

Качества: коммуникабельность, мудрость, лень, пассивность.

Сферы влияния: карьера, материальное благополучие, путешествия, познание, эмоции.

Время суток: 15.00–19.00.

Время года: зима.

Элемент **Дерева** представлен печенью (плотный орган) и желчным пузырем (полый орган).

Печень — это депо красных кровяных клеток (эритроцитов), она обеспечивает циркуляцию *ци* в организме, регулирует состояние сухожилий и зрения, курирует процесс пищеварения, нейтрализует токсины, поступающие с пищей. На этом органе завязано эмоциональное равновесие человека, особенно гнев и депрессия. Частые вспышки гнева и длительные депрессии ослабляют печень, но и больная, зашлакованная печень в свою очередь способна порождать эти эмоции.

Желчный пузырь осуществляет сбор желчи и выделение ее в кишечник для пищеварения, что вместе с печенью обеспечивает свободное протекание жизненной энергии по телу.

Ткани: сухожилия.

Внешний орган: глаза.

Цвет: зеленый.

Вкус: кислый.

Ощущение: движение воздуха, ветер.

Эмоция: гнев.

Качества: развитие, обновление, расширение, новаторство, гибкость, сотрудничество, доверие.

Сферы влияния: творчество во всех его проявлениях, самовыражение.

Время суток: 23.00–3.00.

Время года: весна.

Выводы таковы. Абсолютно все в мире можно классифицировать на Огонь, Воду, Землю, Дерево и Металл. К примеру, растения — это Дерево; Солнце, пламя, источники огня и тепла — Огонь; металлические предметы — Металл; реки, моря и озера — Вода; песок, камни и почва — Земля. Даже время подвластно стихиям: каждая из них активизируется в определенный период года и суток.

Энергиями пяти элементов «окрашены» органы нашего тела, психические проявления, качества характера и сферы жизни. Причем все это находится в тесном единстве. Гнев вредит печени, испуг и неумеренная радость — сердцу, печаль и грусть — легким, страх — почкам, чрезмерные сострадание и опека других — селезенке. С другой стороны, зашлаковка этих органов угнетает их элементальные энергии.

В результате начинает страдать не только здоровье, но и курируемые этими энергиями сферы жизни. Портится и характер человека, его реакции на внешние обстоятельства перестают быть адекватными, и в судьбе возникает перекос.

Как зашлакованность влияет на судьбу

В современных условиях быстрее всего шлаками забиваются толстый кишечник и печень. Толстая кишка воплощает собой Металл — элемент, курирующий финансы, интеллект и власть. Что получается? Шлаки в кишечнике начинают создавать проблемы с деньгами и умственной деятельностью. В конце концов, человек просто-напросто тупеет и теряет способность зарабатывать достаточное для более-менее пристойного проживания количество денег. Печень связана с творчеством. Каков итог ее зашлаковки? Трудности в творческом самовыражении. А поскольку мастерства в любом деле можно достичь, лишь реализуя творческий подход, человек снова проигрывает. Такая вот взаимосвязь! Вы чистите организм, а он в благодарность начинает помогать вам преодолевать жизненные перипетии и достигать успеха.

Первый шаг в чистке

Первый шаг, который вы должны сделать с учетом всего вышеизложенного, — это внести небольшие поправки в свой рацион, цветовое окружение и образ жизни. Я свел рекомендации в табличку. Адресованы они, естественно, в первую очередь тем, у кого страдает какой-то из основных, упомянутых выше органов. Соблюдение этих рекомендаций укрепит ослабленные, зашлакованные органы, тем самым облегчив и ускорив процесс их дальнейшей чистки.

Органы	Что нужно делать каждый день	Какой цвет обязательно должен присутствовать в вашем окружении (одежда, интерьер комнаты, рабочее место)	Наиболее благоприятное время* для чистки (период максимальной активности органа)	Какие продукты ежедневно употреблять в период (а если есть такая необходимость, то и после) чистки
Сердце, тонкий кишечник, сосуды	Зажигать свечу и смотреть на пламя или принимать солнечные ванны (15 минут)	Красный (любые оттенки), розовый или оранжевый	С начала мая до конца июля, с 11 до 15 часов	Редьку, редис, хрен, калину
Селезенка, желудок, поджелудочная железа, мышцы, рот	Заниматься садовыми работами или рыхлить землю в горшках с комнатными растениями	Желтый или коричневый (любые оттенки)	С конца сентября до середины октября, с 7 до 11 часов	Мед, коричневый сахар (тростниковый)
Легкие, толстый кишечник, волосы, кожа, носовой проход	Носить металлические украшения, лучше всего из серебра или золота: чем больше, тем лучше	Белый или серый	С конца июля до конца сентября, с 3 до 7 часов	Перец, лук, чеснок, горчицу, японский хрен (васаби)
Почки, мочевой пузырь, кости, уши	Принимать контрастный душ (утром и вечером) или ванны с морской солью (не менее 5 раз в неделю)	Голубой, синий или фиолетовый	С конца октября до конца декабря, с 15 до 19 часов	Использовать вместо обычной соли морскую, употребляя не менее 5 г в день
Печень, желчный пузырь, глаза, сухожилия	Пребывать в обществе комнатных растений, их должно быть рядом с вами не менее десяти	Зеленый (любые оттенки)	С конца февраля до конца апреля (период Великого Поста), с 23 до 3 часов	Лимоны, кислые яблоки, клюкву, яблочный уксус (1 чайная ложка на стакан воды)

* Если вы чиститесь в период действия летнего времени, этот «лишний» час учитывать не надо. Сдвиг по времени на час противоречит естественным природным ритмам. Допустим, вы летом чистите толстый кишечник. Период активности его энергии — с 23 до 3 часов ночи. Но время переведено на час вперед. Поэтому благоприятный для чистки период тоже сдвигается на час вперед: по летнему времени он будет находится между 24 и 4 часами утра.

Бывает так, что заняться очистительной процедурой в период максимальной активности данного органа нет возможности. В этом случае действуйте согласно следующему правилу: полые органы чистите с 12 до 24 часов, а плотные — с полуночи до полудня.

Какие органы «чистить» обязательно

Теперь о том, какие органы чистить. Желудочно-кишечный тракт, печень, органы дыхания и кровь — обязательно. Остальное — на ваше усмотрение. Если что-то беспокоит, значит, данному органу требуется внимание. Начните с соблюдения приведенных выше рекомендаций, а далее — по самочувствию. Возможно, этого окажется достаточно. Например, не в порядке мочеполовая система. Ваши действия таковы: носите голубую, синюю или фиолетовую одежду (либо привнесите эти цвета в интерьер своей комнаты и рабочего места), употребляете вместо обычной соли морскую и принимаете дважды в день контрастный душ.

Из конспектов Кремлевских Мастеров

Контрастный душ — чрезвычайно полезная процедура для всего организма. Он усиливает кровообращение, закаляет нервы, стимулирует иммунную систему, придает бодрость.

В идеале процедура проводится так. Стать в ванну и облиться водой комфортной температуры. Затем сделать воду настолько горячей, насколько это возможно (разумеется, не ошпариваясь). Через 30–90 секунд отключить горячую воду и пустить только холодную. Облив все тело в течение 20–40 секунд, вновь включить самую горячую воду на 20–40 секунд, а затем пустить холодную. На этот раз под холодным душем постоять подольше. Далее снова не очень длительный горячий душ и завершающий холодный. Обливать надо все тело, не задерживаясь подолгу на одном месте. Всего делается три контраста (перехода от горячей воды к холодной). Завершается процедура всегда холодной водой.

Привыкать к контрастному душу нужно постепенно. Сначала на протяжении двух недель принимайте душ комфортной температуры. Затем делайте один контраст, не очень долго стоя под холодной водой (5–10 секунд). Через неделю переходите на два, а затем и на три контраста.

Вначале допускается уменьшать перепад температур, то есть обливаться не самой холодной и не самой горячей водой, а теплой и прохладной. Но достигнув ощущения явного холода, надо резко перейти сразу на ледяную воду. Не зная этой тонкости, многие новички пытаются и далее снижать температуру постепенно, доходят до 19–20 °С и простужаются. Секрет здесь прост. Вода такой температуры уже значительно охлаждает тело, но она недостаточно холодна, чтобы включить механизмы самовосстановления организма. Резкое же кратковременное обливание ледяной водой не успевает отнять много тепла, но оказывает мощнейшее воздействие, запуская терморегуляторный и иммунный механизм.

Людям с нарушением кровоснабжения мозга, тромбофлебитом, гипертонической болезнью и спазмами сосудов следует приступать к контрастному душу с осторожностью. Альтернатива контрастному душу — холодный душ или обливания холодной водой (наполняется большой таз или ведро и вся вода разом выливается на тело).

• •

Попутно отслеживайте свое самочувствие: в случае положительной тенденции продолжайте следовать рекомендациям до победного конца; отсутствие сдвигов в течение 2–3 месяцев говорит о том, что чистка все же необходима.

Желудочно-кишечный тракт

Толстому кишечнику отводится значительная роль в очищении, его чистка обязательна для всех людей, поэтому я начну с него. Нормальная и бесперебойная работа кишечника является ключом к здоровью и, как вы только что убедились, материальному благополучию. Чувство удовлетворения жизнью и долголетие также завязаны на кишечник.

Что такое зашлаковка кишечника, как она возникает и чем страшна

Организм человека снабжен мощной многоступенчатой системой самоочистки, ведущим звеном которой является толстый кишечник. Непереваренные остатки пищи выводятся через него наружу. Если они задерживаются или подолгу не выводятся, то начинают всасываться в кровь.

Вся кровь от толстого кишечника поступает в печень, где происходит удержание ненужных веществ и обезвреживание токсинов. Печень сбрасывает их через желчный проток в тонкий, а затем в толстый кишечник на вывод. Но если кишечник работает плохо, токсины вместе с кровью возвращаются для обезвреживания в печень. Это ведет к перегрузке печени, и она начинает складировать их. Все это приводит к загрязнению крови, что в свою очередь создает сбои в работе остальных органов, получающих питание через кровь.

Первыми принимают на себя удар почки: начинают разрушаться, болеть. Когда толстый кишечник не справляется с выводом пищевых отходов, печень и почки перегружены, что в конечном итоге приводит к тотальной зашлаковке организма — накоплении в крови и тканях вредных веществ. Чтобы избавиться от токсинов, организм вынужден подключать другие системы выделения, не приспособленные для этого: кожу и слизистые оболочки, имеющие выход наружу — носоглотку, мочеиспускательный канал, влагалище, уши, глаза. Проблемы с этими органами свидетельствуют о серьезных сбоях в системе естественного самоочищения организма.

Выход один: освободить кишечник от залежей накопившихся в нем отходов. Эти залежи являются очень благоприятной средой для жизнедеятельности различных паразитов, бактерий, вирусов, грибков, которые с удвоенной энергией начинают размножаться, усугубляя и без того тяжелое положение организма и вызывая новые болячки.

Откуда берутся шлаки

Причиной зашлаковывания кишечника является преобладание в рационе жареной (однажды я сделал клизму на следующий день после того, как поел жареной картошки: вышедшее из меня было настолько ужасно, что я перестал употреблять жареное), жирной, рафинированной и вареной пищи, лишенной клетчатки, витаминов и минеральных веществ. А самыми разрушительными для организма являются продукты, содержащие термофильные дрожжи: дрожжевой хлеб и кондитерские изделия — пироги, торты, пирожные, пряники, печенье и прочие сладости. Проходя через кишечник, такая пища, особенно если она смешивается с белками (мясом, рыбой, яйцами) и молочными продуктами, оставляет на стенках кишок пленку кала. Постепенно эта пленка утолщается, образуя каловые камни (самые благоприятные места для их накопления — изгибы кишки) и в кишечнике начинается процесс гниения. Продукты гниения попадают в кровь и разносятся по всему организму, отравляя его.

С возрастом концентрация шлаков в крови увеличивается, а болезней соответственно прибавляется. Помимо всего прочего, забитый каловыми камнями кишечник растягивается и деформируется, сдавливая близлежащие органы. Ни о какой нормальной их работе, ясное дело, и речи быть не может. Нарушается и кровоснабжение слизистой кишечника, что вызывает колиты, геморрой и новообразования, в том числе злокачественные.

Не секрет, что большей части нашего населения придерживаться правильного питания непросто. Питаться одними лишь свежими овощами, фруктами, семечками, орехами и свежевыжатыми соками может позволить себе только очень обеспеченный человек. Продукты, которые мы покупаем в магазинах, в большинстве своем подверглись химической обработке и лишены многих полезных веществ. Да и нелегко отказаться от любимых пирожных, тортов и булочек (для кого-то поедание сладкого — одна из немногих радостей в жизни). Если вы питаетесь неправильно, необходимо хотя бы раз в год чистить кишечник.

Оцените состояние вашего кишечника

Оценить состояние своего кишечника нетрудно. Вот критерии правильного питания:

- регулярный стул (нормой считается 1 раз в сутки для мясоедов и 1–2 раза для вегетарианцев);
- дефекация происходит легко и одномоментно;
- по консистенции кал напоминает однородную пастообразную массу в виде колбаски.

Если хотя бы один из этих трех критериев отсутствует, значит, кишечник нуждается в чистке.

Что даст вам чистка кишечника помимо здоровья

Подчас случается, что человек, страдающий каким-нибудь серьезным заболеванием, после очищения кишечника выздоравливает, и никакое дополнительное лечение ему уже не требуется. Преображается и его судьба. Мне известно немало таких случаев среди моих знакомых и учеников, очищавшихся по «кремлевской» системе.

....

Около года назад в секции айкидо, которую я веду, появились двое пацанят 12 и 14 лет. Их мать рассказала мне совершенно ужасную историю. У них болела вся семья: она сама и оба сына. Об их материальном положении я даже не говорю: женщина одна воспитывала детей и с утра до вечера надрывалась за копейки. У старшего после ветрянки было воспаление коры головного мозга. Несмотря на все попытки сбить температуру, она не опускалась ниже 38. Ребенок не мог надолго концентрировать внимание, что, естественно, не лучшим образом сказывалось на его успеваемости. Младший страдал дисбактериозом (нарушение микрофлоры кишечника) и хроническим панкреатитом. У обоих периодически бывали непонятные скачки температуры до 40. Ради детей женщина провела несколько экспериментов на себе: пила касторовое масло с коньяком и настои трав, ела глину, отказывалась от мяса, молочных продуктов, дрожжевого хлеба, сладкого, чистила организм по Семеновой, вела активный образ жизни — каждый день ездила на велосипеде, работала на огороде. Давалось ей все это с трудом: она потратила уйму времени, сильно похудела (что ее не украсило, так как вес и так был низким), выглядела бледной, измотанной, кожа периодически покрывалась сыпью.

Особых изменений в своем состоянии она не заметила. После всех этих процедур женщина прошла компьютерную диагностику, выявившую целый букет болезней, включая паразитарные — лямблиоз и собачий лептоспироз (у них собака).

Потом она просто-напросто устала. Прекратила чистки, перешла на обычный режим питания. Поскольку результатов не было, она решила не мучить детей: ограничилась тем, что пропоила их отварами трав и накормила тыквенными семечками по методике Семеновой. Естественно, это ничего не изменило: мальчики продолжали болеть. Потом кто-то сказал ей, что причина их недугов в малоподвижном образе жизни (ребята целыми днями просиживали у телевизора и компьютера) и посоветовал отдать их в секцию единоборств. Так они очутились у меня. Выслушав рассказ женщины о неудачном опыте чисток, я решил предложить ей кремлевское очищение. После долгих уговоров она согласилась почистить кишечник.

С тех пор прошло четыре месяца, и теперь все трое совершенно здоровы. Чистка излечила все болячки и у нее, и у детей. Изменилась в лучшую сторону и жизнь семьи. Женщине удалось найти другую работу, где платили больше, она помолодела и похорошела, нашла себе кавалера: теперь они живут вместе, и он заменяет мальчикам отца. Вот такие замечательные перемены принесла в жизнь этих людей кремлевская система очищения. И такой случай не один, их десятки и сотни. О них можно написать отдельную книгу. Вот еще история.

• •

У подруги одной из моих учениц в возрасте 30 лет внезапно, без причины начали выпадать волосы на голове, и в течение трех месяцев выпали все до единого. Женщина переживала колоссальный стресс. Она обследовалась в различных диагностических центрах, однако никаких серьезных заболеваний у нее не обнаружили. Врачи недоумевали. Но жизнь молодой женщины остановилась: наверное, это и описывать не стоит. Она пыталась обращаться к экстрасенсам, в различные клиники по восстановлению волос, пробовала народные средства: все бесполезно. Когда до меня дошла эта печальная история, я посоветовал почистить толстый кишечник (по-кремлевски, разумеется). Ведь именно он, если вы помните, отвечает за состояние волосяного покрова. Результат был потрясающим: волосы начали расти, спустя всего две недели после окончания чистки! Совершенно невероятный случай, хотя и вполне объяснимый. Это чистая правда, я сам видел эту женщину до и после чистки. Сейчас волосы еще короткие, но с каждым днем они становятся все гуще и гуще.

А сколько народу выбралось из нищеты, благодаря чистке кишечника! Поначалу я фиксировал эти случаи, даже записывал их, но вскоре сбился со счета и забросил это дело. Их невообразимо много!

• •

Ко мне на занятия ходит Иван, энергичный, жизнерадостный и целеустремленный молодой человек. И вдруг замечаю в нем перемену: вместо улыбки и веселых шуток — унылое, озабоченное лицо, потухший взор. На все мои расспросы отвечает, что ничего страшного не произошло, просто устал на работе. А спустя неделю он вообще исчез с занятий. Около трех месяцев я его не видел, а потом он появился, веселый и жизнерадостный, как прежде. Я поинтересовался причиной его отсутствия и услышал следующее.

Иван ушел с нелюбимой работы на ту, о которой мечтал всю жизнь. Все должно было быть хорошо: собеседование пройдено, тесты сданы и — не взяли. Отказ он воспринял довольно спокойно, но уехал на свою малую родину, к родителям, в тихую русскую деревню, где блуждал по полям и лесам, размышляя о жизни. И чем больше он размышлял, тем острее ощущал, что на него наваливается какой-то мерзкий холодный ком. Будучи человеком оптимистичным, Иван отгонял от себя мрачные мысли, убеждая себя в том, что скоро все устаканится. И ком терпеливо ждал, когда Иван даст слабину. И это случилось.

Когда Иван вернулся в город, ком рванул. Деньги заканчивались с ужасающей быстротой. Работу найти не удавалось. Помощи ждать было неоткуда. Иван по натуре был очень веселым и добродушным человеком, и это притягивало к нему людей. У него всегда было много друзей, но когда он оказался в беде, все они куда-то исчезли. Что ж, такое случается нередко... В квартире стояла гробовая тишина. Телефон молчал. Ночи без сна... Дни в мрачных мыслях... На прежнюю работу обратно не берут, на место Ивана уже взяли другого человека. Проходит неделя, вторая, третья... К концу четвертой всплывает простое и страшное: все, конец! Рука ищет нож или бритву, но находит конспекты моих лекций. Иван вяло листает их, и вдруг ему в глаза бросается фраза: «...начинать надо всегда с себя, точнее с физического тела. Очистите кишечник — наладятся финансовые дела». У Ивана появился проблеск надежды: собственно, а почему бы и нет? Терять все равно нечего. И он начал чиститься.

На 17-й день чистки — звонок. Надо же, а Иван уже и забыл, что телефон может звонить! В трубке веселый голос его московского приятеля: «А ты чего дома сидишь? Почему такой грустный? Я, по правде говоря, не тебе звонил, просто номер перепутал. Без работы? Какая ерунда! Я как раз сейчас открываю у вас филиал своего предприятия, и мне нужен управляющий. С ног сбился в поисках подходящей кандидатуры! Мне нужен энергичный и надежный человек, которому я мог бы доверять. Ты как раз подходишь! Вечером перезвоню и скажу, куда подъехать. Жди». Свое обещание приятель сдержал, и Иван получил место, о котором даже и не мечтал. Естественно, начинать было нелегко, но постепенно Иван привык, и сейчас удовлетворен и самой работой, и ее оплатой.

А еще чистка толстого кишечника по-кремлевски позволяет сбросить (и не нажить снова!) лишние килограммы, привести в порядок кожу — избавиться от прыщей, угрей, разного рода экзем и высыпаний, и, что тоже немаловажно — усилить свой интеллект. Очищается толстая кишка — проясняется голова, мозг начинает работать в полную силу.

Как будет проходить очищение

Если вы ждете нечто вроде «кремлевской таблетки», то вынужден вас разочаровать. Ни о чем подобном я рассказывать не буду. Просто-напросто потому, что такой таблетки не существует и никогда не существовало, хотя многие верят в нее до сих пор. На самом деле это была дурилка, причем дурилка гениальная: обычная полуторавольтовая батарейка овальной формы. «Доктора медицинских наук» с экранов телевизоров и страниц газет убеждали наивных россиян, что если таблетку проглотить, то она сама найдет, обезвредит и выведет все имеющиеся шлаки, оздоровит и укрепит организм, а заодно сделает его нечувствительным к стрессам. Стоила такая батарейка от 50 до 70 долларов. А поскольку ее себестоимость была 10 центов за упаковку, прибыль от этой кампании составила фантастическую сумму.

Нынче на смену «кремлевской таблетке» пришли пищдобавки. Их рекламируют как альтернативу очистительным процедурам. И народ по-прежнему верит. Действительно, как все просто! Вместо того чтобы тратить время на клизмы и всякие там шанк-пракшаланы, можно просто съедать каждый день по капсуле, и с кишечником все будет о'кей: он очистится сам собой и в рекордные сроки. На самом деле это абсолютная чушь. Пищдобавками очистить кишечник невозможно. Максимум, на что они способны, — это обеспечить регулярный стул (в период приема, разумеется, а потом все вернется на круги своя). Со стенок кишок пищдобавки каловых камней и полипов не соскребут. Тут требуется воздействие помощнее. Изгнать шлаки способно лишь длительное голодание. Но оно, ясное дело, по силам немногим. И высокопоставленные клиенты Николая и Марии, естественно, тоже отказывались голодать. Поэтому специально для них был разработан альтернативный способ удаления шлаков, который включает в себя три этапа: энергетическое очищение в сочетании со специальными упражнениями, клизмы и прием средств, закрепляющих результат чистки. Это единственный способ, равный по силе длительному голоданию и позволяющий очиститься в рекордные сроки. Но ни одним из этапов пренебрегать нельзя, иначе полной очистки не получится.

Когда лучше начать очищение

Начинать курс очищения лучше в период второй лунной фазы, где-то с 7 по 13 лунный день. Это идеальное время для начала любых чисток: энергетические шлюзы организма открываются, и шлаки сами стремятся наружу. Наиболее подходящее время года — с конца июля до конца сентября. Я рекомендую совместить чистку кишечника с чисткой желудка и заняться всем этим в сентябре — месяце, когда периоды максимальной активности желудка и толстого кишечника совпадают.

Почему тонкий кишечник не нуждается в чистке

Кстати, почему чистится только толстый кишечник, вы знаете? Дело в том, что по тонкому кишечнику пищевая кашица передвигается очень активно, она там не задерживается, и «накипь» на стенках кишки образоваться не успевает. А вот скорость прохождения пищи по толстому кишечнику гораздо ниже. Кроме того, в толстом кишечнике множество складок и несколько крутых поворотов. Там даже есть участок, по которому пища движется вертикально вверх. При этом содержимое толстого кишечника обезвоживается, так как практически вся выпитая нами вода не усваивается ни в желудке, ни в тонком кишечнике. Проходя по верхним отделам желудочно-кишечного тракта, она смывает всю «грязь» на своем пути и несет ее в толстый кишечник, где в верхних его отделах и происходит процесс всасывания воды во внутреннюю среду организма. Вода всасывается, а «грязь» остается, оседая на внутренней поверхности стенок толстой кишки.

✓ **Если вы решите, что чистка кишечника необязательна, и приступите сразу к другим чисткам, например чистке печени, то только навредите себе. Токсины следует выводить из организма в том порядке, в каком они туда поступают: из внешней среды — в желудочно-кишечный тракт, оттуда — в печень, а потом уже кровь разносит их по другим органам. Не выведенные из кишечника, они будут оставаться там и продолжать отравлять ваш организм. Имейте это в виду.**

Настрой на очищение, или Энергетическое промывание кишечника

Процедура начинается с настроя на очищение, который проговаривается в сочетании с легким массажем живота. Это и называется энергетическим промыванием. Но вы должны не просто механически читать текст настроя: это мало что даст. Воображайте и, самое главное, *ощущайте* внутри себя то, о чем говорите. Слова лишь дают толчок, помогают сосредоточиться на очищении кишечника. А именно это и требуется. Ведь энергия всегда следует за вниманием. Когда вы сосредотачиваете внимание на какой-либо части тела, ток энергии, поступающей в организм из Космоса, в этом месте усиливается: она-то и является главным выталкивателем нечистот.

Космическая энергия существует не только в воображении и на страницах книг, но и в реальности. Поглощение энергии из окружающего пространства идет непрерывно. Попадая в организм, она циркулирует по энергетическим каналам, называемым в восточной медицине меридианами. Но при желании ее можно волевым усилием направить в любое место — туда, где она нужнее всего. Мысленное представление энергии облегчает задачу.

Настрои составлены специалистами по принципу «золотого сечения», отражающего абсолютную гармонию мира, с учетом особенностей человеческой психики. Поэтому редактировать тексты нельзя. Они сами по себе обладают мощной энергетикой. Это касается всех настроев, приведенных в этой книге.

Итак, начинаем. Еще лежа утром в постели, закройте глаза и начните делать легкие поглаживания, растирания и разминания живота вокруг пупка по часовой стрелке, произнося вслух или про себя следующее.

Из конспектов Кремлевских Мастеров

Через макушку головы в меня входит ярко-белый светящийся поток чистейшей энергии. Он медленно опускается по пищеводу и заполняет желудок. Ярко-белая субстанция проникает во все складочки слизистой желудка. Ярко-белая энергия вычищает все складочки слизистой желудка. Энергия вбирает-поглощает весь шлак, всю слежавшуюся слизь и все непереваренные остатки пищи. Складки слизистой желудка ровные-гладкие-прочные. Мой желудок светится-сияет. Мой желудок крепнет-здоровеет. Мой желудок работает с колоссальной устойчивостью.

Ярко-белый поток покидает желудок и опускается в кишечник. Я чувствую, как стенки моих кишок начинают ритмично-энергично сокращаться. Светящийся поток медленно движется вниз. Он заполняет собой все уголки, все изгибы кишечника, выбирая оттуда грязь и нечистоты. Мои кишечки сокращаются, пленка шлака от их стенок отделяется, каловые камни и полипы отрываются, вниз на выход продвигаются. Все, что годами копилось в кишечнике, теперь отделяется и выходит-выталкивается наружу светящимся потоком энергии.

Мои кишечки сокращаются, энергией промываются, выбрасывают-выталкивают из себя все шлаки. Мои кишечки очищаются, силой-здоровьем наполняются. Мой кишечник становится чистый-здоровый-крепкий. Мой кишечник восстанавливает первозданную свежесть и колоссальную энергию. Мой кишечник светится-сияет. Мой кишечник работает как часы. Я ощущаю в животе приятную легкость, тепло и спокойствие.

Настрой читается 1 раз в медленном темпе.

Второй этап очищения кишечника

Энергетическое промывание кишечника закончено. Можете подниматься с постели. Перед подъемом согните правую ногу и, слегка прижав ее к животу, удерживайте в таком положении несколько секунд. Затем, не спеша, встаньте, поставив первой на пол правую стопу.

Теперь отправляйтесь в ванную и приступайте ко второму этапу очищения. Выпейте крупными глотками стакан кипяченой воды комнатной температуры. В течение последующих 15 минут можете заниматься своими делами. За это время вода переместится в кишечник и, заполнив его, начнет растягивать его стенки, на что кишечник ответит сокращением и позывом на дефекацию. Чтобы это произошло наверняка, минут через 15 после принятия воды поприседайте. Обычно хватает 3–5 приседаний. Если присев 10 раз, вы все еще не ощутили позыва на стул, значит, ваш кишечник работает плоховато, и ваш стартовый объем не 1 стакан воды, а 1,5–2. Однако, добившись устойчивого положительного результата, постепенно снижайте объем до 1 стакана.

Если вам трудно приседать, примите позу «орла». В йоге она именуется гарудасана, но я бы назвал эту позу сидением на корточках. Так вот, не погружаясь в философию Востока, присядьте на корточки на 10–15 секунд, стараясь при этом глубоко дышать животом. Затем встаньте и встряхните ноги.

Повторите упражнение 3–5 раз (если, конечно, позыв на стул не возникнет раньше). В процессе дефекации чередуйте каждое натуживание с 2–3 глубокими вдохами, выполняйте ритмические втягивания и отпускания ануса.

После того как вы все это проделаете, очистите желудок. Эта короткая, но не слишком приятная процедура рекомендуется в первую очередь тем, у кого имеются проблемы с данным органом: часто возникает изжога, тошнота, колики. Однако я бы не советовал пренебрегать ею и людям, которые считают свой желудок здоровым. Учитывая то, какие мы едим продукты, он не может быть здоровым в принципе. Как правило, в нем накапливается слизь: ее нужно периодически удалять.

Из конспектов Кремлевских Мастеров

Выпейте 3 стакана настоя корня солодки или корня аира, после чего вызовите рвоту, надавив пальцами на корень языка. Если это не даст желаемого эффекта, раздражайте более глубокие области глотки.

Вначале вода польется слабой струей. Продолжайте раздражать корень языка: каждое надавливание будет вызывать извержение все более значительного количества жидкости. Как только вода начнет выходить, выньте пальцы изо рта и подождите, пока извержение сильной непрерывной струи не прекратится.

Снова надавите на корень языка. Если жидкости больше не выходит, но вы все еще ощущаете позывы на рвоту, значит, желудок пуст. Горьковатый или кисловатый вкус выходящей из желудка воды служит признаком хорошей очистки. Накопившаяся слизь удалится, появится легкость в области желудка, дыхание станет свежим, чистым.

Далее переходите к «физическому» промыванию кишечника. Желательно провести эту процедуру в течение полутора часов после чтения настроя, но если такой возможности нет, отложите ее на вечер. Напоминаю, что наиболее подходящее время для чистки кишечника — с 7 до 9 часов утра.

Клизма

Кишечник чистится клизмами. Ничего лучшего за миллионы лет своего существования человечество не придумало... Теперь, когда вы промыли кишечник энергетически, дело пойдет бойчее. Для клизм вам понадобится кружка Эсмарха — резиновая емкость наподобие грелки объемом 2 литра с длинным резиновым шлангом с пластиковым наконечником на конце. Если в хозяйстве этот приборчик отсутствует, обзаведитесь им.

Варианты растворов для клизм

Для клизмы требуется 1,5–2 литра воды. Количество воды определяется ростом: чем выше человек, тем длиннее кишечник, и, следовательно, больше объем клизмы. Температура воды зависит от состояния кишечника: при спастических запорах, чтобы расслабить мускулатуру кишечника, нужна вода с температурой 37–42 °С; при атонических запорах, чтобы стимулировать сокращения толстой кишки, нужно применять воду 18–20 °С; если запоров нет, вода должна быть 25–30 °С.

Из конспектов Кремлевских Мастеров

Нарушения двигательной функции (моторики) толстой кишки возможны по спастическому и атоническому типам. При спастических запорах часто наблюдаются спазмы кишечника, возникающие, как правило, на нервной почве. Атонические запоры связаны с расслаблением мускулатуры кишечной стенки. Наиболее распространенными их причинами являются: употребление мучной пищи, недостаток физических нагрузок, сидячая работа, злоупотребление клизмами.

Признаки	Спастический тип	Атонический тип
Кишечные колики	Тянущие, ноющие	Урчание, метеоризм (повышенное газообразование)
Состояние прямой кишки (можно проверить, введя палец в анальное отверстие)	Чаще пуста	Чаще заполнена
Вид кала	Чаще фрагментарный («овечий»)	Чаще объемный
Ощущения в кишечнике при запоре	Напряжение, сжатие	Расширение, наполненность
Кислотность желудочного сока	Повышена	Понижена или нулевая

Добавьте в воду 20 г поваренной соли и 1 столовую ложку натурального яблочного уксуса или лимонного сока. Для тех, у кого гастрит с повышенной кислотностью, этот способ неприемлем: состояние кишечника только ухудшится. Вместо сока лимона и уксуса растворите в воде 20–30 г пищевой соды. Если у вас нормальная кислотность и нет запоров, ставьте каждую четную клизму с содой, а каждую нечетную — с соком лимона или уксусом.

В качестве «очистителя» можно также использовать настой чистотела. Эта трава прекрасно справляется с удалением каловых камней, однако подсушивает слизистую кишечника. Идеально применять свежее сырье: вытащить с корнем куст чистотела, хорошенько промыть, пропустить все растение целиком с цветами и корнями через мясорубку, полученную зеленую массу отжать через марлю. Первые три клизмы делаются с 1 чайной ложкой сока чистотела на 1,5–2 л воды, четвертая, пятая и шестая — с 1 столовой ложкой, далее доза увеличивается до 1,5–2 столовых ложек (по самочувствию).

Если свежую траву достать негде, используйте сухую. Пропорции в этом случае таковы: 100 мл отвара (готовится в соответствии с указаниями на упаковке) на кружку Эсмарха. Помимо каловых камней, чистотел удаляет кишечных полипов. Признаком наличия полипов в кишечнике являются висячие родинки в области шеи и подмышек. Так что если у вас таковые имеются, настоятельно рекомендую выбирать чистотел. Полипы опасны тем, что они создают запоры, а со временем могут переродиться в рак.

По окончании курса клизм с чистотелом сделайте одну молочную клизму: просто залейте в кружку Эсмарха 1 литр чуть теплого 2,5–3,5% молока и введите его в прямую кишку. Это предохранит слизистую кишечника от пересыхания.

Но лучшим наполнителем для клизм служит вещество, вырабатываемое нашим собственным организмом: моча. Урина обладает превосходными очищающими свойствами и в то же время не раздражает и не сушит слизистую, изгоняет глистов и прочую живность. Помните, каким раритетом были самиздатовские версии трактатов по уринотерапии в советские времена? А власть предержащие все это знали и вовсю применяли! Не «кремлевскими таблетками» они чистились, а мочой, и это было задолго до того, как Геннадий Малахов издал свой легендарный труд, открыв широкой публике целебные свойства урины.

Урину для клизмения можно использовать как собственную, так и от здоровых однополых людей (самыми высокими лечебными свойствами обладает детская урина). Вы просто собираете ее в течение дня в банку (необходимо набрать 1 литр), потом заливаете в кружку Эсмарха и вводите в кишечник.

Порядок проведения клизмы

Перед клизмой обязательно опорожните кишечник и мочевой пузырь. Клизма переносится значительно легче, если ставить ее, лежа в ванне: в воде вес тела становится меньше, и нет ощущения распирания кишок.

1. Наполните кружку Эсмарха очищающим составом и подвесьте ее. Висеть она должна довольно высоко, чтобы обеспечить достаточный напор воды при проведении процедуры.

2. Примите положение на коленях и одном локте (таз должен быть выше плеч) и целиком вставьте пластиковый наконечник в задний проход.

3. Дайте воде пройти в кишечник. Если там имеются патологические перетяжки, полипы или он забит каловыми камнями, то жидкость может выливаться обратно или распирать кишку, вызывая болевые ощущения. Чтобы избежать этого, контролируйте процесс вливания, вовремя пережимая трубку пальцами. Дышать старайтесь медленно и глубоко, нижней частью живота, выпячивая его на вдохе и втягивая на выдохе. Когда кишечник будет очищен, все содержимое кружки Эсмарха будет вливаться в него легко и свободно, без неприятных ощущений.

4. Когда вся жидкость войдет в кишечник, перевернитесь на спину и приподнимите таз. Очень хорошо сделать стойку на лопатках или закинуть ноги за голову: тогда жидкость пройдет в глубокие отделы кишечника и промоет его целиком. Побудьте в таком положении около минуты.

5. Снова лягте на спину и аккуратно перевернитесь на правый бок, чтобы жидкость прошла в труднодоступную слепую кишку: там всегда скапливается много «мусора». Полежите на боку минуты 3.

6. Вернитесь в исходное положение лежа на спине и оставайтесь в нем от 5 до 15 минут, если не почувствуете сильных позывов. Затем можно встать и походить. Вначале позывы будут очень сильными и скорыми, но по мере очищения кишечника жидкость остается там дольше, а позывы становятся слабее.

Сколько процедур нужно сделать

Из конспектов Кремлевских Мастеров

Курс состоит из 12 процедур (энергетическое очищение плюс клизма). Интервал между первой и второй процедурами составляет 4 дня, между второй и третьей — 3 дня, между третьей и четвертой — 2 дня, между четвертой и пятой — 2 дня, между пятой и шестой — 1 день, между шестой и седьмой — 1 день. Далее клизмы ставятся ежедневно в течение 5 дней. Итого 25 дней. Такой режим позволяет бережно очистить кишечник, избежать резкого растяжения кишок и раздражения слизистой.

Женщины должны иметь в виду, что клизмы нежелательно делать в первые 3 дня месячных: матка напряжена, и могут появиться боли внизу живота.

«Веник» для кишечника

Для ускорения выведения шлаков ешьте в период чистки специальный салат. Он действует по принципу веника, выметающего всю грязь из толстого кишечника. Салат готовится из свежих овощей.

Из конспектов Кремлевских Мастеров

Смешать сырые овощи — капусту, морковь, редьку (зеленую или черную) и свеклу — в соотношении 3:1:1:1. Солить салат не надо, а вот лимонный сок, лук, чеснок, укроп и сельдерей — приветствуются. Капусту нашинковать, а морковь, редьку и свеклу натереть на крупной терке. Тщательно перемешать и помять деревянной толкушкой до выделения сока. Заправляется салат растительным маслом.

Людям с пониженной кислотностью желудочного сока рекомендуется класть в салат вместо свежей капусты квашеную. А больным гастритом, помимо этого, заменить свежую свеклу отварной или маринованной.

Такой салат нужно есть ежедневно не менее 300 г до окончания цикла очищения.

Воссоздание здоровой микрофлоры кишечника

Третий, заключительный этап чистки — удаление из кишечника остатков шлаков и восстановление здоровой микрофлоры. Как известно, в процессе правильного переваривания пищи активно участвуют специфические бактерии, населяющие кишечник. В зашлакованном кишечнике вместо здоровой микрофлоры развивается патогенная. Следствием ее деятельности бывают разного рода сбои в пищеварении, боли в желудке, кишечные колики, метеоризм, запоры. Нарушение микрофлоры кишечника называется дисбактериозом. Для того чтобы дать возможность «правильным» бактериям заселить желудочно-кишечный тракт, необходимо по окончании чистки пропить любое из приведенных ниже средств, на выбор.

На время чистки кишечника и в посточистительный период надо резко ограничить потребление мучного (исключение составляет бездрожжевой хлеб), особенно вредна свежая выпечка, сладкого (кроме тростникового сахара и натурального, без примеси сахара, меда), мясных продуктов (исключение составляет птица). Иначе вся ваша чистка пойдет насмарку.

По возможности перейдите на вегетарианское питание: в конце лета и начале осени, когда благоприятно чистить кишечник, прилавки завалены местными овощами и фруктами, поэтому вам будет нетрудно (и не напряжно финансово) какое-то время продержаться без мяса.

Настой льняного семени

Из конспектов Кремлевских Мастеров

Перемолоть в кофемолке 100 г льняного семени. Залить 250 г нерафинированного подсолнечного или оливкового масла и оставить на 7 дней, периодически встряхивая. Пить 3 раза в день за 40–60 минут до еды (при холециститах — во время еды) по 1столовой ложке в течение 10 дней.

Противопоказания: хронический панкреатит, желчнокаменная болезнь, гепатит. При этих заболеваниях настаивать льняное семя на масле нельзя: оно может вызвать обострение. В таких случаях льняное семя настаивается на воде: 1 чайную ложку семян залить 1 стаканом кипятка и оставить на 7–8 часов. Принимать на ночь по 1 стакану непроцеженного настоя вместе с семенем в течение 21 дня. При гепатите льняное семя противопоказано вообще.

Травяной настой

Из конспектов Кремлевских Мастеров

Если имеются противопоказания для приема льняного семени, есть другие способы восстановления кишечной микрофлоры, например настои из трав. Рецепты этих настоев разработаны замечательным русским доктором Петром Бадмаевым.

Первый вариант. Ромашка, зверобой, крапива, полынь горькая смешиваются в пропорции 1:1:1:0,5. Залить 1 столовую ложку смеси 1 стаканом кипятка, настоять 1 час. Принимать по 100 г за час до еды 3 раза в день в течение 10 дней.

Противопоказания: гипертония, повышенная свертываемость крови, атеросклероз, кровотечения, вызванные полипами, кистой или другими опухолями матки и яичников, беременность, энтероколит.

Второй вариант. Смешать 1 чайную ложку подорожника и 1 чайную ложку корня аира. Залить 1 стаканом кипятка и настоять 30 минут. Пить в течение 10 дней по 3 раза в день за полчаса до еды по 50 мл.

Противопоказания: болезни желудка с повышенной секрецией.

Овсяный настой

Еще один способ восстановления микрофлоры кишечника — овсяный настой.

Засыпьте 3 столовые ложки овсяных хлопьев крупного помола в термос и залейте 2 стаканами крутого кипятка. Затем плотно закройте термос и настаивайте 4 часа. Пить по полстакана за 30 минут до еды в течение 21 дня.

Овсяный настой славится своим успокаивающим воздействием на слизистую, поэтому в первую очередь рекомендуется тем, кто страдает раздражениями толстой кишки и запорами по спастическому типу.

Самый вкусный рецепт

А вот самый вкусный способ восстановить кишечную микрофлору.

Пропустите через мясорубку 100 г кураги, 400 г чернослива и 200 г инжира. Смешайте сухофрукты с 50 г сухой травы сенны, потом добавьте 200 г жидкого меда (разогревать не надо). Смесь принимать по 1 столовой ложке в день, запивая стаканом зеленого чая. Курс — 1 месяц.

Кисломолочные продукты. Тибетский молочный гриб

Великолепно восстанавливает микрофлору кишечника кислое молоко. Стакан кефира, айрана, пахты, простокваши или какого-нибудь другого кисломолочного продукта (без сахара, разумеется) утром натощак и перед сном — серьезная угроза для патогенных микробов. Ведь помимо молочной кислоты, которая сама по себе губительна для них, активно подавляют развитие вредной микрофлоры и другие кислоты — бензойная, уксусная, а также перекись водорода, содержащиеся в кислом молоке.

Хочу предупредить вас относительно разрекламированного молочного продукта «Актимель». Мне известно несколько случаев, когда люди, регулярно употреблявшие его, не восстанавливали, а, наоборот, нарушали кишечную микрофлору. Да так, что приходили в себя в больнице! Причина того мне неизвестна: быть может, индивидуальная непереносимость, а быть может, продукт был поддельным. В любом случае я бы порекомендовал вам не рисковать. Пейте самый обычный кефир или простоквашу, желательно свежесквашенные, домашнего изготовления, либо простоквашу тибетского молочного гриба — это безусловный лидер среди кисломолочных восстановителей кишечной микрофлоры.

Из конспектов Кремлевских Мастеров

СВОЙСТВА ГРИБА. Тибетский молочный гриб приводит в норму видовой состав микрофлоры кишечника: нужные и полезные бактерии добавляет, а патогенные ликвидирует. Этим замечательные свойства гриба не исчерпываются. Он выводит из желудочно-кишечного тракта гнилостные остатки непереваренной пищи, очищает организм от отработанных и ненужных веществ, токсинов, и даже от радиоактивных элементов; выделяет вещества, которые «съедают» все шлаки и выходят естественным образом вместе с ними. Все это происходит благодаря микроорганизмам, занимающим большой удельный вес в самом грибе и полученной из него простокваше. В 1 г простокваши тибетского гриба содержится более миллиарда молочнокислых бактерий. Уникальные свойства гриба позволяют успешно излечивать более ста заболеваний, омолаживают человека внутри и снаружи, продлевают жизнь. Тибетские монахи, потреблявшие простоквашу молочного гриба, отличались отменным здоровьем и долгожительством. Месяц регулярного приема простокваши восстанавливает микрофлору кишечника у 80% людей. Остальным требуется чуть больше времени, но микрофлора все равно восстанавливается.

ПРОТИВОПОКАЗАНИЯ. Тибетский гриб нельзя сочетать с инсулином, поэтому он противопоказан при инсулинозависимом сахарном диабете. Гриб также следует применять с осторожностью при некоторых грибковых заболеваниях: в этом случае прежде, чем начать прием простокваши тибетского гриба, нужно посоветоваться с врачом. Есть еще одно ограничение в использовании гриба: его нельзя применять одновременно с другим мощным природным лекарством — морским рисом.

Тибетский гриб представляет собой грибное тело белого цвета, диаметром в полсантиметра (в начале своего развития). Гриб растет, и перед тем как начинается период деления, его диаметр достигает 4–5 см.

ЗАКВАСКА. Заквашивается гриб на растущей Луне. Делается это следующим образом. Грибное тело объемом примерно 2 столовые ложки поместить в чистую стеклянную банку и залить двумя стаканами 3,5% коровьего пастеризованного молока комнатной температуры. Горлышко банки обтянуть чистой марлей и закрепить марлю резинкой или ниткой. Молочный гриб нуждается в притоке воздуха, поэтому закрывать банку крышкой нельзя. В течение суток молоко скисает и получается простокваша. Показателем ее готовности служит отделение сгустка от дна банки.

Теперь нужно отделить простоквашу от гриба, то есть процедить через дуршлаг содержимое банки. Гриб остается в дуршлаге, а полужидкая субстанция процеживается в заранее подготовленный сосуд — банку или чашку. Затем гриб прямо в дуршлаге промывают струей чистой холодной воды*, помещают обратно в банку и снова заливают двумя стаканами молока.

После промывания гриб заливается свежим молоком. Эта процедура выполняется практически каждый день.

УСЛОВИЯ ХРАНЕНИЯ. Банку с грибом нельзя подвергать воздействию прямых солнечных лучей, но не следует держать ее и в темноте. Лучше всего гриб растет при неярком рассеянном освещении.

---

* Естественно, речь идет не о водопроводной воде. Ведь в ней содержится хлор и целый ряд других химических веществ, вредных для жизнедеятельности гриба. Промывайте гриб только фильтрованной или покупной питьевой водой.

Если приходится уезжать из дома на несколько дней, гриб надо промыть водой, положить в банку и поставить ее в холодильник. Оптимальная температура хранения гриба + 4 °С (нижняя полка холодильника). Хранить гриб в таких условиях допускается не более 10–12 дней, иначе он может погибнуть. Вообще, хранение гриба без молока ослабляет его целительную силу. То же самое происходит, если гриб не промывать и не заменять молоко свежим. Изменяется внешний вид гриба: он приобретает коричневый цвет, в то время как нормальный его цвет — белый.

ПРИЕМ ПРОСТОКВАШИ. Пить простоквашу тибетского гриба надо дважды в день: утром натощак и вечером через 2 часа после последнего приема пищи. Норма — 1 стакан, но можно и больше, но не меньше. Курс приема гриба — 1-2 месяца. После этого восстановительную терапию можно закончить, а можно продолжить, заменив использованный гриб свежим.

Эффективное средство от запоров

Бывают такие упрямые и ослабленные толстые кишечники, что для восстановления моторики (и как следствие — регулярного стула) их нужно после чистки дополнительно «прорабатывать» специальными упражнениями, травами и диетами. Эти меры позволяют перевоспитать кишечник за 2–3 недели.

Слабительные я не рекомендую. И вот почему. Они действуют на стенки кишечника наподобие удара: сначала вызывают сверхактивность, после чего снова наступает период пассивности. В итоге ситуация только усугубляется: запоры начинаются вновь и становятся все более длительными. Это закон физиологии. Слабительные высушивают слизистую кишечника, ослабляют его мышцы, и он вообще перестает работать самостоятельно, без слабительных человек уже сходить «по большому» не может.

Терапия в случае спастических и атонических запоров будет разной. Продолжительность курса — от 14 до 21 дня, в зависимости от вашего самочувствия.

Лечение спастических запоров

Из конспектов Кремлевских Мастеров

ДИЕТА: щадящая (тушеные овощи), пищу принимать в горячем виде.

МИНЕРАЛЬНАЯ ВОДА: 1–1,5 стакана теплой воды без газа 2–3 раза в день за 1 час до еды.

ФИТОТЕРАПИЯ: настои цветков липы, ромашки, календулы, тысячелистника, душицы, мелиссы, мяты, соплодий хмеля, плодов фенхеля (на выбор).

УПРАЖНЕНИЯ: на расслабление.

1. Лягте на спину и расслабьтесь.
2. Закройте глаза на 3–4 секунды, затем откройте на 3–4 секунды. Повторите цикл 3 раза.
3. Снова откройте глаза и посмотрите вверх, вниз, прямо, влево, вправо, снова прямо. Закройте глаза. Повторите цикл 3 раза.
4. Откройте рот максимально широко, сверните язык так, чтобы его кончик был обращен назад, и закройте рот на 8–10 секунд. Затем откройте рот и верните язык в обычное положение. Закройте рот. Весь цикл повторить 3 раза.
5. Закройте глаза и сосредоточьтесь на пальцах ног: расслабьте их.
6. Медленно перемещайте внутреннее внимание на колени, бедра, поясницу, талию, по-

звоночник, плечи, шею, руки, ладони, пальцы, по очереди расслабляя эти части тела.

7. Теперь, когда вы достигли полной физической релаксации, нужно снять психическое напряжение. Вспомните какое-нибудь красивое место на природе, где вам было хорошо, и представьте себя там. Сделайте 10–12 медленных глубоких вдохов и выдохов. Во время вдоха передняя стенка живота слегка выпячивается, на выдохе — опускается. Представьте, что вы засыпаете.

8. Вы полностью расслаблены. Оставайтесь в таком состоянии 5–10 минут.

9. Откройте глаза и медленно сядьте.

Упражнение выполняется ежедневно, 1–2 раза в день.

Терапия при атонических запорах

Из конспектов Кремлевских Мастеров

ДИЕТА: грубая (сырые овощи и фрукты), пищу принимать прохладной, включить в рацион холодные блюда.

МИНЕРАЛЬНАЯ ВОДА: 1 стакан холодной газированной воды 2–4 раза в день за 1–1,5 часа до еды.

ФИТОТЕРАПИЯ: настои корня и листьев женьшеня, родиолы розовой, лимонника, элеутерококка, корней аралии, травы заманихи, вербены, горца почечуйного, чистеца буквицецветного, льнянки обыкновенной (на выбор).

УПРАЖНЕНИЯ: нагружающие брюшной пресс.

1. Исходное положение: лежа на спине, руки вытянуты вдоль тела. Приподнимите голову

и поочередно сгибайте ноги, имитируя езду на велосипеде. При движении колени попеременно оказываются у груди, каждая ступня при этом описывает круги. «Крутите педали» в течение 1 минуты, после чего расслабьтесь. Дышите в своем обычном ритме, через нос.

2. Исходное положение: лежа на спине, руки вытянуты вдоль туловища, ладони лежат на полу, ноги выпрямлены, пятки и пальцы ног соединены. Медленно и глубоко вдохните через нос. Затем, задержав дыхание, медленно поднимите ноги на 25–30 см от пола. Подержите их в воздухе 6–8 секунд и на выдохе опустите, не дотрагиваясь до пола. Повторите упражнение 5 раз. Эффект от упражнения сильнее, если оно выполняется с приподнятой головой, но больным и ослабленным людям этого делать не стоит.

3. Исходное положение: лежа на спине, руки вдоль туловища, ладони лежат на полу, ноги прямые, одна нога поднята под углом 45 градусов. Поочередно поднимайте и опускайте ноги в медленном темпе, не дотрагиваясь ими до пола. Сделайте 5–7 таких подъемов и опусканий ног. Дыхание спокойное, носовое. Упражнение дает лучший результат при выполнении его с приподнятой головой.

4. Сядьте на пол, вытянув ноги. Спину, шею и голову держите прямо, они должны находиться на одной линии. Руки вытяните вперед параллельно ногам. На вдохе, не сгибая коленей и не отрывая пяток от пола, наклонитесь вниз и коснитесь ладонями пальцев ног. Задержите дыхание и оставайтесь в такой позе 6–8 секунд, а затем, выдыхая, вернитесь в исходное положение. Отдохните немного и повторите упражнение. Всего его нужно проделать 5–7 раз.

5. Исходное положение: лежа на спине, руки вытянуты в стороны, ладони лежат на полу, ноги вместе. На вдохе медленно поднимите прямые ноги вверх и опустите их влево, под прямым углом к туловищу. Если получится, возьмитесь

пальцами левой руки за пальцы ног, не сгибая коленей. Голова поворачивается вслед за ногами, но плечи от пола не отрывайте. Задержите дыхание и побудьте в такой позе 6–8 секунд, затем, выдыхая, поднимите ноги и вернитесь в исходное положение. Отдохните немного и сделайте упражнение еще раз, только ноги опускайте вправо. Помните, что в ту же сторону должна повернуться и голова. Все движения выполняйте медленно, без напряжения. Упражнение делается по 4–5 раз в каждую сторону. Людям со слабым сердцем оно противопоказано.

6. Перевернитесь на живот, голову поверните на бок, положив щеку на пол, ладони расположите у плеч, а локти прижмите к телу. Пятки вместе, пальцы ног прижаты к полу. Сделайте медленный вдох и, выпрямив руки, поднимите верхнюю часть тела. Пупок при этом не должен отрываться от пола. Посмотрите вверх и задержите дыхание на 6–8 секунд, затем выдохните, одновременно опуская голову обратно на пол. Отдохните немного. Всего упражнение делается 7–8 раз.

7. Исходное положение: лежа на животе, руки вытянуты вдоль тела, ладони лежат на полу внутренней стороной вниз. На вдохе поднимите голову и одну ногу вверх, не сгибая ее в колене. Взгляд устремлен вперед. Задержите дыхание и оставайтесь в такой позе 6–8 секунд. На выдохе вернитесь в исходное положение. Отдохните немного и выполните упражнение, подняв другую ногу. Всего нужно сделать 4–5 подъемов каждой ноги.

8. Станьте прямо, расставив ноги шире плеч, и наклоните корпус вперед, опустив соединенные вместе руки как можно ниже. Начните вращать корпус вместе с руками в вертикальной плоскости слева вверх направо. Выполнив 5–7 вращений в одну сторону, повторите упражнение в другую сторону — справа вверх налево. Вращения делаются в медленном темпе. Дыхание свободное.

9. Исходное положение: стоя, ноги вместе, грудь слегка выпячена. Поочередно поднимайте согнутые в коленях ноги в быстром темпе, вытягивая носки. Старайтесь поднимать ноги на максимально возможную высоту: чем выше, тем лучше. Длительность выполнения упражнения — от 2 до 5 минут.

10. Станьте прямо, ноги вместе. Слегка наклонившись вперед, поочередно поднимайте колени, касаясь пятками ягодиц, как будто вы занимаетесь бегом на месте. Упражнение выполняется на носках, на одном месте, сначала медленно, а затем темп ускоряется. Продолжительность бега — от 2 до 5 минут.

11. Лягте на спину, закройте глаза и полностью расслабьтесь. Дышите животом, медленно и глубоко. На вдохе живот округляется, на выдохе — втягивается. Но это должно происходить само собой, напрягать живот, намеренно выпячивая и втягивая его, не нужно. Полежите и подышите так 3–5 минут.

Эти 11 упражнений выполняются ежедневно, 1 раз в день, в любое время суток, но не ранее, чем через 2 часа после еды и не позднее, чем за час до сна.

* * *

Как узнать, насколько успешно прошла чистка кишечника? Во-первых, должен снизиться вес. Полные люди обычно теряют 5–10 кг, худые — 1–3. Во-вторых, ваш кишечник должен заработать как часы: 1 раз в день у мясоедов и 2 раза в день у вегетарианцев.

Помните, чистка состоит из трех этапов: энергетического промывания, клизмы и восстановления здоровой микрофлоры. Ни одну из этих составляющих выкидывать нельзя, иначе чистка не состоится.

Если проводить такую чистку 1–2 раза в год, то никакой зашлаковки кишечника у вас не будет, даже при условии употребления (в умеренном, разумеется, количестве) любимых сладостей. Именно так и поступали высокопоставленные клиенты моих Кремлевских Мастеров. О том, как питаться, чтобы поддерживать кишечник в чистоте, я расскажу в последней главе.

Печень

Второй по очереди идет чистка печени. Эта чистка обязательная. Через печень проходит вся кровь, поступающая из кишечника. Поэтому, думаю, вам нетрудно будет представить, сколько токсинов обезвредила и вобрала ваша печень за годы вашей жизни. Когда печень страдает, нарушается циркуляция энергии в организме и, как следствие, — обмен веществ, слабеет зрение, человек становится гневливым, раздражительным, суетливым, его не покидает ощущение эмоциональной перегрузки. Помимо всего прочего, появляются трудности с творчеством: на деле это проявляется как неспособность достичь мастерства в чем бы то ни было. Дела начинают пробуксовывать, в жизни наступает застой, что вызывает еще большее раздражение, которое в свою очередь усугубляет и без того плачевное состояние печени. Замкнутый круг.

Последствия зашлакованности печени

Перечислять все заболевания и расстройства, возникающие вследствие нарушения работы печени, нет смысла. Чудовищность последствий ее зашлаковки ясна и так. Но понимать мало, надо делать! Даже если вам кажется, что ваша печень в порядке, ее все равно нужно почистить. Когда она забьется «под завязку» и начнутся боли, будет слишком поздно: прежде чем очищаться, вам придется проходить курс лечения, а это едва ли позитивно скажется на вашем эмоциональном состоянии, не говоря уже о финансах. Не лечат сейчас бесплатно. Чтобы попасть к хорошему врачу, надо либо иметь много денег, либо знакомства. А бывает так, что и деньги не помогают: заплатишь — и нет никакой гарантии, что тебя будут правильно лечить, и именно от того, от чего надо. Актуальной чистку печени делает и увеличивающееся количество экологически загрязненных, а также просто малосъедобных, некачественных продуктов питания, которые в последние годы буквально заполонили прилавки магазинов. Убедил?

Время для чистки

Оптимальное время для манипуляций с печенью — с конца февраля до конца апреля. На это время приходится Великий Пост. Кстати сказать, изначальным его предназначением была как раз чистка печени. А вместе с печенью очищалась и психика: человек становился менее агрессивным, в нем развивалось добродушие, смирение, терпимость к окружающим. Правда, тогда экология была еще не испорчена, и продукты не содержали такого количества ядохимикатов, как в наши дни. Посему Великого Поста для очищения печени хватало за глаза и за уши, в специальных чистках нужды не было.

Принципы чистки

Чистится печень по той же схеме, что и толстый кишечник. Сначала делается энергетическое промывание, которое запускает процесс очищения. Далее следует процедура под названием дюбаж: благодаря ей, шлаки выгоняются в кишечник, а оттуда — наружу. И третий этап: восстановление нормальной работы печени травяными настоями. Вместе с печенью автоматом очищается и желчный пузырь. Эти три этапа составляют суть кремлевской чистки. Ни один из них игнорировать нельзя, иначе чистка не состоится в полном объеме.

✓ **И последнее: не бойтесь! Я предлагаю очень мягкое, щадящее очищение. Возможно, во время чистки печень чуть-чуть поболит, поколет. Ничего страшного, это совершенно нормальное явление. Шлаки, засевшие в печени, представляют собой камушки, которые иногда бывают острыми: они-то и причиняют дискомфорт. По окончании чистки неприятные ощущения уходят, и в области печени возникает облегчение, она словно начинает дышать.**

Энергетическое промывание печени

Энергетическое промывание включает в себя настрой на очищение, дыхательный массаж печени и горячую ванну. Его назначение, повторяю, — дать толчок процессу очищения, «расшевелить» шлаки, заставить камешки дробиться, растворяться и двигаться к выходу.

Вечером, около 23 часов, вы наполняете ванну теплой водой. Температура воды подбирается индивидуально, по самочувствию. Тем, у кого слабое сердце или повышено давление, не стоит лезть в воду теплее 37 °С. Для остальных людей оптимальной будет вода 38–39 °С. По желанию можно добавить в воду морскую соль.

Лягте в ванну, положите ладони на область печени (она находится справа) и медленно прочитайте настрой. Но читайте «не так, как пономарь, а с толком, с чувством, с расстановкой». А главное — вы должны мысленно представлять и ощущать у себя в печени то, о чем говорите. Если вы не знаете, как выглядит печень, загляните в анатомический атлас или какую-нибудь книжку по медицине, где есть изображения внутренних органов человека. Важно сосредоточить на печени и настрое все свое внимание: тогда ток поступающей из Космоса энергии усилится, направится в печень и даст старт процессу очищения. Собственно, вы все это уже знаете: кишечник-то чистили. Я напоминаю на всякий случай, вдруг забыли. Также хочу напомнить и об особой структуре настроя. Подбор определенных фраз, слово- и буквосочетаний наделяет его могуществом, которое может растеряться, если вы начнете перевирать текст. Редактировать настрой — нельзя!

Из конспектов Кремлевских Мастеров

Через макушку головы в меня входит ярко-белый светящийся поток чистейшей энергии. Он медленно опускается вниз по пищеводу, проходит желудок, кишечник, заполняя их сиянием жизни, и перетекает в печень, а потом в желчный пузырь. Сияющий белый свет заполняет печень и желчный пузырь. Ярко-белый поток проникает во все желчные протоки. Ярко-белая энергия движется по желчным протокам и кружит по желчному пузырю. Я чувствую, как мои желчные протоки расширяются, желчь обильно выделяется, камушки раздробляются-растворяются, на мельчайшие частицы рассыпаются, в пыль-песок превращаются и на выход вместе с желчью направляются.

Ярко-белая энергия заполняет весь мой желчный пузырь и все мои желчные протоки. Ярко-белая энергия начисто промывает всю мою печень и весь мой желчный пузырь. Моя печень светится-сияет. Мой желчный пузырь светится-сияет. Моя печень крепнет-здоровеет. Мой желчный пузырь крепнет-здоровеет. Мои печень и желчный пузырь работают с колоссальной устойчивостью. Мой желчный пузырь энергично вырабатывает желчь. Моя печень активно сохраняет красные кровяные клетки. Все кровеносные сосуды печени раскрыты по всей своей длине. Во всей моей печени абсолютно здоровое, энергичное кровообращение. Здоровая печень создает превосходные условия для красных кровяных клеток. Внутри моей чистой сияющей печени красные кровяные клетки становятся еще более здоровыми. Все клетки моей печени чисты и здоровы. Моя печень дышит легко и свободно. Я ощущаю в печени тепло и спокойствие.

Настрой читается 1 раз. Затем вы, оставив ладони на правом боку и не вылезая из ванны, проделываете дыхательное упражнение.

Из конспектов Кремлевских Мастеров

Ладони лежат на области печени, глаза прикрыты.

Сделайте вдох продолжительностью 2 секунды, потом выдох продолжительностью 4 секунд и задержите дыхание на 8 секунд. Выдох должен быть в 2 раза, а пауза после выдоха — в 4 раза дольше вдоха. Дышать нужно через нос и несколько глубже обычного.

Внимание! В процессе дыхания участвует только живот. На вдохе, когда диафрагма опускается, живот естественным образом надувается, выпячивается вперед. На выдохе диафрагма движется вверх, подтягивая за собой живот со всеми органами брюшной полости, и он втягивается. Плечи и грудная клетка остаются неподвижными: они вообще не должны участвовать в процессе дыхания.

Упражнение выполняется от 3 до 5 минут.

Почему делается именно дыхательное упражнение? Сама по себе печень — орган неподвижный. Она соединена с диафрагмой и при вдохе и выдохе следует за движениями диафрагмы. Во время глубокого дыхания, осуществляемого нижней частью живота, происходит интенсивный массаж печени. Вот и весь секрет.

Все вышеописанное проделывается ежевечерне, 5 дней подряд. На протяжении этого периода больше ничего делать не нужно. Просто постарайтесь есть поменьше мучного, сладкого, мясного и жареного. На шестой день вы приступаете к «физическому» очищению печени.

Очистительная процедура

Подгадайте, чтобы день чистки пришелся на выходной, желательно на субботу. То есть начинать весь цикл следует в понедельник. Тогда 5 дней вы будете заниматься энергетической чисткой, а на шестой проведете дюбаж. Будет замечательно, если все это будет происходить еще и во второй или четвертой лунной фазе, когда фоновая энергетика Земли благоволит выходу шлаков. Поскольку общая продолжительность чистки печени всего 7 дней, вам будет нетрудно вписаться в нужный промежуток времени.

В день чистки и накануне нельзя есть мяса и мучного, включая макароны и дрожжевые хлебобулочные изделия. И ни в коем случае не переедайте! Утром позавтракайте чем-нибудь кисломолочным или кашей, на обед съешьте тушеные овощи или рис и обязательно свежий салат из капусты, свеклы и моркови, либо, если салат готовить лень, — 2 яблока. Через 1,5–2 часа после обеда начните прогревать грелкой (водяной или электрической) область печени. Тепло завершит запущенный настроем процесс размягчения камней, и они выйдут по желчным протокам, не вызвав спазмов. Одновременно займитесь подготовкой необходимых ингредиентов. Держите грелку примерно до 20 часов вечера, а потом приступайте к процедуре очищения. Варианта процедуры два, на выбор: первый — с растительным маслом и лимонным соком, второй — со свеклой.

Очищение маслом и лимонным соком

Из конспектов Кремлевских Мастеров

Для чистки потребуются:

150–200 г любого растительного масла (подсолнечного, кукурузного, оливкового), рафинированное оно или нерафинированное — значения не имеет;

150–200 г свежевыжатого сока из плодов, обладающих кислым вкусом, — лимона, клюквы или облепихи.

Масло и сок берутся в равных количествах. Доза зависит от веса тела: чем он больше, тем больше должно быть и масла с соком. Людям весом менее 65 кг не следует принимать более 150 г, иначе масло вызовет тошноту.

Масло заставит сокращаться желчный пузырь и расширит желчные протоки, а лимонная кислота растворит камни и усилит выделение желчи из печени, отправляя вместе с ней их на выход.

Порядок проведения процедуры.

Сделать 1 глоток масла и 1 глоток сока. Через 15–20 минут повторить то же самое. И так до тех пор, пока масло и сок не закончатся. Если начнет подташнивать, временной промежуток между приемами ингредиентов надо увеличить до 30–40 минут. В случае, если тошнота не проходит и через час, следует ограничиться выпитым: значит, этого количества достаточно.

Грелку во время приема масла и сока можно не держать, вы уже достаточно разогрели печень. А вот приведенное выше дыхательное упражнение и настрой будут очень кстати, особенно если вы волнуетесь.

Ночью печень может слегка побаливать, в животе будет бурлить и клокотать, а в течение суток вас прослабит. Вся гадость, которая десятилетиями копилась в вашей печени, выйдет через задний проход. На выходе вы увидите гладкие изумрудно-зеленые и коричневые камушки. Многие думают, что это и есть шлаки. На самом же деле это результат соединения лимонного сока с маслом. А вот сгустки желчи, белесые нити, ошметки, песок, камушки и семечки черного цвета — это шлаки. Чтобы побыстрее избавиться от нечистот, вечером следующего после чистки дня рекомендую сделать клизму.

Очищение свекольным отваром

Здесь вместо масла и лимонного сока пьется свекольный отвар, а время чистки сдвигается на утро. Утром вы делаете клизму, необильно завтракаете и готовите свеклу. Через 1,5–2 часа начинаете прогревать области печени грелкой и принимать отвар. Продолжительность чистки — 12 часов. Ничего кроме свекольного отвара в этот период есть нельзя: потерпите, все окупится сторицей.

Из конспектов Кремлевских Мастеров

Мытую свеклу положить в кастрюлю и залить 1 л воды. Замерить уровень жидкости в кастрюле линейкой, после чего долить еще 2 литра воды. Варить свеклу на умеренном огне до тех пор, пока вода не выкипит до первоначально замеренного уровня: это займет около двух часов. Потом отваренная свекла остужается и трется на терке в оставшуюся от нее воду. Полученную свекольную массу нужно кипятить на умеренном огне еще 20 минут. Отвар процедить, разделить на 4 равные части и принимать по одной каждые 4 часа. После каждой порции отвара ложиться с грелкой на правом боку, выполнять дыхательное упражнение и проговаривать настрой, представляя в своем воображении все, о чем говорится в тексте.

Как и в предыдущем случае, выход шлаков начинается на следующий день, и его можно ускорить при помощи клизмы.

Завершив чистку, отдохните недельки две, дождитесь наступления благоприятной лунной фазы (второй или четвертой) и проведите вторую чистку: 5 дней — настрой в сочетании с горячей ванной и дыхательным массажем печени, на 6-й день — дюбаж. Двух очистительных циклов достаточно. Обычно их рекомендуют 5–7, но наш случай — особый. Ведь мы предваряем дюбаж энергетическим промыванием, а оно значит очень много. Хотя вы и не видите энергию, выполняемая ею работа колоссальна. Впрочем, если у вас возникнут подозрения в том, что печень очищена не до конца, проведите спустя 2 недели третью чистку. Но больше 3 чисток подряд я не рекомендую.

Очищение редькой

Есть еще способ очищения печени — соком черной редьки. Этот способ более мягкий. Если у вас желчнокаменная болезнь, или вы боитесь чистить печень «напрямую», прибегните к нему. Но здесь схема чистки будет несколько иной, а сама чистка продлится дольше.

Сначала вы чистите печень энергетически: настрой, плюс ванна, плюс дыхательное упражнение. Но это делается не 5 дней, как в предыдущих случаях, а 10. На 11-й день вы начинаете прием сока черной редьки. Продолжительность курса — 10–12 недель. На протяжении этого периода не реже двух раз в неделю занимайтесь энергетической чисткой. На время приема сока необходимо исключить из рациона жирные продукты, жареное, мясо (птицу есть можно), кабачки, яйца и сладкие кондитерские изделия, ограничить потребление картофеля, есть больше молочных продуктов, лимоны, клюкву, пить облепиховый сок (можно покупной).

Из конспектов Кремлевских Мастеров

Вымыть 10 кг клубней черной редьки и, не снимая с них кожуры, продезинфицировать в марганцовке 15–20 минут. Сполоснуть редьку чистой водой, натереть и отжать сок (из 10 кг редьки его получается около 3 литров). Сок принимают по 1 чайной ложке через 1 час после еды. Если печень болеть не будет, дозу нужно постепенно увеличить до 2 столовых ложек и в итоге довести до

100 мл. Чистка продолжается до тех пор, пока не закончится сок.

Хранить сок нужно в плотно закрытом сосуде и только в холодильнике.

Сок черной редьки — сильнейшее желчегонное средство. Если у вас в желчных протоках накопилось много камней, в печени могут возникнуть боли. Не паникуйте и не хватайтесь за лекарства, вместо этого спокойно продолжайте чистку. Принимайте теплые ванны и читайте настрой: это поможет. Обычно боль бывает только вначале, а потом она уходит.

Как помочь печени восстановиться

Чистка печени завершается приемом травяных настоев, который нужно начинать на следующий день после ее окончания. Травы вытянут остатки шлаков и будут стимулировать рост новых клеток. Продолжительность приема трав — 21 день. Предлагаю вам на выбор пять рецептов.

Из конспектов Кремлевских Мастеров

Травяной настой № 1

Ингредиенты:

* корень цикория — 2 ст. ложки,
* цветки бессмертника песчаного — 2 ст. ложки,
* корень одуванчика — 2 ст. ложки,
* листья мяты перечной — 2 ст. ложки.

1 ст. ложку смеси залить стаканом кипятка. Кипятить 5 минут, настоять 1 час, процедить. Выпивать в 3 приема за день, за полчаса до еды.

Травяной настой № 2

Ингредиенты:

* трава полыни горькой — 2 ст. ложки,
* листья мяты перечной — 2 ст. ложки,
* плоды можжевельника — 2 ст. ложки,
* плоды барбариса — 2 ст. ложки,
* цветки василька — 2 ст. ложки.

1 ст. ложку смеси залить стаканом кипятка, дать настояться 40 минут, процедить. Пить утром и вечером по 1 стакану.

Пряный чай («напиток бессмертия»)

* шафран — 5 тычинок,
* черный перец — 6 горошин,
* имбирь — 1 ст. ложка.

Смешать и залить стаканом кипятка на 30 минут. Это суточная доза.

Чай рекомендуется для восстановления работы печени и селезенки, укрепляет иммунную систему, дает энергию.

Расторопша

1 ст. ложку перетертых в порошок семян расторопши варить на медленном огне в 0,5 л воды, пока не выкипит половина. Пить по 1 ст. ложке 5 раз в день.

Можно принимать сухой порошок из семян 5 раз в день по 1 чайной ложке.

Облепиховый морс

Облепиховый морс — это напиток из сока ягод облепихи, разбавленного водой и приправленного медом. Облепиха не только чистит печень. Это очень энергетичная ягода. Она дает приток сил, обладает радиозащитными и антимикробными свойствами, стимулирует работу желудочно-кишечного тракта.

Сок из ягод облепихи можно получить при помощи соковыжималки. Полкило зрелых ягод облепихи вымыть и раздробить. В полученную мезгу добавить 3 стакана кипяченой воды, нагретой до температуры 40–45 градусов, перемешать. Смесь немного подогреть и отжать. Полученный сок разлить в бутылки и простерилизовать.

Для приготовления морса разбавить 1–2 стакана сока 1 л воды, добавить мед по вкусу, положить ломтик лимона. Зимой морс пьется теплым, летом — со льдом.

Если приготовить морс нет возможности, пейте покупной облепиховый сок.

Капустный сок

В капустном соке содержится много серы, хлора и йода, поэтому сырой капустный сок восстанавливает работу печени и селезенки, а заодно предотвращает процессы гниения в кишечнике. Но пить его нужно без соли. А азотистые вещества и аминокислоты, которыми богат сок капусты, оказывают лечебное действие при язве желудка и двенадцатиперстной кишки. При регулярном употреблении капустного сока излечивается язвенная болезнь.

Сок белокочанной капусты пьют свежевыжатым и сырым по 0,5 стакана 2–3 раза в день.

Если надо привести в норму селезенку, пейте сок в течение 2 недель, затем сделайте перерыв на неделю и снова повторите двухнедельный прием сока. Всего таких циклов проводится 3.

В период приема восстановительных отваров делайте дважды в день дыхательное упражнение для массажа печени. Предварять его настроем и принимать ванны не обязательно: они уже сделали свое дело.

* * *

Чистка печени прошла успешно, если вы чувствуете облегчение в правом боку, печень «задышала», стала легкой, невесомой. Вы легко узнаете это состояние.

Вытравление паразитов

После чисток толстого кишечника и печени вы почувствуете себя намного легче, здоровее, бодрее. Это и не удивительно. Ведь жизненные силы, ранее тратившиеся на нейтрализацию последствий интоксикации этих органов, теперь в вашем распоряжении. Ваше самочувствие будет улучшаться с каждым днем.

Но есть еще одна проблема, которая может остаться актуальной даже после чисток: гельминты или, проще говоря, глисты. Чаще всего заражение гельминтами не имеет ярких проявлений, особенно на первых порах. Они могут годами паразитировать в организме человека, высасывая из него все соки, и человек об этом не догадывается. Даже анализы не всегда дают четкую картину. Нередко чистки изгоняют глистов, но это происходит не во всех случаях, так как паразиты очень жизнеспособны и устойчивы к разного рода воздействиям.

Кто такие гельминты, и какой вред они наносят организму

В настоящее время известно около 300 видов гельминтов, сильно различающихся размерами: от крохотных червячков, видимых только под сильной лупой, до гигантских червей, чья длина может доходить до нескольких метров. В России распространены около 70 видов гельминтов, однако в последнее время наши соотечественники стали ездить в экзотические страны, привозя оттуда эксклюзивных червей. Как раз недавно такое произошло с моей ученицей. Спустя несколько недель после отдыха в Тунисе, у нее появилось жжение языка, которое усиливалось после приема пищи, а лицо, шея и грудь покрылись красными пятнами, чего раньше не бывало. Анализы и обследования никакой патологии не выявили. Я сказал женщине, что такие реакции часто вызывают паразиты, и посоветовал пропить противоглистное средство. И точно: это оказались незнакомые нашим врачам черви. Когда они из нее вышли, она, полистав медицинские справочники, выяснила, что это какая-то редкая разновидность печеночных сосальщиков.

Паразитируя в организме хозяина, гельминты вступают с ним в сложные взаимоотношения, в результате чего утрачиваются одни и приобретаются другие свойства. Так, часть глистов в процессе развития-приспособления потеряла за ненадобностью способность к самостоятельному передвижению. Вместе с тем у гельминтов появились органы, необходимые для комфортного существования в организме хозяина: присоски и крючки, позволяющие паразиту удерживаться на месте. К паразитическому образу жизни приспособлена и пищеварительная система глистов: например, черви, обитающие в просвете кишечника, способны поглощать питательные вещества всей поверхностью тела. Но общее свойство всех глистов — их огромная плодовитость. Некоторые виды гельминтов способны откладывать до 200 тысяч яиц в сутки!

На протяжении жизни гельминты проходят ряд последовательных стадий (яйцо—личинка—взрослая особь) развития. Червь проникает в организм человека на одной стадии, а покидает его на другой, поэтому больные гельминтозом не заразны в классическом понимании этого слова. Такой больной распространяет гельминтов во внешнюю среду.

Какие бывают паразиты

Паразитов делят на следующие классы:

1. Круглые раздельнополые черви, нематоды. Соответственно, вызываемые ими гельминтозы — нематодозы.

2. Лишенные кишечника (питающиеся через покровы) плоские черви, они же ленточные, или цестоды. Общее название заболеваний, которые они вызывают, — цестодозы.

3. Сосальщики, или трематоды. Гельминтозы, вызванные данными червями, называют трематодозами.

По локализации гельминты классифицируются как просветные (т. е. проживающие в разных полостях человека: в кишечнике, например) и тканевые (обитающие в тканях).

Заражение глистами чревато неприятными последствиями. Во-первых, черви, поселившиеся в организме человека, пожирают все ценные вещества, употребляемые им в пищу. Во-вторых, глистная инвазия порождает массу других болезней. В зависимости от того, к какому биологическому виду принадлежит тот или иной гельминт, места его проникновения в организм человека, интенсивности заражения, общего состояния здоровья зараженного человека, болезни, вызываемые глистами, протекают по-разному, вплоть до тяжелейших форм с летальным исходом.

Косвенные признаки наличия глистов

О возможном наличии глистов можно судить по следующим признакам:

- хроническая усталость;
- частые простуды;
- расстройства пищеварения;
- постоянное желание что-нибудь съесть;
- неодолимая тяга к сладкому;
- сыпь и красные пятна на коже;
- выпадение волос;

- грибковые поражения кожи и слизистых оболочек;
- отеки под глазами;
- обложенный язык;
- неприятный запах изо рта;
- общая слабость, быстрая утомляемость, раздражительность, подавленность;
- аллергия.

Даже какого-то одного из этих признаков достаточно, чтобы задуматься о том, что причиной недомогания могут быть глисты. Риску заражения гельминтозом мы подвергаемся ежедневно: яйца паразитов буквально раскиданы по всему нашему жизненному пространству.

Два средства против паразитов

При появлении хотя бы одного из перечисленных недомоганий, следует пропить противоглистные средства. Таковых в конспектах Кремлевских Мастеров я нашел два. Оба очень сильны, в чем я неоднократно убеждался на примерах своих учеников.

Тибетская чесночная настойка

Из конспектов Кремлевских Мастеров

Чеснок — великолепное натуральное средство, известное своим выраженным противогельминтным действием. В чесночном соке содержатся микроэлементы, вызывающие гибель паразитов. Одновременно он устраняет дисбактериоз. Для гарантированного выведения паразитов рекомендуется чесночная настойка. Готовится она в сентябре-октябре, когда чеснок свеж и полон целебных свойств, и принимается до февраля.

Очистить 200 г чеснока, растереть его в кашицу, положить в чистый стеклянный сосуд и залить 200 мл 96%-го медицинского спирта. Банку плотно закрыть и поставить на 10 дней в темное прохладное место (но не в холодильник), периодически встряхивая.

По истечении этого срока отжать чесночную массу через хлопчатобумажную или льняную ткань. Отжатую жидкость перелить в непрозрачную бутылку, плотно закрыть и дать отстояться на холоде еще трое суток.

Настойку принимать за 20–30 минут до еды, смешивая с 50 мл молока, кефира или простокваши. Схема приема следующая:

День	Количество капель		
	Завтрак	Обед	Ужин
1	1	2	3
2	4	5	6
3	7	8	9
4	10	11	12
5	13	14	15
6	15	14	13
7	12	11	10
8	9	8	7
9	6	5	4
10	3	2	1
11	25	25	25

На 12-й день цикл приема настойки начинается заново. Настойка пьется до тех пор, пока она не закончится.

Средство очень сильное, поэтому его не следует применять чаще, чем 1 раз в 3 года.

• •

Липовая зола

Из конспектов Кремлевских Мастеров

Мощным глистогонным средством является липовая зола. Для ее получения нужно срубить несколько живых веток липы, подсушить их в духовке, а потом сжечь. На лечение требуется 14 чайных ложек золы.

В течение 3 дней утром и вечером съедать по 1 чайной ложке золы, запивая ее 0,5 стакана теплого молока. На 4-й день лечения утром принять 1 чайную ложку золы и 0,5 стакана молока. Вечером того же дня начать пить брусничный настой: 1 столовая ложка листьев брусники на стакан кипятка. Лист брусники нужно принимать по 0,5 стакана за полчаса до еды 3 раза в день в течение 2 недель. По прошествии этого срока лечебный цикл начинается сначала: снова принять за 4 дня 7 чайных ложек золы, после чего 2 недели пить лист брусники.

В дни приема золы нельзя есть сладкого!

Повторное лечение допустимо не ранее, чем через полгода.

Как уберечься от заражения гельминтами

Помимо всего прочего, не стоит забывать и о мерах профилактики.

- Если у вас есть домашние животные (это потенциальные переносчики яиц и личинок паразитов), регулярно проводите их дегельминтизацию, включайте в их рацион противоглистные средства.

- Не употребляйте в пищу мясо и рыбу неизвестного происхождения, не прошедшие санитарный контроль и не имеющие соответствующих сертификатов.
- Потребляйте в пищу продукты животного происхождения только после достаточной термической обработки.
- Не пейте сырую воду — ни из-под крана, ни из водоемов, ни из ключей, не обследованных СЭС.
- Не употребляйте в пищу парное молоко и молочные продукты нефабричного производства, если вы не знаете, в каких санитарных условиях они производятся и хранятся.
- Не покупайте и не употребляйте в пищу любые продукты нефабричного производства, на которые нет санитарного сертификата.
- Не ешьте немытых овощей, фруктов и ягод.
- Тщательно мойте руки перед едой, после посещения уборной и приходя с улицы.
- Постоянно мойте места общего пользования, не принимайте ванны, предварительно не вымыв ее и не окатив горячей водой.
- Соблюдайте такие меры личной гигиены, как ежедневный душ, подмывания, следите за чистотой нижнего белья.
- Мойте обувь, придя с улицы.
- Не купайтесь в водоемах, не обследованных СЭС.
- Постоянно употребляйте в пищу чеснок.
- Обзаведитесь аромалампой и не реже 3 раз в неделю ароматизируйте квартиру эфирными мас-

лами базилика, бергамота, гвоздики, корицы, лимона, мяты перечной, ромашки, тимьяна, тмина, фенхеля, эвкалипта, чеснока или эстрагона. Запахи этих растений губительно действуют на яйца гельминтов.

Дыхательные пути

Почему надо чистить органы дыхания, я думаю, объяснять не надо. Это понятно и так: когда мы дышим отравленным загазованным городским воздухом и домашней пылью, они подвергаются колоссальной нагрузке. В дыхательных путях — носоглотке, носовых пазухах, бронхах и особенно легких — оседают находящиеся в воздухе токсины. Хронический насморк, частые бронхиты, ангины, ларингиты, тонзиллиты, постоянные подкашливания, отхаркивания — все это признаки того, что шлаки накапливаются быстрее, чем выводятся. Скопление в пазухах слизи вызывает головные боли и снижает умственную работоспособность, что не самым лучшим образом сказывается на профессиональной деятельности и количестве зарабатываемых денег. Все же хороший заработок обеспечивает хорошо работающая голова. Бывают, разумеется, случаи везения, но они не так часты, как кажется.

Очищаем легкие, помогаем кишечнику

Есть еще интересный момент: взаимосвязь с толстым кишечником. Если вы помните, кишечник и легкие относятся к одной и той же стихии — Металлу. Когда зашлакован кишечник, страдают легкие. И наоборот. Представьте себе: вы дышите грязным воздухом, полным пыли и вредных химических веществ. Вся эта гадость попадает на слизистые оболочки дыхательных путей, которые, дабы защитить организм от этой «газовой атаки», вырабатывают мокроту. Мокроту можно выплюнуть, а можно проглотить. Обычно ее глотают. Она попадает в пищеварительный тракт и, в конце концов, оказывается в кишечнике, добавляя туда новую порцию шлаков.

Своевременно очищая систему дыхания, можно облегчить жизнь кишечнику и наоборот: через кишечник можно вылечить легкие. Однажды у меня был бронхит, который незаметно перешел в воспаление легких. Болезнь затянулась, антибиотики я принимать не стал, так как давно отвык травить свой организм лекарствами. Вместо таблеток сделал клизму. Воспаление легких прошло за какие-то несколько часов: вся мокрота, засевшая в легких, просто-напросто вышла через задний проход. Так что связь между легкими и кишечником очень тесная, это единое звено. Но если кишечник достаточно чистить раз в год (а при правильном питании и вообще раз в 5–7 лет), то система дыхания нуждается в «вентиляции» гораздо чаще: раз в месяц для городских жителей и раз в полгода для сельских. Ведь токсины поступают в легкие непрерывно. Такой режим позволяет и разгрузить кишечник, и предупредить заболевания органов дыхания, и поддерживать работу головного мозга на должном уровне.

Как очищают дыхательные пути

Процедура очищения дыхательных путей более проста, нежели манипуляции над кишечником и печенью. Но она включает в себя те же три этапа: первый — энергетическое очищение, настрой, второй — «физическое» очищение (на сей раз оно будет представлять собой дыхательные упражнения, которые при желании могут быть заменены сосанием растительного масла и массажем носоглотки), третий — прием трав, восстанавливающих нормальную работу дыхательной системы. Первые два этапа обязательны для всех, третий я рекомендую только тем, кто страдает хроническими заболеваниями дыхательных путей. Постарайтесь провести очищение в период первой лунной фазы: она длится от новолуния по 7 лунный день. Это самый благоприятный для этого отрезок лунного месяца.

Энергетическое промывание дыхательной системы

Проснувшись утром (постарайтесь успеть до 7 часов, чтобы вписаться в оптимальный для чистки период), подышите глубоко 1–2 минуты с закрытыми глазами, а потом медленно прочитайте настрой, представляя и ощущая все, что вы проговариваете.

Из конспектов Кремлевских Мастеров

Я делаю очередной глубокий вдох, и вместе с воздухом в меня вливается ярко-белый светящийся поток энергии. Он нежно касается ноздрей, проникает в носоглотку, проходит в носовые пазухи, опускается по трахее в бронхи и достигает легких. Все мои дыхательные пути заполняются сияющим белым светом, колоссальной силой жизни. Несмотря на то, что я дышу как обычно, сияющий белый свет не уходит, он остается во мне, согревая мои дыхательные пути. Ярко-белая энергия заполняет носоглотку, ярко-

белая энергия заполняет носовые пазухи, ярко-белая энергия заполняет трахею, ярко-белая энергия заполняет бронхи, ярко-белая энергия заполняет легкие, пропитывая всю легочную ткань.

Ярко-белый свет согревает мои носовые пазухи. Вся слизь, все залежи гноя в носовых пазухах теплом растапливаются, растворяются, в мелкие частицы превращаются и на выход направляются. Ярко-белый свет прогревает мою трахею и мои бронхи. Вся слизь в трахее и бронхах теплом растапливается, растворяется, в мелкие частицы превращается и на выход направляется. Сияющая энергия-жизнь окутывает своим теплом мои легкие. Сияющая энергия растапливает слизь во всех уголках моих легких. Слизь растворяется, в мелкие частицы превращается и на выход направляется. Я делаю очередной выдох, и из моих дыхательных путей выходит грязная, отработанная энергия, унося с собой весь мусор, все токсины, все частицы слизи и гноя, все, что мешает мне дышать полной грудью.

Я дышу, и ярко-белая энергия начисто промывает всю мою дыхательную систему. Вдох — входит чистая свежая энергия, выдох — выходит грязная, отработанная. Моя чистая-здоровая носоглотка светится-сияет. Мои чистые-здоровые носовые пазухи светятся-сияют. Моя чистая-здоровая трахея светится-сияет. Мои чистые-здоровые бронхи светятся-сияют. Мои чистые-здоровые легкие светятся-сияют.

Моя дыхательная система работает с несокрушимой устойчивостью. С каждым вдохом в мою носоглотку вливается колоссальная сила-жизнь. Все ткани, все клетки носоглотки оживают, заново рождаются, становятся сильные-мощные-энергичные. Мои носовые пазухи кристально чистые. Мое горло несокрушимо-крепкое, здоровое-чистое. С каждым вдохом в мою трахею вливается могучая сила-жизнь. Все ткани, все клетки трахеи оживают, заново рождаются, становятся сильные-мощные-энергичные. С каж-

дым вдохом в мои легкие вливается могучая сила-жизнь. Все клетки моей легочной ткани оживают, заново рождаются, колоссальной силой наполняются. Вся моя система дыхания работает активно-энергично. Вся моя система дыхания кристально чистая, несокрушимо сильная, несокрушимо здоровая, несокрушимо крепкая. Мне дышится необычайно легко и свободно.

Настрой читается 1 раз, в точности так, как он приведен в книге. Я уже предупреждал о том, что особый подбор слов наделяет его скрытым могуществом, поэтому любые изменения текста нарушают энергоструктуру настроя, ослабляя его действие.

Дыхание и массаж

Сразу же после чтения настроя проводится очистительная процедура. Я предлагаю вам на выбор два дыхательных упражнения и, если они по каким-то причинам вас не устраивают, массаж носоглотки в сочетании с сосанием растительного масла. Эти приемы окончательно освободят ваши дыхательные пути от накопившейся там слизи и мокроты.

Дыхательные упражнения

Из конспектов Кремлевских Мастеров

Упражнение № 1

Станьте прямо, ноги на ширине плеч. Сделайте спокойный глубокий вдох, по окончании которого задержите дыхание, одновременно прогнувшись в пояснице и запрокинув голову назад. Напрягите пальцы рук и их кончиками выполните серию интенсивных поколачиваний верхней части груди и умеренных поколачиваний шеи и горла.

Если упражнение выполняется правильно, должен возникнуть кашель. При первых позывах на кашель необходимо резко выдохнуть воздух и выкашливать мокроту, одновременно удаляя остаточный воздух из легких. Может даже возникнуть рвота. Этому не следует препятствовать: слизь из дыхательных путей попала в желудок и теперь выходит.

Упражнение повторить 3 раза. При появлении слабости, головокружения, холодного пота перерыв между упражнениями следует увеличить.

Затем 3 раза проделать то же упражнение, но чередуя запрокидывания рук вверх-назад с отогнутыми вверх кистями и поколачивания всей грудной клетки — спереди, сзади, с боков.

Упражнение № 2

Исходное положение: сидя, скрестив ноги «по-турецки», спина прямая, руки лежат на коленях ладонями вверх. Сделать резкий короткий выдох через нос, сократив мышцы живота и втянув его внутрь. После этого расслабить все мышцы, участвовавшие в движении: произойдет естественный вдох, по своей продолжительности превышающий резкий выдох. В течение минуты делается 10–14 выдохов.

Некоторые люди боятся начинать упражнение с выдоха, и от страха сначала делают вдох. Здесь бояться нечего: в легких есть воздух на любой фазе дыхания. При первом резком выдохе он из них выйдет, а после следующего вдоха снова появится, и его количество будет большим. Все последующие дыхательные циклы уже ничем не будут отличаться друг от друга.

Во время упражнения плечи и грудная клетка должны оставаться неподвижными, в процессе дыхания участвует только живот. На вдохе, когда диафрагма опускается, живот надувается как мяч. На выдохе диафрагма движется вверх, подтягивая за собой живот со всеми органами брюшной полости, создавая впечатление, будто он втягивается.

Продолжительность упражнения — 5–7 минут.

• •

Оба упражнения выполнять не обязательно, достаточно какого-то одного. А вот две следующие процедуры делаются совместно: сначала массируете носоглотку, потом сосете растительное масло.

Очищение-массаж носовой полости

Этот древнейший прием, широко применяемый в Восточной медицине, позволяет удалить слизь и мокроту, скопившуюся в верхних дыхательных путях — горле, носу и носовых пазухах. Погрузите палец в топленое сливочное масло, введите в ноздрю на максимальную глубину и массируйте внутренние стенки носа. Массаж производится медленными движениями, сперва по часовой стрелке, а затем против нее, по 27 кругов в каждую сторону.

Сосание масла

Завершив массаж носа, возьмите в рот 1 столовую ложку любого растительного масла, и, сосредоточив его в передней части рта, сосите 20 минут. Глотать масло нельзя. Во время сосания от вредных микробов, слизи и токсинов будут избавляться нижние дыхательные пути — трахея, бронхи и легкие.

Курс очищения длится 4 дня. То есть вы ежедневно, в течение 4 дней читаете настрой и выполняете дыхательное упражнение либо массаж носоглотки в сочетании с сосанием масла.

Восстановительная терапия при заболеваниях дыхательных путей

Данный раздел адресован тем, у кого имеются хронические заболевания носа, горла или нижних дыхательных путей. Этим людям, помимо очистительных процедур, я рекомендую раз в полгода проходить специальный укрепляющий курс.

Из конспектов Кремлевских Мастеров

Хронические заболевания горла (фарингит, ларингит, тонзиллит и пр.)

Срезать нижние листья алоэ, тщательно промыть чистой водой, нарезать на мелкие кусочки и отжать сок (можно также купить готовый сок алоэ). Смешать мед с соком алоэ из расчета 1:5. Принимать по 1 чайной ложке до еды 3 раза в день в течение 1–2 месяцев.

Хронический бронхит

1-й способ. Козье молоко с козьим жиром. На 200 г молока 15–20 г жира. Смесь принимать в горячем виде 2 раза в день — утром до еды и вечером после еды. Продолжительность курса — 4–6 недель, в зависимости от самочувствия.

2-й способ. Настой шандры (конской мяты). Настой пьют горячим, маленькими глотками, как чай, по 2 чашки в день, с добавлением меда. Мед надо предварительно вскипятить, так как некипяченый усиливает кашель, а потом смешать с настоем, либо просто брать из чашки и запивать настоем. Продолжительность курса — 21 день.

Хронический трахеит

5–6 корней баклажана промыть в чистой воде, мелко нарезать, поместить в сосуд и варить на медленном огне до тех пор, пока не получится густой отвар. Затем добавить немного сахара. Отвар принимать ежедневно, 2–3 раза в день после еды, по 120 г. Курс лечения продолжается 12 дней. Затем сделать трехдневный перерыв и пить настой еще 12 дней. Далее снова перерыв 3 дня и снова прием настоя в течение 12 дней. Всего 3 курса.

Кашель, подкашливание

В течение месяца ежедневно выпивать по 3 стакана березового сока, сока кленового дерева с молоком или свежевыжатого брусничного сока с медом.

Хронический насморк

Против хронического насморка всего одно действенное средство: утром и вечером промывать нос уриной. Вначале насморк может резко усилиться, так как будет выходить гной, накопившийся в пазухах. Это может продолжаться до недели. Нос надо продолжать полоскать, несмотря ни на что, в течение 12 дней.

Для полоскания носа берется только средняя струя урины. Когда человек начинает мочиться, сперва выходит много желчи, а также промывается мочеиспускательный канал: такая урина неполезна. Последняя же порция урины содержит слишком мало биологически активных веществ, поэтому для лечения не используется.

Бронхиальная астма

1-й способ. Взбить 3 перепелиных яйца. Полученную однородную массу вылить в 200 мл кипящей воды. Воду охладить, процедить через марлю и принимать ежедневно в один прием во время еды. Курс лечения — от 2 до 6 месяцев, в зависимости от самочувствия.

2-й способ. 1 полную чайную ложку сухих листьев крапивы залить стаканом горячей воды, довести до кипения в глиняной или эмалированной посуде (алюминиевую использовать нельзя), дать настояться 15 минут и пить как чай по 3–5 чашек в день. Продолжительность курса — от 2 до 6 месяцев, по самочувствию.

3-й способ. 400 г свежего имбиря очистить от кожуры, натереть на терке, засыпать в бутылку и залить 96% медицинским спиртом. Настоять на солнце или в тепле 2 недели, пока настойка не примет желтый цвет, периодически встряхивая бутылку. Затем процедить, отжать через марлю, дать отстояться двое суток. Настойку принимают в течение месяца, 2 раза в день (после завтрака и обеда или после обеда и ужина) по 1 чайной ложке, смешивая с 0,5 стакана воды.

Целебный воздух вместо химического коктейля

Какие еще меры можно принять для того, чтобы облегчить своему дыхательному аппарату ту гигантскую нагрузку, которой он подвергается из-за загрязнения воздуха?

Выращивайте дома в горшках базилик, тимьян, эстрагон, мелиссу, можжевельник, душицу, шалфей, лук или чеснок. Тогда вместо городского химического коктейля в вашей квартире будет целебный воздух. Тех, у кого нет желания возиться с травами, выручат натуральные эфирные масла эвкалипта, чайного дерева, базилика, тимьяна, кедра, кипариса, лаванды, мирры, можжевельника, сандала, сосны, пихты, шалфея, березы, душицы, липы и лимона. Все эти масла очищают воздух, наполняя его восхитительным ароматом, и облегчают состояние при заболеваниях дыхательных путей. Купите аромалампу и наслаждайтесь!

Постарайтесь свести к минимуму уровень пыли в своей квартире. Домашняя пыль опасна тем, что в ней живут пылевые клещи, продукты жизнедеятельности которых являются самыми сильными из всех известных на сегодняшний день аллергенов. Питается клещ в основном омертвевшими клетками нашей кожи, поэтому любимым местом его обитания является постель. Кроме того, клещ любит ковры с длинным ворсом и места скопления пыли — горизонтальные поверхности мебели и бытовой техники, пол. На борьбу с пылевым клещом расходуется около 80% резервных возможностей иммунной системы человеческого организма. Со временем эти возможности иссякают, происходит срыв, и начинают развиваться болезни. И в первую очередь страдают, естественно, органы дыхания. Ведь именно они принимают на себя основной удар. Смягчите его! Не загромождайте комнаты коврами, паласами и мягкой мебелью, а имеющиеся вещи регулярно пылесосьте и выбивайте. Зимой выносите ковры на мороз и очищайте снегом. Чаще проветривайте комнаты и проводите влажную уборку не менее 1 раза в неделю. Эти элементарные меры значительно снизят уровень пыли в доме. Вообще, избавиться от пылевого клеща непросто: обычные меры гигиены на него практически не действуют. Клещ погибает только при высокой (выше 60 градусов) и низкой (ниже нуля) температуре воздуха и в ультрафиолетовом излучении. Поэтому постельные принадлежности — одеяла, подушки, наволочки — стирайте при температуре выше 60 градусов, зимой вывешивайте на мороз, а летом прогревайте на солнце (делайте это раз в 4–5 месяцев, а если в семье есть аллергики, то раз в месяц).

Кровь и ткани

Это завершающая (и самая приятная из всех) чистка, которая позволит вам окончательно освободиться от накопленных нечистот. Состояние крови влияет на многое. Здоровье, молодость, красота, энергетический потенциал, интеллектуальные возможности определяются чистотой крови. Даже такие вещи, как интуиция и ясновидение, зависят от крови: чистая кровь дает ясность ума, предвидение, предчувствие грядущих событий. Естественно, если кровь переполнена нечистотами, обо всем этом и речи быть не может.

Кровь обеспечивает питанием все органы и ткани тела. Она доставляет к ним кислород, питательные вещества и удаляет продукты обмена через кожу. Но если толстый кишечник и печень зашлакованы, то вместе с питанием организм получает яды. То, что не смогла обезвредить печень, выбрасывается в кровяное русло и разносится по всему организму. Таким образом, в крови поддерживается определенная концентрация шлаков, которая с возрастом увеличивается.

Принципы очистки крови

Саму по себе кровь вычистить легко. Для этого не нужны никакие специальные процедуры. Как только вы приведете в порядок толстый кишечник, органы дыхания и печень, кровь автоматически очистится сама. Ежедневно она обновляется на одну десятую часть. То есть, спустя 10 дней исправной работы печени, кровь станет чистой. Очищение крови — не проблема. Проблема в том, что шлаки засели в клетках тканей, куда они были доставлены грязной кровью ранее. Ткани — вот, что надо чистить. И для этого есть лишь один способ: хорошенько пропотеть.

Лучший и проверенный веками способ — раз в неделю посещать парную или сауну. Вы будете интенсивно потеть, а вместе с потом выйдут и шлаки. Именно так поступали наши предки и, следуя их примеру, — высокопоставленные клиенты моих Мастеров. Банные процедуры не только вытягивают шлаки из клеток организма, но и позволяют поддерживать внутреннюю чистоту впредь. К сожалению, не у всех есть возможность регулярно бывать в бане. А кто-то парную вообще не переносит: становится плохо с сердцем, кружится голова. Это не беда. Есть альтернативные, ничуть не менее действенные процедуры — горячие ванны. Кремлевские Мастера рекомендуют тибетские сосновые и скипидарные по методу Залманова.

Тибетские сосновые ванны

Из конспектов Кремлевских Мастеров

Хорошо зарекомендовал себя отвар из хвои сосны, ели и пихты. Помимо ядов, шлаков и солей, он выводит из организма радионуклиды, очищает сосуды и суставы.

Набрать в лесу, подальше от дороги, свежих сосновых веток. Брать нужно не всю ветку, а только ее верхнюю часть длиной 10–12 см. Только не обрезайте ветки с одной кроны — щадите деревья: лучше обойти несколько сосен, взяв с каждой по 3–4 ветки. Этот курс очищения удобно проводить сразу после Нового года, когда выбрасываются новогодние елки. Тогда необходимость идти в лес за ветками отпадает. Для ванны используются хвойные иглы, мелко нарубленные ветки и измельченные еловые шишки из расчета 1 кг сырья на 7–8 литров воды (это разовая доза).

Наполнить водой эмалированную кастрюлю, поставить на огонь. Как только вода закипит, положить в нее подготовленное сырье и томить в течение часа на медленном огне. Затем снять кастрюлю с огня, плотно закрыть и дать отвару настояться 12 часов.

Для процедуры необходимо иметь часы с секундной стрелкой, термометр для измерения температуры воды и махровое полотенце.

Порядок проведения процедуры таков.

1. Наполнить ванну водой 36 °С.

2. Слить отвар через марлю в ванну.

3. Взять часы и замерить свой пульс, запомнить его. В течение процедуры он не должен ускоряться более чем на 5 ударов в минуту.

4. Опустить полотенце в отвар и, не отжимая, накрутить на голову в виде чалмы. Затем встать в ванну по колено, облить отваром тело. Постоять в таком виде 5 минут, а затем замерить пульс. Если он в норме, можно приступать к процедуре. В противном случае хвойные ванны вам противопоказаны.

5. Лягте в ванну и, включив горячую воду, доведите температуру воды до 37 °С. Полежите на спине 10 минут, наблюдая за пульсом.

6. Если пульс в норме, поднимите температуру до 38 °С. Снимите с головы чалму и погрузитесь в отвар с головой на 10 минут, оставив над поверхностью воды только нос для дыхания. Не забывайте отслеживать пульс!

7. Поднимите температуру до 39 °С и полежите 10 минут, наблюдая за пульсом.

8. Долейте горячей воды до 39,5–40 °С и полежите в ванне еще 10 минут.

9. Выйдите из ванной и, не вытираясь, завернитесь в полотенце или махровый халат. Лягте. Обсохнув, можно выпить зеленого чаю и отойти ко сну.

Первая ванна — пробная. Ее цель — выяснить оптимальную для вас температуру воды. Если вы отметили учащение пульса при температуре 37 °С, то в следующий раз остановитесь на отметке 36–36,5 °С. Если пульс участился при 38 °С, значит, ваша оптимальная температура — 37–37,5 °С. Если учащение пульса произошло на 39 °С, остановитесь на 38–38,5 °С. И так далее. Общее время приема процедуры определяется самочувствием и лежит в пределах от 10 до 40 минут.

Во время второй ванны, когда вы уже определились с температурой воды, подключите настрой. Настрой читается 2 раза, в медленном темпе, благо времени в ванной у вас предостаточно. Обязательно сопровождайте его мысленным представлением всего, о чем говорится в тексте. Важно прочувствовать весь процесс очищения.

Я вижу над своей головой ярко-белое свечение. Я чувствую, как поток ярко-белого света входит в меня через макушку и проникает в голову. Вся моя голова наполнена теплым приятным ярко-белым светом. Вся моя голова светится-сияет подобно Солнцу. В моих глазах светло, как в ясный солнечный день. Ярко-белая энергия растапливает своим теплом все грязное, нездоровое, оставляя лишь приятную расслабленность. Клетки всех тканей моей головы очищаются, силой-здоровьем наполняются. Ярко-белый свет выталкивает все нечистоты из клеток тканей моей головы. Шлаки испаряются, через поры кожи удаляются. Моя голова насквозь пропитана чистейшей ярко-белой энергией жизни.

Ярко-белый свет опускается ниже, заполняя собой шею, плечи и руки. Ярко-белая энер-

гия проникает глубоко в ткани моей шеи, плеч, предплечий, локтей, запястий, кистей, ладоней, пальцев рук. Теплая ярко-белая энергия насквозь пропитывает мои руки и верхнюю часть моего туловища, очищая и освежая их. Ярко-белый свет выталкивает, выбрасывает, вытесняет все нечистоты из клеток. Шлаки испаряются, в дым-туман превращаются, через поры кожи удаляются. Клетки очищаются, силой-здоровьем наполняются. Я чувствую в руках и верхней части туловища тепло и легкое покалывание. Я погружаюсь в состояние чистоты, неги и расслабленности.

Ярко-белое свечение опускается ниже, заполняя мою грудь. Ярко-белая энергия-жизнь вливается в мой пищевод, трахею, бронхи, легкие, сердце, пропитывая нежным теплом всю грудную клетку. Каждая частица моей грудной клетки оживает, очищается, силой-здоровьем наполняется. Ярко-белая энергия глубоко в ткани проникает, клеточки очищает, клеточки освежает, все грязное-нечистое устраняет. Шлаки испаряются, в дым-туман превращаются, через поры кожи удаляются. Клетки очищаются, силой-здоровьем наполняются. Я чувствую в руках и верхней части туловища тепло и легкое покалывание. Я все глубже погружаюсь в состояние чистоты, неги и расслабленности.

Ярко-белое свечение спускается еще ниже, обволакивает живот. Ярко-белая энергия-жизнь проникает вглубь моего живота, пропитывает желудок, селезенку, печень, кишечник. Каждая клеточка брюшной полости заполнена теплым сияющим светом. Сияющий свет все клеточки оживляет, очищает, освежает, все грязное-нечистое из них убирает, силой-здоровьем наполняет. Шлаки испаряются, в дым-туман превращаются, через поры кожи удаляются. Я ощущаю в животе приятное тепло и расслабленность.

Ярко-белая энергия-жизнь наполняет бедра, проходит через почки, половые органы. Низ живота расслабляется, живительным теплом наливается, от шлаков-нечистот избавляется. Ярко-белый свет пронизывает каждую клеточку нижней части туловища. Все ткани нижней части туловища насквозь пропитаны ярко-белой энергией жизни. Клеточки энергией умываются, освежаются, силой-здоровьем наполняются, от шлаков избавляются. Ярко-белый свет клетки очищает, нечистоты испаряет, в дым-туман превращает, через поры кожи удаляет. Нижняя часть моего туловища светится-сияет могучей энергией жизни. Я все глубже и глубже погружаюсь в состояние чистоты, неги и расслабленности.

Очищающая ярко-белая энергия плавно перетекает в ноги — заполняет колени, икры, щиколотки, ступни, пальцы ног. Мои ноги пропитаны теплым ярко-белым свечением. Я ощущаю в ногах тепло и приятное покалывание. Все клеточки тканей моих ног наполнены чистейшей энергией жизни. Энергия клеточки очищает, грязь-нечистоты испаряет, в дым-туман превращает, через поры кожи выдворяет. Мои ноги светятся-сияют могучей энергией жизни.

Я целиком погружен в нежное ярко-белое сияние. Все клеточки моего тела светятся-сияют. Молодая-здоровая-чистая кровь свободным потоком течет по всем кровеносным сосудам. Все мое тело светится-сияет. Все мое тело крепнет-здоровеет. Ярко-белый свет очищает каждую клеточку моего тела. Мой организм сильный-здоровый-крепкий, весь насквозь чистый-светлый. Все мои органы и системы работают с колоссальной устойчивостью. Я наполняюсь чистотой, светом, блаженным покоем.

В неделю делают 3 ванны. Длительность курса — 3 недели, то есть всего 9 ванн.

Цикл процедур проводить не чаще, чем раз в 2 года.

Скипидарные ванны

Скипидар — это очищенное терпеновое масло, получаемое из сосновой смолы. О целебных свойствах скипидара известно давно: его использовали в лечебных целях шумеры, древние греки, римляне. Но авторство знаменитых скипидарных ванн принадлежит русскому доктору А. С. Залманову: он создал прописи ванн двух типов — белой эмульсии и желтого раствора. Этот замечательный врач лечил все семейство Ульяновых-Лениных. Ильич очень высоко ценил его как специалиста. В советское время Залмановские труды оставались закрытыми для широкой публики. В то время как рядовые советские граждане, не имеющие ни малейшего понятия о продвинутых методах лечения, по полдня просиживали в очереди в районной поликлинике и по полгода пробивались на прием к светилам медицины, просвещенные усилиями Кремлевских Мастеров партбоссы нежились в скипидарных ваннах. Николай рассказывал, что они просто тащились от этих ванн. Видимо, потому, что данный метод лечения не предполагает никаких иных действий, кроме лежания в ванне. Даже настрои им было проговаривать лень. Тексты записывались на пленку, и власть предержащие отмокали себе спокойненько в скипидаре и слушали. Красота! Кстати, если вам лень ворочать языком, можете последовать их примеру.

Лечебное действие скипидарных ванн

Суть скипидарных ванн в том, чтобы открыть мелкие сосуды — капилляры. Кровь, движущаяся по капиллярам, доставляет клеткам питание и освобождает их от продуктов распада, то есть от шлаков. В организме человека всегда имеются открытые и закрытые капилляры. Если закрытых капилляров слишком много, клетки недополучают питания и накапливают шлаки: они просто-напросто не успевают своевременно выводиться. Результатом, ясное дело, становятся болезни, число которых с возрастом растет. Чтобы уберечь клетки от отравления продуктами распада, нужно вызвать расширение капилляров, сжатых спазмом, заставить их сокращаться. Именно это и происходит при принятии скипидарных ванн.

Виды скипидарных ванн

Скипидарные ванны бывают белыми, желтыми и смешанными. Основной принцип применения — чередование белых и желтых ванн: белая эмульсия раскрывает капилляры, а желтая выводит шлаки. Исключением из этого правила будут люди с пониженным и повышенным давлением. При гипотонии нельзя делать чисто желтые ванны, поскольку они понижают давление, а при гипертонии нельзя делать чисто белые, так как они давление повышают. Гипотоникам необходимо чередовать белые и смешанные ванны, а гипертоникам — желтые и смешанные. Смешанные ванны — это смешение белой эмульсии и желтого раствора скипидара. Такие ванны не повышают и не понижают давление, поэтому могут приниматься как при повышенном давлении, так и при пониженном.

Итак, при нормальном давлении белые и желтые ванны чередуются: одна белая ванна, одна желтая. Если давление повышено (140/80–160/90), начинайте с желтых ванн. Чтобы привести в норму давление, достаточно 8–10 процедур. Проделайте их, а потом переходите к чередованию желтых и смешанных ванн, контролируя давление до и после ванны. Если давление выше указанных цифр, то его вначале надо понизить медикаментозно и только после этого приступать к процедурам, на их фоне постепенно уменьшая дозировку лекарств.

При гипотонии курс аналогичен: сначала 8–10 белых ванн, затем начинаете чередовать их со смешанными.

Во время приема ванны читайте (2 раза) настрой, который приводился выше.

Противопоказания

Внимание! Скипидарные ванны имеют противопоказания: острые воспалительные заболевания с высокой температурой, хронический гепатит, цирроз печени, язвенная болезнь желудка (в стадии обострения), тромбофлебит, грибковые заболевания кожи, сахарный диабет, ишемическая болезнь сердца со стенокардией (в период обострения). Вообще, всем сердечникам перед купаниями в скипидаре желательно проконсультироваться с врачом. При появлении даже несильных болей в сердце после ванны от процедуры следует отказаться. А вот усиление болей в суставах и небольшое повышение температуры тела противопоказаниями не являются: в этих случаях ванны нужно продолжать. Скипидарные ванны нельзя совмещать с приемом антибиотиков, гормонов, лечением ультразвуком, радио- и химиотерапией и другими сильнодействующими процедурами.

Белые скипидарные ванны

Скипидарные ванны с белой эмульсией вызывают интенсивное раскрытие капилляров, умеренное повышение артериального давления, увеличивают приток кислорода к тканям, промывая и очищая их. Особенно полезны белые ванны при гипотонии, артериитах, полиартритах, мышечных атрофиях, вялых параличах, импотенции, простатите, стенокардии без повышения давления, при инфаркте миокарда и ишиасе с пониженным давлением. Ванны обладают обезболивающим действием.

Белая эмульсия продается в готовом виде и имеет следующий состав: живичный скипидар, вода, салициловая кислота, детское мыло. Некоторые производители добавляют туда смягчающие кожу травы — ромашку, череду.

Готовится скипидарная ванна так.

1. Наполнить ванну водой с температурой 36 °С.

2. Растворить в горячей воде (50–60 °С) нужное количество белой эмульсии, хорошенько перемешать и процедить через ситечко, чтобы не осталось сгустков.

3. Вылить раствор в ванну и снова перемешать. Если эмульсия будет плохо размешана, может возникнуть раздражение тех участков кожи, на которые придется большее ее количество.

4. Смазать половые органы, задний проход, промежность, подмышечные впадины и все имеющиеся на теле ранки, ссадины и царапины вазелином или жирным кремом и лечь в ванну.

5. В течение пяти минут довести температуру воды в ванне до 38 °С и лежать еще 10 минут при этой температуре.

6. Не вытираясь, надеть старое белье и лечь в постель на полтора часа или отойти ко сну.

Обращаю ваше внимание на то, что во время процедуры и в течение 15–45 минут после нее ощущается легкое жжение кожи, пощипывание, покалывание. Это нормальная реакция на скипидар. Но если жжение слишком сильное, дозу эмульсии надо уменьшить и не повышать до тех пор, пока кожа не привыкнет.

Схема приема белых ванн

№ процедуры	Количество белой эмульсии, мл	Температурный режим	Длительность, мин.
1	20	36 °С, через 5 минут – 38 °С	15
2	25	»	15
3	30	»	15
4	35	36,5 °С, через 5 минут –38,5 °С	15
5	40	»	15
6	45	»	16
7	50	»	16
8	55	»	16
9	60	»	16
10	65	»	17
11	70	»	17
12	75	»	17
13	80	»	17
14	85	»	17
15	90	»	17
16	95	»	17
17	100	»	17
18	105	»	17
19	110	»	17
20	115	»	17
21	120	»	17

Начиная с 22-й ванны, процедуры проводятся по режиму ванны № 21. Курс — 30–40 процедур.

Первые пять ванн принимаются через день, далее проводите их через 2 дня на третий или 2 раза в неделю по фиксированным дням.

Желтые скипидарные ванны

Эти ванны растворяют остатки мертвых клеток и шлаки. Желтый раствор как бы обволакивает тело, создавая интенсивное потоотделение. И при этом нет ни учащения пульса, ни головокружений, ни одышки. Вместе с потом из крови и тканей выводятся шлаки. После курса процедур снижается артериальное давление, уровень холестерина и сахара в крови, налаживается обмен веществ, приводя в норму вес, освежается и омолаживается весь организм. Особенно полезны желтые ванны при гипертонии, стенокардии с повышенным давлением, флебитах, диабете, инфаркте миокарда с давлением более 150 мм рт. ст., глаукоме, переломах, в постинсультный период (происходит оживление сжатых нейронов). Ванны обладают обезболивающим эффектом.

Желтый раствор продается в готовом виде и имеет следующий состав: живичный скипидар, вода, касторовое масло, едкий натр, олеиновая кислота. Готовится желтая ванна точно так же, как белая. Схема приема процедур приведена в таблице.

После процедуры ни в коем случае нельзя вытираться, чтобы не снять с кожи скипидар. Обсушите тело сухим полотенцем, наденьте старое белье, накройтесь одеялом и лягте в постель. Для усиления потоотделения пейте чай с медом или малиной. Через полчаса переоденьтесь в сухое белье и полежите еще час или отходите ко сну.

Схема приема желтых ванн

№ процедуры	Количество желтого раствора, мл	Температурный режим	Длительность, мин.
1	20	36 °C, через 5 минут – 39 °C	15
2	30	»	15
3	40	»	16
4	50	»	16
5	60	36 °C, через 5 минут – 39 °C, начиная с 12-й минуты – 40 °C	16
6	70	»	16
7	80	»	17
8	90	36 °C, через 5 минут – 39 °C, последние 4 минуты – 41 °C	17
9	100	»	18
10	110	»	18
11	120	»	18

Начиная с 12-й ванны, процедуры проводить по режиму ванны № 11. Курс — 30–40 процедур.

Смешанные скипидарные ванны

К смешанным ваннам прибегают при повышенном и пониженном давлении. Их можно принимать даже при очень высоком давлении — 180 мм рт. ст., чередуя две смешанные ванны и одну желтую. При гипертонии почечной этиологии или гипертонической болезни, сопровождающейся выделением мочи с недостатком мочевины и мочевой кислоты, рекомендуется отказаться от соли и резко уменьшить потребление белковой пищи, принимая каждые 3 дня ванны с 60 мл желтого раствора с температурой воды 39–40 °С, продолжительностью 15–16–17–18–20 минут. Схема приема смешанных ванн указана в таблице.

Смешанные ванны открывают капилляры, обеспечивая выход в кровь аминокислот. Среди прочих аминокислот высвобождается гистамин. Помимо обезболивающего эффекта, он вызывает расширение капилляров мышечной системы и конечностей, проникает в артерии брюшной и грудной полости, в головной и спинной мозг, кровь, лимфу. В результате восстанавливается кровообращение, улучшается общее физическое и психическое состояние, очищается, излечивается и омолаживается весь организм.

Схема приема смешанных скипидарных ванн

№ процедуры	Количество белой эмульсии, мл	Количество желтого раствора, мл	Температурный режим	Длительность, мин.
1	20	30	36 °С, через 5 минут – 39 °С	15
2	25	30	»	15
3	30	30	»	16
4	35	35	»	16
5	40	40	»	16
6	45	45	»	16
7	50	50	36 °С, через 5 минут – 40 °С	16
8	55	55	»	16
9	60	60	»	17

Начиная с 10-й ванны, процедуры проводить по режиму ванны № 9.

Специальные чистки

Обязательная программа очищения организма завершена. Эта глава адресована тем, у кого имеются нарушения работы почек, мочевого пузыря, сердца, сосудов, суставов. Если эти органы у вас здоровы, проводить их чистки в целях профилактики или ради эксперимента не нужно.

Почки и мочевой пузырь

Почки — это кладовая жизненной энергии организма, ее накопитель. Если они со своей задачей справляются, то человек преуспевает. У кого много энергии, у того много возможностей, тот большего достигает в жизни. Кроме того, почки управляют детородными органами и костным мозгом, то есть от них зависит репродуктивная способность человека, крепость костей и состав крови. Можно сказать, что хорошо работающие почки делают человека богатым. Причем, богатым во всем — в любви, здоровье, друзьях, деньгах, бизнесе, удачных стечениях обстоятельств. Ведь почки являют собой стихию Воды, а Вода связана с изобилием. Человек, у которого почки в полном порядке, не испытывает ни в чем нужды, не ощущает себя обделенным, обиженным жизнью. А поскольку Вода курирует еще и эмоции, то и психическая жизнь такого человека идет гладко: с одной стороны, он свободно выражает свои эмоции, а с другой — умеет управлять ими.

Чистить почки имеет смысл в том случае, если они болят, то есть при наличии камней или подозрении на них. Если вы просто хотите привнести в свою жизнь изобилие, достаточно профилактических мер, перечисленных в главе «Первый шаг в чистке». Образованию почечных камней есть две основные причины. Первая — чисто физическая, материальная: обилие мучной и рафинированной пищи в рационе. Второй причиной является страх. Если человек постоянно чего-то боится, внутренне сжимается, съеживается, стремясь спрятаться от жизни, существует большая вероятность того, что у него начнется процесс камнеобразования. Примите это к сведению и по мере возможностей поработайте над собой по данным направлениям. Подкорректировать свой рацион труда не составит, а разогнать страхи вам помогут все те же недавно упомянутые профилактические меры: водные процедуры, цветотерапия и морская соль.

Из конспектов Кремлевских Мастеров

При страхах отлично помогает наполнение энергией Солнца. Выйдите на улицу и станьте вполоборота к Солнцу. У женщин Солнце должно быть справа, у мужчин — слева. Представьте, что из солнечного сплетения исходит поток солнечных лучей, которые распространяются до самого Солнца, смешиваются с его светом и, как от огромного зеркала, отражаются обратно к вам. Этот частично ваш, частично солнечный свет наполняет солнечное сплетение. Оно постепенно «разбухает» и принимает форму шара, твердого и упругого, как мяч. Страх уйдет. Запомните свое состояние и при необходимости, когда нет возможности поработать напрямую с Солнцем, вызывайте его у себя.

Страхи также гасит массаж пупка. Массаж выполняется в положении лежа. Кончиком пальца любой руки слегка надавите на кожу рядом с пупком и начните делать массирующие движения, перемещая палец по окружности вокруг пупка в направлении часовой стрелки. Если вы найдете слабое, рыхлое, болезненное место или «узелок», массируйте его до тех пор, пока не почувствуете, что «комок» растворился.

С почками связан и мочевой пузырь. Если в почках камни, велика вероятность того, что в нем они тоже имеются. Поэтому предлагаемая мною система очищения рассчитана на то, чтобы изгнать камни из обоих органов. Очищение проводится по обычной, уже знакомой вам схеме: настрой + упражнения + прием очищающих средств + восстановительная фитотерапия. Идеальный период для чистки — с конца октября до конца декабря.

Энергетическое очищение почек

Самое благоприятное время для этой процедуры — с 15 до 19 часов, когда энергетика почек на подъеме. Сначала читаете настрой (он немного похож на настрой на очищение печени, и это неудивительно, ведь и в том, и в другом случае мы дробим камни), сопровождая его мысленными образами всего, о чем говорится в тексте, затем выполняете упражнение. Упражнение это происходит из цигуна. Оно возбуждает энергию почек, стимулируя процесс их очищения.

Из конспектов Кремлевских Мастеров

Я чувствую, как через макушку головы в меня входит ярко-белый поток чистейшей энергии. Он медленно опускается вниз по телу, проходит сердце, легкие, желудок, кишечник, печень, заполняя их сияющим белым светом, и перетекает в почки. Ярко-белая энергия проникает во все клеточки моих почек. Ярко-белая энергия-жизнь пропитывает собой все ткани моих почек. Она движется по почечным протокам. Я чувствую, как мои почечные протоки расширяются, камушки раздробляются, растворяются, на мельчайшие частицы рассыпаются, в песчинки превращаются и на выход направляются.

Ярко-белая энергия начисто промывает мои почки и вливается в мочевой пузырь. Ярко-белая энергия кружит по моему мочевому пузырю. Ярко-белая энергия начисто промывает мой мочевой пузырь. Камушки в мочевом пузыре растворяются, рассыпаются, в мелкие песчинки превращаются и на выход направляются.

Мои почки светятся-сияют. Мой мочевой пузырь светится-сияет. Мои почки крепнут-здоровеют. Мой мочевой пузырь крепнет-здоровеет. Мои почки и мочевой пузырь работают энергично. Мои почки и мочевой пузырь работают с колоссальной устойчивостью. Все клетки моих почек и мочевого пузыря чисты-здоровы. Я чувствую в области поясницы приятную легкость, тепло и спокойствие.

Настрой читается 1 раз. Сразу же после него делаем упражнение.

1. Шагните вперед правой ногой. Пальцы ноги подняты, пятка касается земли, голова поворачивается слева-прямо-направо. Одновременно с поворотом головы поверните талию. Бедра при этом остаются на месте. Поворот талии приводит в движение руки. Левая рука движется к пупку, а затем в направлении левого бедра. Правая кисть движется в направлении средней линии туловища.

2. Переместите вес тела с левой ноги на правую.

3. Шагните левой ногой, также подняв пальцы ног и коснувшись земли пяткой. Голова поворачивается справа-прямо-налево. Вместе с ней поворачивается талия (бедра остаются на месте) и начинают двигаться руки. Правая рука движется в сторону пупка, а потом в сторону правого бедра. Левая перемещается с левой стороны в направлении солнечного сплетения.

4. Переместите вес тела с правой ноги на левую и снова сделайте шаг правой ногой. И так далее.

Двигайтесь таким образом 8–10 минут. Делая шаг правой ногой, вдыхайте дважды через нос, не делая в промежутке выдоха, а совершая шаг левой — выдыхайте через нос один раз. Внимание должно быть сосредоточено на пальцах ног: следите за тем, чтобы пятка касалась земли мягко и спокойно. Ступни при ходьбе должны идти параллельно друг другу. Держите их на ширине плеч, продвигаясь вперед по S-образной линии. Смотрите вперед рассеянным, расфокусированным взглядом, так, чтобы все окружающее казалось неясным, как будто вы ничего не видите, хотя и смотрите.

Читайте настрой и делайте упражнение ежедневно в течение 11 дней. На 12-е сутки приготовьте любой из приведенных ниже очищающих растворов и начните его прием.

Рецепты очищающих растворов

Из конспектов Кремлевских Мастеров

Для очищения почек

1. *Хвощ*

Полевой хвощ считается одним из лучших средств очищения почек. Он хорошо размягчает камни и превращает их в песок. Результат становится заметен уже через месяц.

Настой хвоща готовится так. Залить 1 чайную ложку с горкой 200 мл кипятка, дать настояться 20 минут, процедить. Принимать каждое утро натощак, за полчаса до еды. Продолжительность курса — 2–3 месяца, в зависимости от самочувствия.

2. Травы с пихтовым маслом

Смешать по 50 г душицы, спорыша, мелиссы, шалфея и зверобоя. 2 столовые ложки полученной смеси залить 1 стаканом кипятка. Принимать по полстакана 3–4 раза в день. На 7-й день приема, утром, за полчаса до еды добавить в 100 мл охлажденного настоя 5 капель пихтового масла, размешать и выпить через соломинку (пихтовое масло разрушает зубную эмаль). Эту процедуру повторять 2 раза в день перед едой в течение 5 дней. По прошествии этого времени заваривайте и пейте травяную смесь с медом в течение недели, полностью исключив на это время из рациона пищу животного происхождения.

Песок и камни будут выходить с мочой в виде бурых маслянистых сгустков с запахом пихтового масла. Этот процесс будет продолжаться 3–4 недели.

3. Конопляное семя

1 стакан конопляного семени пропустить через мясорубку, залить 3 стаканами непастеризованного молока и уварить до 1 стакана. Горячий отвар процедить и пить натощак по одному стакану в день в течение 5 дней. Через 10 дней курс повторяется. Во время приема отвара нужно отказаться от острой и животной пищи.

Для очищения мочевого пузыря

1. Луковая настойка

Нарезать лук и наполнить им литровую бутыль до половины, залить доверху водкой, настоять в теплом месте или на солнце 10 дней, периодически встряхивая. Процедить и пить 2 раза в день перед едой по 2 столовые ложки до тех пор, пока настойка не закончится.

2. Хрен

1 столовую ложку тертого хрена залить горячим молоком, настоять 10 минут в тепле, процедить и пить маленькими глотками в течение дня.

Во время чистки могут возникнуть боли. Это нормальное явление, нужно потерпеть. Чтобы уменьшить болевые ощущения, продолжайте читать настрой и делать цигуновское упражнение 2–3 раза в неделю.

Восстановительная фитотерапия

Для окончательного удаления шлаков и восстановления нормальной работы почек Мастера рекомендуют после курса очищения 21 день пить березовый настой или свекольный сок.

Березовый настой готовится так: залить 2 чайные ложки сухих измельченных листьев березы 500 мл кипятка, дать настояться 30 минут, процедить. Настой пьют небольшими порциями 3–4 раза в день. Можно приготовить настой и из березовых почек: залить 1 чайную ложку почек $^1/_2$ стакана кипятка. Принимать по 2–3 столовые ложки 3–4 раза в день.

Свекольный сок пьют свежевыжатым, по стакану в день, утром, натощак за полчаса до приема пищи.

Сердце и сосуды

Заболевания сердца и сосудов — пожалуй, самые серьезные разрушители здоровья. Сердечнососудистыми нарушениями страдает каждый третий человек на Земле. В значительной степени этому способствует современный ритм жизни (оторванный от природных биоритмов, а потому противоестественный), которому мы вынуждены подчиняться, колоссальные психические нагрузки, лишенная витаминов пища, переедание, курение, недостаток физических нагрузок. И что самое страшное, сердечные заболевания очень коварны: человек может годами носить болезнь в себе и не знать о ней, пока с ним не случится сердечный приступ или инсульт.

Первыми симптомами неполадок в сердечнососудистой системе являются головные боли, боли в сердце и повышенное кровяное давление. Если вы отмечаете у себя эти проявления, нужно обязательно почистить сосуды и пройти медицинское обследование. Очистительные процедуры удалят из сосудов жировые и известковые отложения, сделают сосуды гибкими, эластичными. В результате приходит в норму давление, излечивается атеросклероз, снижается риск инфарктов и инсультов, уходят головные боли, исчезает венозная «сеточка» на ногах. Попутно вы избавляетесь от бессонницы, раздражительности, становитесь более энергичным и жизнерадостным человеком. И более авторитетным! Ведь сердце — это стихия Огня, а Огонь отвечает за все, что связано с лидерством и призванием. Мне также известно, что после очищения сосудов у большинства людей уходят психологические зажимы, им становится легче выражать себя, что, согласитесь, облегчает жизнь.

Кремлевская система очищения сосудов включает в себя настрой, сопровождаемый дыхательным упражнением, и прием травяных настоев, который рекомендуется сочетать со скипидарными ваннами. Я опробовал эту чистку более чем на сотне людей с сердечно-сосудистыми нарушениями и наблюдал совершенно потрясающие результаты. Наступало полное исцеление!

Наиболее благоприятное время для чистки — с мая по август.

Энергетическое очищение сердца и сосудов

Из конспектов Кремлевских Мастеров

Лягте на спину, расслабьтесь и прочтите настрой. Читайте в медленном темпе, сопровождая слова мысленными образами и ощущениями всего, о чем говорите. Редактирование текста настроя не допускается.

Я ощущаю, как через макушку головы в меня входит поток ярко-белого света. Это энергия, несущая жизнь и отменное здоровье. Ярко-белая энергия вливается в мое сердце и начинает циркулировать вместе с кровью по сосудам. Все мои сосуды от макушки головы до кончиков пальцев рук и ног полностью раскрываются по всей своей длине. Ярко-белая энергия начисто промывает мои сосуды. Кровеносные сосуды прочищаются. Жировые-известковые хлопья от стенок отделяются, в ярко-белой энергии растворяются, в дым-туман превращаются и через поры кожи испаряются.

Ярко-белая энергия циркулирует по всем моим кровеносным сосудам. Ярко-белая энергия создает во всем моем теле энергичное свободное кровообращение. Все мои сосуды дышат легко и свободно, они раскрыты по всей своей длине. Мое сердце светится-сияет подобно Солнцу. Мое сердце с каждой секундой наращивает свои энергетические запасы. Здоровая кровь сильным-энергичным потоком свободно движется по всем сосудам. Стенки сосудов чистые-крепкие-эластичные.

Мое сердце и капилляры работают с колоссальной устойчивостью. Мои сосуды живут энергичной, радостной, полнокровной жизнью. Я ощущаю во всем своем теле энергичное свободное кровообращение. Мое тело расслабляется. По всему моему телу растекается ярко-белая энергия-радость-жизнь. Все мое тело становится светлым, легким, невесомым. Все мое тело светится-сияет. Я становлюсь здоровым, веселым, жизнерадостным человеком.

Оставайтесь в лежачем положении. Ладони лежат вдоль туловища, ноги вместе. На вдохе поднимите левую руку, переведите ее за голову и положите тыльной стороной ладони на пол, одновременно вытягивая вперед левую пятку без отрыва ноги от пола. Задержитесь в такой позе на 2–3 секунды, задержав одновременно и дыхание. С выдохом верните руку и пятку в исходное положение и расслабьтесь. Повторите упражнение с правой рукой и ногой, а затем с обеими руками и ногами.

Описанную процедуру проводить 11 дней, желательно в период с 11 до 15 часов, когда энергия сердечно-сосудистой системы на подъеме. На 12-й день начните прием любого из приведенных ниже травяных настоев и скипидарных ванн (при отсутствии противопоказаний). Перед приемом трав и лежа в ванне рекомендую проговаривать настрой. Собственно говоря, настрои можно читать неограниченное количество раз: чистка ускорится и пройдет более гладко, без болей, срывов и дискомфорта.

Травяные настои

Из конспектов Кремлевских Мастеров

Рецепт № 1

Смешать по 100 г зверобоя, ромашки, березовых почек и бессмертника песчаного. Сложить травы в стеклянную банку, тщательно перемешать и закрыть крышкой. Вечером, незадолго до сна, залить 1 столовую ложку смеси 2 стаканами кипятка и настоять 20 минут. Процедить через плотную ткань и отжать. В стакане настоя растворить 1 чайную ложку меда и выпить. После приема настоя нельзя ничего есть и пить. Утром подогреть оставшуюся жидкость на водяной бане, растворить в ней 1 чайную ложку меда и выпить за 15–20 минут до завтрака.

Проделывайте такую процедуру ежедневно, до тех пор, пока не закончится смесь. Хранить травы нужно в плотно закрытой банке.

Курс проводить не чаще чем 1 раз в 3 года.

Рецепт № 2

Смешать равные части березовых почек, цветков бессмертника песчаного, корня валерианы, душицы, корня дягиля лекарственного, травы зверобоя, травы золототысячника, цветков календулы, листьев крапивы, коры крушины, цветков липы, листьев мать-и-мачехи, листьев мяты перечной, корня или листьев одуванчика, подорожника, пустырника, ромашки аптечной, сосновых почек, травы сушеницы болотной, тысячелистника, чабреца, шалфея лекарственного, эвкалипта, александрийского листа. Допускается отсутствие какого-то одного ингредиента.

Залить 10 столовых ложек смеси 1200 мл кипящей воды, еще раз довести до кипения, закрыть крышкой и настоять 3 часа. Принимать 3 раза в день за 10–15 минут до еды в течение 21 дня.

Хорошо помогает также тибетская чесночная настойка. Я рекомендовал ее как глистогонное, но она чистит и сосуды тоже.

Суставы

Накопление солей в суставах — одна из самых частых причин болей в них. Со временем соли склеиваются в «шишки». И что самое страшное, рост солевых шишек происходит безболезненно, поэтому люди обычно не обращают на это внимания и не принимают никаких мер по очищению суставов. Считается, что причина склеивания солей в «шишки» — плохое кровоснабжение. Капилляры в суставах тонкие, они быстро засоряются, и процесс образования солевых шишек становится практически необратимым. Есть также мнение, что накопление солей происходит от обилия мясных продуктов в рационе и малоподвижного образа жизни. А если вспомнить о принадлежности суставов к элементу Воды, то можно привести еще одну возможную причину, эмоциональную: страх, внутреннее сжатие, боязнь жизни. Восточная медицина добавляет в этот список жесткость и гордыню. Но обратите внимание: речь идет о *внутренних* состояниях. Солевые шишки образуются именно от *внутреннего* сжатия, холода и напряжения. А внешнее поведение значения не имеет.

Кремлевская чистка суставов предполагает воздействие на больные суставы теплом и движением. В курс входит энергетическое промывание, йоговские упражнения и прием солевыводящих средств, действие которых рекомендуется усилить скипидарными ваннами. После такой «обработки» суставы гарантированно перестают болеть и скрипеть, становятся подвижными, эластичными. Оптимальный период для манипуляций над суставами — с конца октября до начала января.

Энергетическое очищение суставов

Как осуществляется энергетическое промывание, вы знаете. Обращаться с настроем умеете. Поэтому без лишних слов перехожу к тексту. Период максимальной активности стихии Воды в организме находится в промежутке между с 15 до 19 часами: старайтесь «колдовать» над своими суставами в это время. Настрой читается 1 раз.

Из конспектов Кремлевских Мастеров

Я чувствую, как через макушку головы в меня вливается поток ярко-белой энергии. Он медленно опускается по телу, доходит до плечевых суставов и наполняет их сиянием жизни. Мои плечевые суставы охватывает приятное тепло. Солевые шишки в плечевых суставах размягчаются, соли растворяются, в дым-туман превращаются, через поры кожи испаряются. Ярко-белая энергия-жизнь чисто-начисто промывает плечевые суставы, вымывая из них все продукты обмена и отложения солей. Мои плечевые суставы светятся-сияют. Мои плечевые суставы крепнут-здоровеют. Мои плечевые суставы эластичны-подвижны.

Ярко-белая энергия перетекает в руки и вливается в локтевые суставы, наполняя их сиянием жизни. Мои локтевые суставы охватывает приятное тепло. Солевые шишки в них размягчаются, соли растворяются, в дым-туман превращаются, через поры кожи испаряются. Ярко-белая энергиия-жизнь чисто-начисто промывает локтевые суставы, вымывая из них все продукты обмена и отложения солей. Мои локтевые суставы светятся-сияют. Мои локтевые суставы крепнут-здоровеют. Мои локтевые суставы эластичны-подвижны.

Ярко-белая энергия перетекает в запястья и кисти, наполняя их сиянием жизни. Я ощущаю в своих запястьях, кистях, во всех пальцах рук расслабленность и приятное тепло. Солевые шишки в лучезапястных и пальцевых суставах размягчаются, соли растворяются, в дым-туман превращаются, через поры кожи испаряются. Ярко-белая энергия-жизнь чисто-начисто промывает лучезапястные и пальцевые суставы, вымывая из них все продукты обмена и отложения солей. Мои лучезапястные и пальцевые суставы светятся-сияют. Мои кисти и пальцы рук крепнут-здоровеют. Мои лучезапястные и пальцевые суставы эластичны-подвижны.

Ярко-белая энергия-жизнь перетекает в бедра и наполняет их теплом-сиянием. Я ощущаю в тазобедренных суставах приятную расслабленность и нежное тепло. Солевые шишки в тазобедренных суставах размягчаются, растворяются, в дым-туман превращаются, через поры кожи испаряются. Ярко-белая энергия-жизнь чисто-начисто промывает тазобедренные суставы, вымывая из них все продукты обмена и отложения солей. Мои тазобедренные суставы светятся-сияют. Мои тазобедренные суставы крепнут-здоровеют. Мои тазобедренные суставы эластичны-подвижны.

Ярко-белая энергия-жизнь продолжает свой путь по моему телу. Она переходит в колени, наполняя их теплом-сиянием. Мои коленные суставы мягко расслабляются. Я ощущаю в коленях приятное тепло. Солевые шишки в коленных суставах размягчаются, растворяются, в дым-туман превращаются, через поры кожи испаряются. Ярко-белая энергия-жизнь чисто-начисто промывает коленные суставы, вымывая из них все продукты обмена и отложения солей. Мои колени светятся-сияют. Мои колени крепнут-здоровеют. Мои коленные суставы эластичны-подвижны.

Ярко-белая энергия спускается ниже по ногам и переходит в голеностопные суставы и пальцы ног, наполняя их светом-сиянием. Я ощущаю в голеностопах и пальцах ног приятное тепло. Солевые шишки в голеностопных и пальцевых суставах размягчаются, соли растворяются, в дым-туман превращаются, через поры кожи испаряются. Ярко-белая энергия-жизнь чисто-начисто промывает голеностопные и пальцевые суставы, вымывая из них все продукты обмена и отложения солей. Мои голеностопы и пальцы ног светятся-сияют. Голеностопные суставы и суставы пальцев ног крепнут-здоровеют, становятся эластичны-подвижны.

Ярко-белая энергия-жизнь вместе с чистой-здоровой кровью быстрым-энергичным потоком течет по всем кровеносным сосудам. Циркулирует внутри костей и суставов. Несет питание и жизнь всем клеткам костей, всем тканям суставов. Быстрый-энергичный поток крови постоянно-непрерывно вымывает из моих суставов отложения солей, и почки удаляют их из организма. Все мои суставы светятся-сияют. Все мои суставы эластичны-подвижны. Все мои суставы работают с колоссальной устойчивостью.

Суставная гимнастика

Сразу после энергетического «душа» приступайте к суставной гимнастике. Но имейте в виду, что упражнениями нельзя заниматься на сытый желудок. От еды до занятий должно пройти не менее трех часов. Есть можно спустя полчаса после занятий. Каждое упражнение выполняется 5–6 раз.

Из конспектов Кремлевских Мастеров

Упражнение 1

1. Расслабьтесь, сидя в удобной позе, и успокойте дыхание, сделав 2–3 глубоких вдоха и выдоха через нос.

2. Встаньте прямо, опустив руки вдоль туловища.

3. Согните левую ногу так, чтобы пятка находилась возле бедра. Захватите левой рукой щиколотку левой ноги и подтяните согнутую левую ногу как можно ближе к бедру. Напрягите правую руку и медленно поднимите ее вверх. Во время подъема ладонь должна быть обращена вниз, а в момент, когда рука будет поднята, — вперед. Оставайтесь в такой позе 12–15 секунд. Глаза лучше закрыть. Дыхание глубокое и спокойное, через нос.

4. Медленно вернитесь в исходное положение. Двигайтесь плавно, расслабленно, без напряжения.

5. После короткого отдыха проделайте упражнение с другой ногой.

Упражнение 2

1. Исходное положение: стоя, ноги находятся на расстоянии около 80 см друг от друга, руки свободно висят вдоль тела.

2. Во время медленного вдоха поднимите руки через стороны до уровня плеч. Во время подъема мышцы рук должны быть напряжены. Ос-

тавайтесь в таком положении 3 секунды, задержав дыхание.

3. Выдохните и одновременно наклонитесь, коснувшись рукой левой ноги и перемещая правую руку вверх. К моменту, когда вы коснетесь ноги, выдох завершается.

4. На вдохе наклонитесь ниже и постарайтесь прикоснуться к пальцам левой ноги. Затем поверните голову вправо и вверх, стараясь увидеть ладонь правой руки. Ноги должны оставаться прямыми. Переместите правую руку вперед. При этом левая рука остается на пальцах левой ноги, а торс направлен вперед.

5. Выдыхая, передвиньте правую руку под углом 45°, по-прежнему удерживая ее прямой. Побудьте в такой позе 3 секунды, задержав дыхание. Потом положите правую руку на правую ногу и на вдохе выпрямитесь. Когда вы вернетесь в исходное положение, руки снова будут висеть вдоль туловища.

6. Отдохните несколько секунд и повторите упражнение с другой рукой.

Упражнение 3

1. Исходное положение: стоя, спина прямая, руки висят вдоль туловища.

2. Согните правую ногу, охватив правой рукой пальцы ноги.

3. Медленно поднимайте левую руку вверх, одновременно оттягивая правую ногу назад. Слегка наклоните верхнюю часть туловища вперед, пытаясь увидеть кончики пальцев

левой руки. Побудьте в такой позе 12–15 секунд, после чего медленно вернитесь в исходное положение.

4. Отдохните несколько секунд и проделайте упражнение с другой ногой.

Упражнение 4

Лягте на спину и расслабьтесь. Сделайте 10–12 медленных глубоких вдохов и выдохов животом. На вдохе живот слегка надувается, на выдохе — втягивается. Чтобы лучше расслабиться, представьте, что вы засыпаете. Оставайтесь в таком состоянии 5–7 минут, потом откройте глаза и сядьте.

Смеси, растворяющие соли в суставах

Энергетическая чистка суставов вместе с упражнениями проводится ежедневно, на протяжении 7 дней. Далее вы начинаете прием любого из очищающих растворов. Во время «физической» чистки не забывайте о настрое и упражнениях: практикуйте их не реже трех раз в неделю.

Из конспектов Кремлевских Мастеров

1. Рис

Залить 1 стакан нешлифованного коричневого риса водой и оставить на 3 суток. Затем слить воду, добавить 2 стакана свежей воды и варить рис до полного ее выкипания. Полученную кашу разделить на 4 равные порции и съесть в течение суток через равные промежутки времени, тщательно пережевывая. Перед приемом каши выпивать полстакана воды. Больше ничего в этот день есть нельзя, но нужно пить маленькими глотками настой шиповника (2 стакана). На следующий день ваш рацион будет выглядеть так: полкило свеклы (лучше сырой), 3 яблока, 3 стакана настоя шиповника.

Через 3 дня чистку повторить. Таких курсов нужно провести 7–10, в зависимости от самочувствия.

2. Грецкий орех

Залить 1 стакан перегородок грецких орехов 0,5 л водки и настоять 18 дней, периодически встряхивая. Настойку принимать 3 раза в день в течение 29 дней.

Внимание! Этот способ противопоказан при язве желудка и двенадцатиперстной кишки.

В обоих случаях чистку рекомендуется сопровождать скипидарными ваннами. Если они противопоказаны, пейте настой березовых почек по 3–5 стаканов в день: они вызовут интенсивное потение, и соли будут выходить.

Как сохранять чистоту после успешно проведенных чисток

Итак, вы почистились. Теперь важно побеспокоиться о сохранении достигнутого. Будем реалистами: процесс загрязнения идет постоянно, но в наших силах его затормозить. Для этого могу посоветовать некоторые превентивные меры.

Поддерживайте личную гигиену

- Два раза в день, утром и вечером, совершайте омовения проточной водой.
- Не реже двух раз в неделю применяйте скрабы для лица и тела, предварительно распарившись в горячей ванне, лучше всего — с морской солью. Для скатывания омертвевших клеток с кожи хорошо применять специальную жесткую рукавичку. Мочалки и полотенца должны быть предметами строго индивидуального пользования и только из натуральных волокон.
- Не реже двух раз в день чистите зубы. Откажитесь от агрессивных отбеливающих паст (ведь все равно налета и зубного камня они не удаляют, это может сделать только стоматолог при помощи специальной процедуры). Лучше употреблять пасты с экстрактами прополиса, трав, натуральными солями, растительными маслами. В течение дня пользуйтесь зубной нитью (специальной зубной нитью, а не нитками, которыми шьют).
- Раз в месяц меняйте зубную щетку.

- Каждые полгода посещайте стоматолога.
- Мойте руки после каждого посещения туалета, перед каждой трапезой, после того, как подержали в руках книгу, газету, документы и пр., после поездки в транспорте и просто приходя с улицы.
- Ежедневно меняйте нижнее белье и носки.
- Утром и вечером полощите горло отваром ромашки, шалфея или морской соли: это очистит его от вредных бактерий и слизи.
- Старайтесь носить одежду и белье из натуральных волокон, обувь — из натуральной кожи.
- В теплое время года старайтесь ежедневно хотя бы 15 минут принимать солнечные или воздушные ванны.
- Спите обнаженными, чтобы во время сна тело через поверхность кожи могло впитывать в себя энергию из окружающего пространства.
- Постельное белье должно быть из натуральных волокон. Меняйте его не реже, чем раз в 10 дней.
- Выносите мусор из дома каждый день.
- Не реже одного раза в неделю проводите влажную уборку квартиры.
- Проветривайте помещение, в котором находитесь, не реже, чем раз в 2 часа.

Не травите свой организм

Чтобы свести к минимуму количество вновь образующихся шлаков, нужно правильно питаться. Это знают все. Число систем питания растет в геометрической прогрессии. И автор каждой диеты по-своему прав. Мнение же Мастеров таково (я строю свой рацион по нему и ни разу не пожалел о переходе на «кремлевскую» систему).

Из конспектов Кремлевских Мастеров

Правильное питание — это видовое питание человека. На протяжении 99% своей истории люди питались не сосисками, булочками, пирожными, чипсами и майонезом, а растениями, злаками, мясом, рыбой и морепродуктами. Это и есть видовое питание человека, его и надо придерживаться.

Во избежание повторных зашлаковок не злоупотребляйте следующими продуктами:

✦ дрожжевыми хлебобулочными и кондитерскими изделиями;

✦ продуктами с высоким содержанием сахара, консервантов и искусственных ароматизаторов — жевательными резинками, сладкими безалкогольными напитками;

✦ кетчупом, майонезом и прочими соусами с высоким содержанием крахмала и консервантов;

✦ чипсами;

✦ жареными блюдами;

✦ мясными и рыбными продуктами, содержащими нитраты и нитриты натрия — колбасными продуктами, так называемыми «мясными деликатесами», «крабовыми палочками» (взял их в кавычки, потому что реально краб не имеет к ним никакого отношения);

✦ бульонными кубиками, консервированными супами и прочими блюдами мгновенного приготовления, которые заливаются кипятком;

✦ несвежими, просроченными продуктами.

Рекомендации из этого перечня могут показаться трудновыполнимыми только на первый взгляд. На самом деле все элементарно: не объедайтесь хлебом и сластями; если есть возможность, ешьте натуральные продукты, а не синтетику (это всякие мясо и рыбозаменители, экстрагированные супы и пр.); не ведитесь на дешевизну, скупая в супермаркетах просроченные продукты за полцены, не раздумывая выкидывайте подпорченную еду, не делайте ей «обрезания» — этим вы добьетесь сомнительной экономии и наверняка сделаете пакость своему организму.

* * *

Будет ли происходить зашлаковка, если правильно питаться? К сожалению, да, будет. Нет и не может быть панацеи от нечистот. Если какой-нибудь целитель обещает раз и навсегда вывести из вас всю грязь, бегите от него как от чумы: он лжет.

«Стоит ли отказывать себе в чипсах и газировке, если все равно периодические чистки от шлаков неотвратимы?» — спросите вы. И я отвечу: «Стоит, еще как! Если будете есть всякую гадость, то ваша жизнь постепенно превратится в перманентный цикл обжорства–чисток. Вам практически некогда будет заниматься делами, решать творческие задачи. А чем меньше вы позволите себе излишеств, тем дольше будет длиться период стабильности, относительной чистоты, в течение которого накопление шлаков практически не будет оказывать на вас негативного воздействия».

Лучше вообще не ждать, когда процесс зашлаковки дойдет до критической точки. Сделайте чистки периодическими — это избавит вас от множества хлопот. В том числе даст возможность не цеплять «сезонных» недугов, не впадать «на ровном месте» в депрессии и т. д. И помните, у нас с вами помимо очищения, есть и еще одна цель — подготовка организма к омоложению и развитию интуиции. И вот здесь «обжорство» может сыграть с вами злую шутку. Очистились, стали делать упражнения, вроде дело пошло, а потом застопорилось, или вообще не пошло. В чем причина? Да в том, что организм нужно как можно дольше продержать в чистоте. Помните, я говорил про магов и шаманов, которые постились, голодали во время всего периода посвящения, передачи им тайных знаний. Так что и вы последуйте их примеру. По мере сил, конечно. Не переусердствуйте.

А мы продолжаем. Вот и настало время познакомиться с одним из главных «кремлевских секретов» — секретом молодости.

СЕКРЕТ ПРОДЛЕНИЯ МОЛОДОСТИ

В нас представлены пять элементов

Считаю необходимым дать для начала эту информацию.

Все внутренние и внешние органы человека представляют собой пять замкнутых систем, каждой из которых, по мнению мудрецов древности, покровительствует соответствующий элемент: Огонь, Вода, Земля, Металл, Дерево. Если говорить популярным научным языком, то это значит, что для каждого элемента оптимальны определенные настроения, эмоции, вкус, цвет, время года и суток.

Да-да, именно, цвет. Цвет — это просто определенная длина волны, вибрация со своей частотой. Если орган соприкасается со своим цветом (например, в одежде), то это значит, что орган получит «резонансовую поддержку» на уровне вибраций. В противном случае никакой поддержки не будет. Вообще с цветом проводились очень серьезные эксперименты, и результаты — очень впечатляющие. Но это тема уже другой книги.

Время года и суток? С суточным ритмом все более-менее ясно. Природа и эволюция заложила в наши органы режимы активности и отдыха. Важно следовать этим ритмам.

Годовой ритм объяснить сложнее. В общих чертах, он связан, главным образом, с солнечной активностью, которая является мощнейшим фактором, настраивающим деятельность нашего организма. Понятно, что жизнь не может существовать без Солнца. Солнце — это не просто световое излучение, это особое энергоинформационное поле, которое оказывает свое влияние на человека. Древние это знали уже много тысячелетий, мы же к этим открытиям только готовимся...

Отсюда рекомендации (которые наиболее актуальны для тех, кто чем-то болен):

- каждый орган следует держать в состоянии, гармоничном именно для него;
- больной орган следует настроить с помощью имеющихся методов на гармоничную работу.

Это принесет стабилизацию его состояния, а через некоторое время и полное выздоровление.

Из Конспекта Кремлевских Мастеров

В человеке пять элементов представлены следующим образом: Огонь — сердце и тонкий кишечник. Внешний орган элемента Огонь — язык. Земля (почва) — селезенка и желудок. Ротовая полость, губы — внешний орган элемента Земля. Металл — легкие и толстый кишечник. Внешний орган — нос. Элемент Вода — почки и мочевой пузырь. Внешний орган — уши. Элемент Дерево — печень и желчный пузырь. Внешний орган — глаза.

Каждый элемент представлен двумя внутренними органами. Плотный орган несет в себе качества Инь, а полый Ян. Поэтому ничего удивительного, что при заболеваниях легких, например, иглорефлексотерапевты воздействуют и на меридиан толстого кишечника. Эти пять элементов либо поддерживают, либо угнетают друг друга. Каждый элемент активно представлен в какой-либо сезон года. Сердце и тонкий кишечник активны летом, селезенка и желудок — в пору бабьего лета, легкие и тонкий кишечник — осенью, почки и мочевой пузырь — зимой, печень и желчный пузырь — весной. Зная методы поддержания баланса между пятью элементами, можно жить в добром здравии до глубокой старости, без таблеток и врачей. Наиболее важно соблюдать баланс между Огнем и Водой, то есть между почками и сердцем. Болезни сердца со временем отрицательно сказываются на состоянии почек, также и наоборот — проблемы с почками ослабляют сердце.

Ниже я привожу краткий конспект соответствия систем органов пяти элементам и таблицу с рекомендациями. В начальной версии книги это занимало целую главу. Но потом я решил, что для целей этой книги информация не требует подробных комментариев, и вообще вознамерился было отправить весь раздел в «корзину». Но потом все-таки подумал, что выжимки информации надо оставить для продвинутых читателей, которых у нас в стране немало.

КАКОМУ ЭЛЕМЕНТУ СООТВЕТСТВУЮТ КАКИЕ ОРГАНЫ

Элементу Огонь соответствуют сердце (Инь-орган) и тонкий кишечник (Ян-орган). Ткани — кровеносные сосуды. Внешний орган — язык. Время года — лето. Цвет розовый или красный. Вкус — горький. Эмоция — радость. Время — 11.00–15.00.

Элемент Земля (почва):

Иньский орган — селезенка, янский орган — желудок. Ткани — мышцы. Внешний орган — ротовая полость, губы. Время года — бабье лето. Цвет — желтый. Вкус — сладкий. Эмоция — сопереживание, сострадание. Время — 7.00–11.00.

Элемент Металл:

Иньский орган — легкие, янский орган — толстый кишечник. Ткани — кожа, волосы. Внешний орган — нос. Время года — осень. Цвет — белый. Вкус — острый. Эмоция — грусть. Время — 3.00–7.00.

Элемент Вода:

Иньский орган — почки, янский орган — мочевой пузырь. Ткани — кости. Внешний орган уши. Время года — зима. Цвет — голубой, синий, темно-синий (черный). Вкус — соленый. Эмоция — страх. Время — 15.00–19.00.

Элемент Дерево:

Иньский орган — печень, янский орган — желчный пузырь. Ткани — сухожилия. Внешний орган — глаза. Время года — весна. Цвет — зеленый. Вкус — кислый. Эмоция — гнев. Время — 23.00–3.00.

Из всего сказанного вытекают рекомендации, изложенные в данной таблице. В ней вы найдете сведения о том, как поддержать и укрепить свои органы и системы.

Итак, если у вас, например, проблемы с деятельностью сердца, вам следует непременно каждый день надевать на себя что-то красное или розовое (это может быть и предмет верхней одежды, и аксессуар, и предмет белья и т. д.), каждый вечер в течение 3 минут

Органы	Что нужно делать каждый день	Одежда какого цвета непременно должна быть в вашем гардеробе	Какие фильмы (передачи) рекомендуются вам для просмотра, книги – для чтения	В течение какого периода предусмотреть каждодневное лечение вкусом	Какие продукты употреблять
сердце, тонкий кишечник, кровеносные сосуды	каждый вечер зажигать свечу и по 3 мин смотреть на огонь	красного или розового	комедии, сатирические книги, сборники анекдотов	в течение лета, каждый день, с 11^{00} до 15^{00}	в течение 3 мин жевать стебелек полыни
селезенка, желудок, мышцы	каждый день разрыхлять землю в одном из цветочных горшков. Заведите себе 10 комнатных растений	желтого	смотрите и читайте мелодрамы	в течение бабьего лета с 7^{00} до 11^{00} ежедневно	в течение 3 мин сосать леденец
легкие, толстый кишечник, кожа, волосы	каждый день в течение 3 минут катайте попеременно на правой и левой ладони металлический шарик 1 см в диаметре	белого	смотрите и читайте драмы	в течение осени, каждый день с 3^{00} до 7^{00}	в течение 3 мин вдыхайте запах натертых лука и чеснока
почки, мочевой пузырь, кости	каждый день в течение 15 минут принимайте душ комфортной для вас температуры	голубого, синего	смотрите и читайте «ужастики»	в течение зимы, ежедневно, с 15^{00} до 19^{00}	в течение 3 мин слушайте в морской раковине звук прибоя
печень, желчный пузырь, сухожилия	каждый день в течение 3 мин обнимайте дерево, которое ближе всего растет к двери вашего дома	зеленого	смотрите и читайте боевики с большим количеством насилия (убийств)	в течение весны, каждый день с 23^{00} до 3^{00}	в течение 3 мин смотрите на разрезанный лимон

смотреть на огонь, постоянно смотреть комедии, читать книги, которые заставят вас улыбнуться. А в течение лета каждое утро 3 минут жуйте стебелек полыни. Эти нехитрые инструкции помогут вам оздоровиться, привести в порядок сердце и сосуды. Вы без труда разберетесь и с тем, как отладить работу других органов.

Предвижу ваши вопросы: если, например, больны сердце и печень, то следует соблюдать рекомендации для Огня и Дерева? Безусловно. В таком случае вы можете, например, совместить каждодневные ритуалы общения с этими элементами на единый каждодневный ритуал сжигания небольшого количества дерева (например, каждый вечер жгите небольшой костер). Точно так же можете заменять 2 и 3 ритуала на один общий. Тут важно, чтобы каждый элемент непременно был представлен в ритуале и чтобы сам ритуал занимал не менее 3 минут.

Пять ступеней начального этапа программы активизации энергии молодости

Как в организме человека выделяется 5 основных систем, соответствующих 5 первоэлементам, так и первый этап работы над собой по системе Кремлевских Мастеров включает 5 ступеней. Все они подчинены главной идее — активизации энергии молодости. Постоянно и скрупулезно выполняя необходимые несложные упражнения, вы добьетесь поразительных результатов: существенного омоложения, улучшения состояния здоровья, увеличения продолжительности своей жизни. Итак, 5 ступеней работы над собой — это:

1) самомассаж, пробуждающий энергию «молодости»;

2) запуск циркуляции энергии молодости (от глаз ко всем органам);

3) открытие «малого небесного круга»;

4) правильное начало дня (важно правильно запустить «энергию молодости»);

5) правильный баланс «энергетической» и «неэнергетической» еды.

Соблюдение всех этих рекомендаций обеспечивает правильную циркуляцию в нас энергии молодости. Именно она дает нам отменное здоровье, волю к жизни, позволяет сделать жизнь долгой и насыщенной.

Ступень 1

Самомассаж, пробуждающий энергию молодости

Первое, что необходимо делать для пробуждения энергии молодости, — это самомассаж. Ему ежедневно надо уделять всего 5–10 минут. Он прост в выполнении и очень эффективен. Однако многие не хотели утруждать себя даже такими несложными упражнениями. Приходилось уговаривать их подключаться к занятиям, апеллируя к примеру тех, кому они уже оказали действенную помощь. Что дает самомассаж? Буквально после двух недель занятий человек зрительно начинает выглядеть так, как будто скинул лет пять жизни, полной забот и лишений. Разглаживаются морщинки и неровности кожи, она розовеет, становятся более пухлыми губы, исчезает отечность лица и всего тела, глаза начинают светиться, волосы оживают и даже слегка завиваются, вся фигура подтягивается, стройнеет, тело становится сильным и пластичным. Те «клиенты» Кремлевских Мастеров, которые буквально через «не хочу» занимались самомассажем, были просто потрясены его результатом.

Они называли его «волшебным», «чудесным», одна дама говорила, что благодаря нему нашла «лекарство от всего в себе самой». В самом деле, благодаря простым упражнениям самомассажа мы не только приводим в порядок свой внешний вид, но и предотвращаем многие недуги: вялость почек, дисфункцию сердца, повышение кровяного давления, головные и сердечные боли. Также он помогает при усталости, переутомлении.

Я сам и мои знакомые постоянно используем практики этого удивительного массажа. Приведу в качестве примера случаи двух женщин, которые решили за себя всерьез взяться и начали с этих нехитрых упражнений.

••••••••••••••••••••••••••••••

Анна З., 45 лет, домохозяйка, чувствовала постоянную усталость и разбитость. Жизнь ее перестала радовать, настроение с утра было брюзгливым, часто мучили бессонницы, были проблемы с пищеварительным трактом, жизнь казалась скучной рутиной, ничто не радовало. Начав заниматься самомассажем, Анна через некоторое время вдруг почувствовала в себе разительные перемены. Ей стало интересно жить. Из зеркала на нее смотрела теперь не усталая апатичная немолодая женщина, а бодрая, моложавая, миловидная дама, в глазах которой играла жизнь — как говорят, «черти плясали». Она изменила свой стиль, поменяла круг общения, нашла себе увлечение по душе (занялась флористикой). Знакомые и домашние не могли не заметить перемен, произошедших с Анной. Никто не верил, что всему причина 15 минут самомассажа в день. И сестра мужа Анфиса, которая на пять лет старше Анны, в конце концов решила вывести ту на чистую воду. Она сказала: «Я уверена, что ты завела себе молодого любовника, сделала пластическую операцию или ешь какие-то новомодные пилюли. Никогда не поверю, что какие-то дурацкие упражнения могут так изменить человека!» «Попробуй, — улыбнулась Анна. — Тут никакой тайны нет. Увидишь, что изменишься и ты». Анфиса была очень недовольна тем, что придется каждый день заниматься какой-то ерундой, чтобы вывести невестку на чистую воду. Утешало ее только то, что занятия обещали быть непродолжительными. Короче, Анфиса начала практиковать самомассаж. Буквально на пятый день ее соседка по подъезду, вернувшаяся из-за границы, бросилась к ней с комплиментами: «Анфиса, ну ты даешь! Где ты так отдохнула? Отчего так похорошела? Меня три недели не было, я на Кипре под солнцем жарилась, вся облезла, похожа на куругриль, а ты тут такой цветуёчик! Давай колись, что такое над собой совершила?» И пришлось Анфисе расколоться, что все дело в самомассаже. С ее легкой руки немало милых дам подсело на этот комплекс. Все ощутили на себе его благодатное влияние.

....

Итак, переходим непосредственно к упражнениям. Можно выполнять самомассаж по частям, но в течение дня необходимо проделывать весь комплекс. Самомассаж можно делать в любое время дня, но не сразу после еды и не непосредственно перед сном, чтобы не перевозбудить нервную систему. Количество повторов можете назначить себе сами. Но только не менее положенных по инструкции!

Зоны особого внимания при самомассаже

Помните, что с помощью самомассажа вам предстоит равномерно распределить по всему телу энергию молодости, которая потом залучится в ваших глазах, заполнит вас до самых кончиков пальцев. Так что делайте самомассаж с удовольствием. Он принесет результаты все равно, но, если вы будете настроены на омоложение и оздоровление, он подействует быстрее. Следует обратить особое внимание на следующее:

1. При выполнении самомассажа необходим правильный настрой. Вы должны точно знать, что каждое ваше движение запускает правильную циркуляцию энергии, что влечет за собой возрождение всех органов и систем вашего организма, их оздоровление и омоложение.

2. Самомассаж необходимо делать кончиками пальцев. Именно они наиболее чувствительны, способны уловить патогенные зоны концентрации энергии и размять их, разбить сгустки энергии, образовавшиеся в определенном месте. Прорабатывайте все зоны по часовой стрелке либо вверх-вниз, равномерно «продавливая» массируемый участок, растирая все узелки и затвердения, добиваясь ощущения тока и струения в кончиках пальцев (это значит, что в данном участке восстановлено энергетическое русло).

3. Каждое движение нужно выполнять более 30 раз (это относится не только к комплексу самомассажа, но и к другим комплексам, приводимым в книге). Дело в том, что особое значение имеет не собственно количество повторений, но время, в течение которого происходит воздействие на данную область. В среднем оно должно равняться времени, необходимому для проведения 30–40 манипуляций (повторов движений) в данной зоне. Я постоянно рекомендую 36 повторов, поскольку это тибетское священное число. Его на Востоке с давних времен считают числом мудрости и совершенства.

Пошаговая инструкция самомассажа

Еще раз подчеркиваю, что самомассаж — это комплекс настроечных упражнений, активизирующих процессы циркуляции энергии в нашем теле. Основная же наша цель — запуск энергии молодости. Итак, комплекс самомассажа.

1. Растираем ладони друг о друга, чтобы разогреть их. Количество растираний не имеет значения, главное — согреть ладони и активизировать точки в центрах ладоней.

2. Настраиваем организм на оптимальный режим работы с энергией. Это очень важно! Правой ладонью растираем левую стопу так, чтобы в соприкосновение приходили точка Огня в центре ладони и точка Воды между основаниями 2-го и 3-го пальцев (счет ведется от большого пальца). Энергично растираем точку на стопе вдоль стопы. Движение вперед-назад считается за один раз, всего нужно сделать 81 растирание. После этого цикла растираний нужно подержать соединенными точки ладони и стопы некоторое время.

3. После того как разотрете левую стопу, начинаем левой ладонью растирать правую стопу. Все то же самое.

4. Растираем спину в области почек. Движение простое, накладываем ладони на область почек и энергично 36 раз растираем вверх-вниз. Движение вверх-вниз считаем за один раз.

5. Несильно постучите верхними зубами о нижние, словно пережевываете что-то. Всего 36 раз.

Из Конспекта Кремлевских Мастеров

В связи с тем, что современный человек ошибочно считает, что вполне заботится о состоянии своих зубов, два раза в день очищая их при помощи зубной щетки, это упражнение очень актуально. На самом деле наши зубы нуждаются в довольно серьезной гимнастике. Они прямо «ржавеют», не получая хорошей работы. Обычно человек наскоро прожевывает пищу и забрасывает ее в желудок. Желудок вынужден выполнять тяжелую «черную» работу, которую не проделали зубы. В результате мы имеем слабые зубы и нездоровый желудок, со всеми атрибутами (плохой запах изо рта, несварение и прочие проблемы). Поэтому гимнастика для зубов чрезвычайно полезна для большинства людей.

6. Проделываем во рту по 39 вращений языком в одну и другую сторону, стараясь совершать как можно более широкоамплитудные движения. Язык движется в вертикальной плоскости, за несильно сжатыми зубами. Двигаясь по верхнему небу, стараемся языком проникнуть как можно дальше в направлении горла. Поскольку язык является внешним органом элемента Огонь, это упражнение благотворно влияет на сердце и сердечно-сосудистую систему.

Из Конспекта Кремлевских Мастеров

Массаж полости рта языком улучшает дикцию, речь, что очень важно для пожилых людей. Обычно люди, страдающие от неконтролируемого избытка Огня (сердечно-сосудистые проблемы, инсульты), очень плохо и невнятно разговаривают.

Я спросил у Николая и Марии, как же соотносится косноязычие отдельных кремлевских деятелей и следование ими оздоровительной системе. «Опять лень и инертность, — пояснила

Мария. — Кое-кто принципиально не хотел заниматься самомассажем, настаивал на том, что для того инструкторы и существуют, чтобы массировать его. Но ведь язык-то не размассируешь! Он так и останется косным и вялым!»

7. После движений языком во рту должно накопиться значительное количество слюны. Этой слюной надо прополоскать зубы 36 раз.

Из Конспекта Кремлевских Мастеров

Слюна — это первоклассный антисептик, и правильно культивируемая слюна является лучшим антибактериальным средством. Кроме прочего, слюна — хорошее лекарственное средство для желудка. Поэтому никогда не сплевывайте слюну, для собственного же блага. Напротив, следует культивировать хорошее слюноотделение.

Необходимо умение и правильно проглатывать слюну, чтобы она сразу попадала в желудок. Проблема здесь в том, что если рассматривать человека не только в органическом, но также в энергетическом аспекте, то мы выясним, что примерно в районе середины грудной клетки располагается центр Огня. И Огонь этот сжигает слюну, не давая ей попадать в желудок. Либо попадет в желудок незначительное количество слюны, изрядно выхолощенной. Этот же Огонь, кстати, является причиной старения человека.

8. Правильно проглатываем слюну. Для этого кончик языка прижимаем к нижнему небу (сразу под

нижними зубами), а спинку языка стараемся прижать к верхнему. Во время этих стараний делаем судорожное движение горлом, словно подавились, и немного запрокидываем голову. Так, запрокидывая голову, пьют воду птицы. Услышите «квакающий» звук где-то под ложечкой — считайте, что попали.

9. Растирание лба. Основаниями ладоней обеих рук растираем лоб вверх и вниз 36 раз. Движение вверх-вниз считаем за один раз.

10. Растирание лица. Также 36 раз растираем лицо вверх-вниз. Этот вариант сухого умывания кроме косметического эффекта оказывает положительное влияние на состояние всех внутренних органов, потому что многие энергетические меридианы проходят в области лица.

11. Растирание области крыльев носа. Подушечками средних пальцев обеих рук растираем область от межбровья до крыльев носа (примерно 1 см по обе стороны). Растираем вверх-вниз 36 раз, считая движение вверх-вниз за один раз. Упражнение способствует профилактике простудных заболеваний, облегчению дыхания при заложенном носе. Мы помним, что нос является внешним органом элемента Металл, внутренними органами которого будут легкие и толстый кишечник. Поэтому, воздействуя на точки, прилегающие к носу, мы способствуем оздоровлению и приведению в норму легких и толстого кишечника. Крайне важно содержать в здоровом состоянии органы дыхания, потому что при возникающих болезненных состояниях человек не только страдает от прямых проявлений этих болезней (простудного и иного характера), но также подвержен депрессиям, подавленности, меланхолии. Потому что избыточная отрицательная активность легких (болезнь) как раз и проявляется в эмоциональной сфере в виде тоски, грусти.

12. Растирание ушных раковин. Захватываем большими пальцами обеих рук ушные раковины, неплотно сжимаем руки в кулаки и костяшками пальцев растираем уши 36 раз вверх и вниз. Как мы уже знаем, уши — внешний орган элемента Вода, а следовательно, связаны с почками и мочевым пузырем. Поэтому, если у вас болят уши, позаботьтесь о своих почках. Отрицательным проявлением активности почек является страх. Человек с болезнями почек часто подвержен безотчетным, словно взявшимся ниоткуда, страхам. Содержите в порядке свои уши и почки, избегайте резких порывов холодного ветра, держите ноги в тепле, поменьше употребляйте кофе, чаще пейте простую чистую воду.

13. Растирание мочек ушей. Мочки ушей растираются также 36 раз.

Хорошо промывать уши при помощи такого приспособления. Берете обычный одноразовый шприц и оплавляете его конец, чтобы осталась тонюсенькая дырочка. Затем заполняете шприц теплой водой (+38 °), оттягиваете одной рукой ухо за мочку, наклонив голову так, чтобы вода свободно выливалась, а другой рукой со шприцем промываете ухо. При помощи такого шприца можно легко избавляться от серных пробок, часто возникающих у людей с избытком элемента Вода.

Необходимо помнить о том, что не только ослабленные почки могут быть причиной болезней ушей, но и наоборот. Так, например, если человек вынужден часто или постоянно слушать громкую, неприятную музыку, шум, то это может ослабить его почки. Заботиться о почках непременно должен каждый мужчина. Потому что именно от хорошего состояния почек, от хорошего их тонуса зависит напрямую, насколько он силен и стоек в половой сфере.

14. Массаж век. Закройте глаза. Затем подушечками пальцев обеих рук прогладьте верхние и нижние веки от внутреннего угла глаза по верхнему веку к внешнему углу. Затем от внешнего угла к внутреннему углу глаза по нижнему веку. Это один круг. Всего необходимо сделать 36 таких кругов. Воздействие должно быть легким, приятным. При регулярном массаже век разглаживаются морщины, уходят мешки под глазами, веки наполняются силой, становятся упругими, как у молодых людей. Глаза, окологлазные пространства стареют, мы знаем, раньше всего, поэтому, заботясь о состоянии глаз, мы напрямую продлеваем свою молодость через заботу об органах.

15. Самомассаж глаз. Глаза, мы помним, являются внешним органом элемента Дерево. Иными словами, глаза связаны с печенью и желчным пузырем. Слабое зрение связано с состоянием нашей печени. Печень может болеть не напрямую, это может быть какая-нибудь вялотекущая (постепенно набирающая обороты) патология. Чтобы выполнить самомассаж, мы вновь должны обратиться к помощи пары наших рук. Наших замечательных рук, которые кормят нас (и не только нас), поят (в хорошем смысле этого слова), одевают и обувают. А мы при этом мало заботимся о них и вообще не замечаем, что они у нас есть. Сомневаетесь? Убедитесь сами.

УПРАЖНЕНИЕ ДЛЯ РАЗАВТОМАТИЗАЦИИ РУК

Вот вам простое упражнение для разавтоматизации. Свободно и удобно сядьте в кресло, положите руки на бедра и рассматривайте. Ни о чем особом не думайте, просто смотрите на руки, поворачивайте их. Я даже не стану говорить, в чем суть упражнения. Через несколько минут его выполнения вы сами все поймете. Подумайте, если бы это было возможно, среди груды рук, отдельно лежащих, вы узнали бы пару своих? Если, конечно, на них нет особых отличительных примет, типа «не забуду мать родную» и прочее. А потом подумайте, знаете ли вы свои руки. Вспомните, что ваши руки сами знают, как все делать, они сами берут, сами открывают, чистят, моют, режут, пишут. А вы знаете, что, развивая ваши руки (выполняя ими тонкую работу), вы развиваете свои умственные способности? А вы знаете, что чувствительность рук можно развить до невообразимого уровня? Ими можно видеть, ими можно лечить на расстоянии, при помощи рук можно общаться. И все, чтобы вы ни делали руками, будет развивать ваш мозг.

Накладываем подушечки пальцев обеих рук (указательного, среднего и безымянного) на закрытые глаза. Затем начинаем вращать глазными яблоками, с как можно большей амплитудой, 36 раз в одну и 36 раз в другую сторону. Глаза массируются сами о наложенные на них подушечки пальцев. Если вы открываете глаза и ничего не видите, не пугайтесь, это пройдет через несколько секунд. Если вы не видите несколько минут, то больше не давите в следующий раз так сильно, не было задачи выдавить глаза! Нужно легко и заботливо, мягко и участливо прикоснуться к своим глазам! Это хорошее упражнение для восстановления активности и живого блеска глаз. Не жалейте времени, чтобы помочь своим глазам. Львиная доля всей нашей энергии уходит через глаза.

Из Конспекта Кремлевских Мастеров

Посмотрите вокруг. Сколько вы увидите по-настоящему улыбающихся людей? Отбросим профессиональные улыбки актеров и телеведущих. Отбросим улыбающихся друг другу людей.

Наши улыбки напоминают улыбку волка несчастной овечке. Мы улыбаемся, но наши глаза мертвы. Вот что я имею в виду. Сколько вы встречали людей со смеющимися, сияющими глазами? Может, мы поэтому любим детей? Потому что только дети могут так улыбаться. Улыбаться всем своим существом. А потом мы учим их, как нужно делать то или это, и свет улыбки уходит из их глаз.

Обращайте внимание на свои глаза. Смотритесь в зеркало не только с целью выяснить, насколько презентабельно, выигрышно вы выглядите. Всматривайтесь в свои глаза. Всматривайтесь, словно всматриваетесь в глаза другого, незнакомого вам человека. А вдруг это так и есть? Развивайте силу и свет ваших глаз. Быть может, если взгляд ваш будет прямым и открытым, меньше проблем останется в вашей жизни? Что, если все ваши проблемы происходят потому, что вы не можете просто и открыто посмотреть им в лицо. А может, не хотите? Но ваш путь за вас никто не пройдет. И за то, как человек жил, он рано или поздно ответит. Говорят, что только в момент смерти человек понимает, что он был жив. Что было столько возможностей, но не было сил. Не было энергии. Берегите вашу энергию. Развивайте. Заботьтесь о себе. Надо заботиться о своем теле, здоровье так, словно это сад. Возделывать его, ухаживать за ним. Люди же относятся к себе, как к стиральной машине: поломалась — принесли к мастеру. Врач именно как мастер-механик пытается починить, залатать, не всегда удачно и не всегда со знанием дела. Да уж, конечно, и не всегда с душой. Станьте сами себе врачом. Нет, не так, станьте сами себе садовником!

....

16. Простукиваем среднюю линию головы. Подушечками пальцев обеих рук легко, без напряжения простукиваем среднюю линию головы, от передней

границы роста волос (от корней) до задней границы. Затем возвращаемся от задней границы к передней, также простукивая. После этого разводим руки, простукивая боковые границы роста волос, к ушам, над ушами, за ушами, к затылку, соединяем пальцы обеих рук. Далее, простукивая, возвращаемся обратно тем же путем. Это один цикл. А всего нужно сделать 9 таких циклов. Упражнение выполняется без остановок, но если по пути следования ваших пальцев вам встретилась какая то болезненная зона, либо место, которое по ощущениям безжизненно (простукивается как бесчувственная деревяшка), надо задержаться здесь подольше, простукать это место и вновь запустить пальцы по маршруту. Это упражнение избавит вас от головных болей, застойных явлений в различных областях головного мозга, придаст ясность мышлению, разредит умственное напряжение.

Простукивающие движения, несмотря на свою простоту, очень эффективны в связи с тем, что многие головные боли и проблемы связаны с возникновением микропробок в кровотоках. Эти пробки ликвидируются вибрацией от постукивания подушечками пальцев. Очень хорошо разнообразные застойные явления (в том числе и возникшие на фоне похмельного синдрома) убираются простукиванием пальцами головы в комплексе с растиранием точек в центре стопы. Растираете стопы, затем простукиваете голову, в носу образуется жидкость, которую высмаркиваете. После этого и дышать легче, и в голове проясняется, и горизонты светлеют, и вновь жить хочется.

Итак, мы освоили первую ступень работы над собой, необходимой для запуска энергии молодости. Постоянно заниматься самомассажем очень важно — это позволяет нам раз и навсегда решить проблему застоя энергии. Мы активизируем энергетические русла, предотвращаем патологическую концентрацию энергии в определенных местах нашего организма, что приводит к болезням органов и систем. Переходим к следующей ступени.

Ступень 2

Запуск циркуляции энергии молодости

Из Конспекта Кремлевских Мастеров

Любая болезнь — это проявление энергии. Болезнь возникает как избыток энергии в одном месте. И одновременно — как недостаток в другом месте, где она жизненно необходима. В результате организм начинает сбоить, потому что неравномерное распределение энергии для него аномально и дискомфортно. Суть лечения сводится к тому, чтобы откорректировать распределение энергии. На этом основаны принципы иглоукалывания, точечного массажа, прижигания полынной сигаретой и т. д.

Народная мудрость гласит «держи ноги в тепле, желудок в голоде, голову в холоде» (в спокойном, невозбужденном состоянии); если ее соблюдать, будет полный порядок со здоровьем. Добавим: постоянно заботься о правильном распределении энергии в организме.

Чтобы продлить свою жизнь, сохранить здоровье и молодость на долгие годы, надо грамотно работать с распределением энергии в организме. В первую очередь нас интересует энергия молодости. Мы ее уже активизировали с помощью самомассажа, теперь нужно запустить ее циркулировать по всем системам, чтобы она наполнила их своей пульсацией и благодатным теплом.

Для начала поработаем с периферийными энергопотоками. Привожу самые простые приемы их регуляции. Применяя повседневно эти техники, вы сможете снять многие локальные проблемы, а главное — подготовитесь к работе с энергией молодости.

Как проводить занятия

Относительно того, сколько тренироваться, могу посоветовать заниматься понемногу каждый день. Занятия должны быть не для галочки, вам нужно проводить их с удовольствием — они же работают на вас, на ваше здоровье! Если вы торопитесь, не начинайте полноценную практику, делайте часть ее, но не спеша. Не стоит начинать любую серьезную психоэнергетическую практику сильно уставшим, потому как кроме нормального, здорового сна во время практики это ничего не принесет. Поэтому первое дело — это отдохнуть, поспать, проще говоря, а затем уже приступать. Второе — не приступайте к психоэнергетическим практикам сразу после еды. Кроме несварения также ничего не добьетесь. Но, если все-таки одолевает Морфей во время практики, просто не закрывайте глаза и поднимайте голову выше. Можно также принять бодрящий душ перед практикой. Насколько бодрящий, пусть каждый определяет сам.

Работаем с энергетикой при усталости

Любая усталость обусловливается истощением почечной энергии, а растирая область почек, мы обеспечиваем приток энергии к ним. В случаях усталости, физического переутомления сделайте массаж стоп, тщательно прорабатывая участки под пальцами, и разотрите область почек. Этим вы обеспечите подпитку почек энергией.

Как помните, почкам можно помочь и ношением вещей голубого, синего цвета, и чтением и просмотром ужастиков. При усталости, чтобы помочь почкам, рекомендуется в течение дня пить частыми порциями по 2–3 глотка простую чистую воду.

Из Конспекта Кремлевских Мастеров

Вода — транспортное средство, с помощью которого почки выводят из организма вредные вещества. Употреблять необходимо чистую, простую воду, не чай, не кофе и не супы. Если воды потребляется недостаточно, организм начинает выводить эти вещества преимущественно через кожу. При достаточном потреблении воды шлаки выводятся через поры кожи гораздо легче и без побочных последствий. А в связи с недостатком воды в организме прохождение шлаков через кожу бывает затруднено, в результате чего образуются прыщи, раздражения и пр. Эта информация очень важна для женщин, у которых во время критических дней портится кожа лица. Поэтому во время менструаций обязательно пить воду.

Внимание! Отводим лишнюю энергию от проблемных зон

Если у вас появилась какая-то боль, дискомфорт в локальной области, это значит, там скопилось избыточное количество энергии, ее надо рассредоточить, отвести от проблемного места. Чтобы оперативно справиться с головной болью, повышенным давлением, сердечными болями, даже зубной болью (!) и пр., следует отводить лишнюю энергию вниз, представляя себе, что энергия в голове разделяется на два потока и они, закручиваясь в виде спирали, стекают внутри вашего тела, как через две трубы, окутывая почки (представляйте, что во время окутывания почки светятся голубым, синим или темно-синим цветом — как нравится). Именно почкам дополнительная энергия необходима. Поэтому вы сразу убиваете двух зайцев: из того места, где энергия не нужна, ее убираете, а туда, где она постоянно истощается, поставляете. Правая спираль должна закручиваться по часовой стрелке, направление часовой стрелки в данном случае — как если бы вы смотрели на циферблат сверху вниз. А левая спираль — наоборот. Потоки эти стекают к почкам и, продолжая закручиваться, сгущаются в виде синих шаров света, окутывающих почки.

Регулярно пользуясь этой практикой, вы будете ощущать приятное тепло в области почек. Если вы недужите (у вас озноб, простуда), то опустите энергию по тем же закручивающимся спиралям к ногам, согрейте ею озябшие конечности.

Отводим энергию от головы в случае бессонницы

Почему человек не может заснуть? Потому что энергия поднялась в голову. Поднимается-то она всегда легко, а вот опустить ее гораздо сложнее. А когда энергия поднялась в голову, вот тут-то и приходят в эту голову всякие якобы не терпящие отлагательства до утра мысли и идейки, всякие страшные предчувствия и тревоги. Хорошо помогает при бессоннице растирание стоп: минимум 81 раз, максимум 1000. Когда вам необходимо заснуть, но не спится, проделайте массаж стоп, особенно уделяя внимание точкам под пальцами. В скором времени проблема оставит вас.

Из Конспекта Кремлевских Мастеров

Работа с точками стоп под пальцами незаменима и эффективна во многих случаях. Например, при повышенном артериальном давлении. В таких случаях помимо растирания ступней рекомендуется растирать область почек. Вообще желательно как можно чаще концентрировать внимание на ступнях. Вот простой, но эффективный способ удерживания внимания в районах ступней. Берете 2–3 крупинки гречневой крупы и при помощи лейкопластыря крепите на точки стоп под пальцами. Затем обувайтесь, одевайтесь и ступайте гулять. Дело сделано! Концентрация внимания на нужных точках вам обеспечена. Со временем это войдет в привычку, и при симптомах поднимающегося давления вы легко сможете отвести лишнюю энергию к ступням.

Правильно распределяем нагрузку между двумя энергетическими каналами

Из Конспекта Кремлевских Мастеров

В организме человека существует два магистральных энергетических канала: левый и правый. Располагаются они, соответственно, в левой и правой половинах тела. Оба эти канала у обычного человека не могут одновременно быть открыты и работать хорошо. Если они будут открыты одновременно, то работать будут плохо. Когда человек постоянно испытывает недомогание, слабость, одышку, головную боль, это значит, что два его главных энергетических канала по какой-то причине открыты одновременно. Или одновременно же закрыты. Если все в порядке, то энергия, циркулирующая в нас, обусловливает попеременную работу эти каналов: сначала, например, левый канал доминирует, а правый работает в полсилы, через час-полтора ситуация меняется с точностью до наоборот. Оба канала имеют выход в носу. Обычно одна ноздря у здорового человека дышит чисто, а вторая забита. Проходит какое-то время, и все меняется. Правый канал становится согревающим, а левый — охлаждающим. Если человек и в холод, и в жару дышит правой (согревающей) стороной носа, то, вероятно, у него проблемы с состоянием сосудов и сердца. И наоборот, человек, дышащий преимущественно левой ноздрей, будет предрасположен к болезням простудного характера, аллергиям.

• •

Чтобы у нас в организме гармонично сочетались все пять элементов и было правильное соотношения Инь-Ян, нужно, чтобы оба энергетических канала могли работать на всю мощность, попеременно сменяя друг друга. Показатель их нормального состояния — состояние вашего носа. Легко закройте одну ноздрю, затем другую. Какой стороной легче дышится? Правой? А может, левой? Или одна дышит плохо, а другая не дышит вовсе? Что делать? Можно ли исправить ситуацию? Безусловно, и для этого существуют следующие практики.

Активизируем правый канал и попутно избавляемся от простуд и вирусных болезней

Если вас постоянно беспокоят простуды, слизь в носу и бронхах и прочие болезни с избытком Инь, то у вас либо постоянно дышит только левая половина носа, либо плохо дышат обе. Чтобы избавиться от проблем, надо открыть правый канал и «научить» его работать в паре с левым.

Чтобы открыть правую половину носа, лягте на левый бок. Левую руку вытяните поперек тела, ладонью вверх. Головой пережмите бицепс (не надо давить, просто кладем голову на руку). Через несколько минут после этого откроется правый канал. До этого может начать «хлюпать» нос. Прерываемся ненадолго, чтобы высморкаться, и вновь ложимся на левый бок.

Теперь правый канал у вас открылся и будет работать попеременно с левым. Ваши всегдашние недомогания пойдут на убыль и прекратят вас мучить, поскольку вы ликвидировали их причину.

Внимание! Если вам нужно усилить пищеварительные процессы или вы мерзнете в плохо отапливаемой комнате и т. д., ложитесь на левый бок и открывайте правый канал.

Открываем левый канал

Если у вас проблемы с сердцем и сосудами, значит, барахлит левый канал. Открываем его тем же способом, что и правый: укладываемся на этот раз на правый бок, вытягиваем правую руку и т. д.

Внимание! В случае проблем, возникших от чрезмерного употребления спиртного, также открываем левый канал. Мы уже говорили, что от спиртного лучше вообще отказаться. Но если уж вы не воздержались, надо исправлять положение.

В каких случаях надо открывать каналы попеременно

Если нужно восстановить силы после физического утомления, открывайте каналы попеременно, несколько раз. То же самое относится к ситуации, когда вы испытываете тяжесть от переедания. Лучше себе его не позволять, но, если уж такое случилось, вам поможет попеременное открывание левого и правого каналов. Не пугайтесь, если в животе через несколько смен положений забурлит. Это знак того, что ваше пищеварение заработало.

Альтернативный способ работы с каналами

Если нет возможности прилечь, а вы чувствуете, что вам необходимо открыть канал, можно поступить так. Чтобы открыть правый канал, положите левую ладонь под правую мышку, оставляя большой палец на груди. Правая рука пусть висит свободно, накрывая в подмышечной области левую ладонь. Большим пальцем левой руки нажмите на любую точку груди. Правый канал откроется. Чтобы открыть левый канал, делаем все то же самое, но с другой стороны: кладем правую ладонь под левую мышку и т. д.

Упражнения в случае острого дисбаланса энергии

Из Конспекта Кремлевских Мастеров

Правильная работа с энергией, умение правильно распределить ее, активизировать правый и левый энергетические каналы — залог избавления от болезней, долголетия, долгой молодости. Однако важно заниматься не только профилактикой болезней и заботами о сохранении здоровья. Нужно принимать меры против последствий переутомления. Самое важное — сохранять и воспроизводить энергетический потенциал глаз, которые являются основным энергетическим органом.

....

Ни от кого не секрет, что деятельность политика и даже чиновника от политики требует непрерывного напряжения, что истощает энергетические ресурсы. Возникает дисбаланс энергии в организме, начинаются хвори, снижается жизненный тонус. Чтобы быстро компенсировать эти издержки деятельности своих клиентов, Кремлевские Мастера разработали для них целый комплекс специальных энергетических упражнений.

Было установлено, что при сидячей (не физической работе) в первую очередь у человека страдают глаза. Поэтому упражнения нацелены на реабилитацию этого органа. Они подойдут для всех компьютерщиков и людей, кто постоянно занят в офисе (современный клерк 80% своего рабочего времени и более проводит за монитором).

Глаза, как мы помним, являются внешним органом элемента Дерево, чей цвет — зеленый. Это значит, что зеленый цвет благотворно влияет на глаза. Поэтому желательно держать где-нибудь рядом с компьютером что-то зеленое. Время от времени прерывайтесь, чтобы минут 5–10 посозерцать зеленый цвет. Уместны будут во время перерывов упражнения комплекса самомассажа: разглаживание нижних и верхних век, а также вращение закрытыми глазами с легким нажатием пальцами на глазные яблоки. Если есть возможность, используйте холодную ванночку для глаз с вращением широко раскрытыми глазами, погрузив лицо в воду (об этом чуть позже).

Существует также отдельный специальный комплекс для глаз. Сейчас я вас с ним и познакомлю.

Из Конспекта Кремлевских Мастеров

Кроме того что каждый орган соответствует одному из элементов, оказывается, что различные участки тела, кожи, волос также подразделяются по принадлежности к 5 элементам. Что касается глаз, то элементу Огонь соответствуют внутренние и внешние уголки глаз, элементу Земля — верхние и нижние веки, элементу Металл — белки глаз, элементу Вода — зрачки, а элемент Дерево представлен радужной оболочкой. Воздействуя на глаза, мы тем самым воздействуем на все внутренние органы. Со временем глаза начинают сиять здоровьем, белки глаз становятся чистыми, белыми с синевой — как у младенца. Главное же, что глаза — главный орган нашего тела, сосредоточивающий энергию молодости. Она аккумулируется в глазах и затем распространяется по всем органам и системам. Вот почему беречь глаза, постоянно стимулировать их работу особенно важно. Вы обращали внимание, что у человека стареет все: становится дряблой кожа, слабеют мышцы, редеют волосы, сутулятся плечи — но глаза остаются по-прежнему молодыми! Это значит, что глаза — настоящий аккумулятор энергии молодости. Нужно научиться сберегать ее и правильно ее использовать. А для начала — беречь сам аккумулятор.

Комплекс упражнений для глаз

Упражнение 1

Указательные пальцы обеих рук сводим перед лицом на расстоянии примерно 40 см. Пальцы располагаются вертикально, на уровне глаз. Некоторое время смотрим на них, затем начинаем медленно разводить руки в стороны. Пальцы сохраняют то же положение (вертикальное). Периферийным зрением стараемся удержать пальцы обеих рук. Разводим руки в стороны, а затем и назад до того момента, пока мы способны видеть наши пальцы. Причем оба одновременно. Некоторое время смотрим на них, затем постепенно начинаем сводить руки вновь перед собой, продолжая наблюдать за указательными пальцами. Упражнение плавно переходит в следующее.

Упражнение 2

Смотрим на наши указательные пальцы, затем переводим взгляд на предмет, расположенный перед нами в нескольких метрах. 5–6 секунд смотрим на него, переводим вновь взгляд на пальцы, 5–6 секунд смотрим на них — и вновь на предмет. Повторяем несколько раз.

Упражнение 3

Закрываем глаза и подушечками пальцев рук несильно 6 раз нажимаем на глазные яблоки. Открываем глаза и, стараясь не моргать, 6 секунд держим их открытыми. Упражнение выполняется 3 раза.

Упражнение 4

С силой зажмуриваем глаза и открываем их (6 раз). Затем открываем глаза и, стараясь не моргать, держим их открытыми (6 секунд). Повторяем упражнение. Всего выполняем 3 повтора.

Упражнение 5

Вращение глазами. Опускаем глаза вниз, затем переводим их вправо — вверх — влево — вниз. Выполняем упражнение 3 раза. Затем поднимаем глаза прямо и некоторое время смотрим вперед. Выполняем упражнение в другую сторону. Опускаем глаза вниз — влево — вверх — вправо — вниз. Также 3 раза.

Упражнение 6

В течение 2 минут стараемся часто-часто моргать глазами. Сильно жмуриться не нужно, главное — моргать как можно чаще.

Упражнение 7

Завершает комплекс поглаживание верхних и нижних век. Легкими движениями проглаживайте подушечками пальцев рук верхние веки от внутренних углов глаз к внешним. Затем от внешних углов к внутренним по нижним векам. Это один цикл. В данном случае выполняйте 9 повторений.

Посидите некоторое время с закрытыми глазами. Ваши глаза вновь готовы к работе.

Упражнение со свечой (кристаллом)

Для упражнения потребуются обычная свеча, если вы женщина, или кристалл, прозрачный шарик, который используют экстрасенсы, если вы мужчина. Свечу устанавливают на расстоянии 1 метра от себя так, чтобы пламя свечи было на уровне вашего межбровья (вы сидите). Сидеть можно на стуле, в кресле или просто на полу, на коврике в любой удобной позе. Главное — сохранять спину прямой, голову держать прямо, чтобы макушка была словно подвешена на нити. Шарик или кристалл мужчины устанавливают с теми же условиями.

Суть упражнения в следующем. Вы пристально, не моргая, смотрите на пламя свечи или шарик до тех пор, пока из глаз обильно не польются слезы. После этого закрываете глаза, сводите их к межбровью и сидите расслабленно. Упражнение должно выполняться в соотношение 1:2, то есть если вы созерцали пламя свечи или шарик 5 минут, пока не полились слезы, то сидеть с закрытыми, сведенными к межбровью глазами необходимо 10 минут.

Суть упражнения в следующем. Слезы выводят опасные токсины и вредные вещества через глаза, тем самым благотворно воздействуя на состояние внутренних органов. Однако воздействие слезами возбуждает внутренний Огонь, который может повредить зрачкам глаз, поэтому необходимо соблюдать меры предосторожности, чтобы дать Огню утихнуть. Эти меры следующие. Закрываем глаза, сводим закрытые глаза к межбровью, как будто смотрим внутрь черепа. Внимание должно быть также направлено в межбровье. Его еще называют «третий глаз», или «небесный глаз». Кончик языка поднимаем по небу вверх в направлении горла, пока он не коснется мягкого нёба.

Пренебрегать второй частью упражнения нельзя, потому что с огнем, как известно, шутки плохи и вместо пользы вы получите только вред. При должном же (описанном) способе выполнения с соблюдением всех условий человек, использующий этот метод, купирует развитие болезней, которые уже имели место в его организме, и предотвращает те, которые потенциально были готовы к появлению.

Из Конспекта Кремлевских Мастеров

Каким бы практикам вы ни посвящали свое время, необходимо культивировать в себе уверенность в том, что любое ваше действие пойдет вам на пользу. Положительный настрой есть основа основ оздоровления, продления жизни, внутренней гармонии. Человек, который не верит в возможность оздоровления и долголетия для себя, никогда не оздоровится и не проживет длинную жизнь. Только тот, кто хочет жить долго и плодотворно, каждый день наслаждаясь своими возможностями, и верит в возможность этого, сможет реализовать это свое желание.

Что еще сделать, чтобы помочь глазам

Можно каждый день таким образом ухаживать за своими глазами. Берется какая-нибудь посудина подходящего размера, чтобы легко окунуть в нее лицо, тазик, например, или большая чашка. Этот тазик заполняется холодной водой. Именно холодной — чем ниже температура воды, тем лучше. Можно даже бросить в воду несколько кусочков льда из морозильника.

Опускаем лицо в воду с закрытыми глазами и уже в воде открываем глаза. Совершаем глазами вращательные движения с как можно большей амплитудой. А также смотрим ими в разные стороны, вверх и вниз. Помимо чисто гигиенического эффекта, связанного с очищением глаз от разных соринок, пылинок и прочей досаждающей мелочи, мы получаем эффект косметический и терапевтический! Под воздействием низкой температуры воды сосуды глаз сужаются, а после того как вы закончите процедуру омовения и выплывите, сосуды расширятся. И этот эффект наполнения кровью капилляров со временем вызовет благотворный эффект. Глаза станут чище, белки глаз приобретут утраченную белизну. Глаза станут сиять здоровьем. Не забывайте после того как вытрете лицо мягким полотенцем, энергично ладонями растереть его вверх вниз 36 раз. А это уже благотворно скажется на состоянии кожи лица (вверх-вниз считаем за один раз).

Главная практика в комплексе

Итак, глаза — аккумулятор энергии молодости. Они сосредоточивают ее в себе, от них она направляется ко всем органам и системам. Для того чтобы активизировать эту волшебную энергию, которая дарит нам молодость, счастье, здоровье, наслаждение жизнью, нужно сначала увидеть ее в своих глазах, почувствовать, что они наполнены ею, что ее так много, что она лучится, льется из ваших глаз, освещая ваше лицо мягким светом радости.

В основе комплекса — древняя практика активизации третьего глаза

Эта практика получила статус «главной». Согласно преданию, она основана на древней практике активизации третьего глаза, которую постоянно использовали знаменитые атланты, наследниками знаний которых стали мудрецы Тибета.

В старинных тибетских манускриптах написано, что атланты учили своих детей черпать энергию из самих себя. Для этого надо было подойти в тихую погоду к водоему, вода которого, как зеркало, отражала в себе все предметы и людей. Надо было наклониться над водоемом и долго вглядываться в себя — до тех пор пока не увидишь открывшимся свой третий глаз, который заискрится энергией созидания и радости. Надо было быстро зачерпнуть пригоршню воды со своего отражения и полить себе на макушку, приговаривая: «Аб дон мом», что значило «омываюсь энергией вечной жизни».

Кремлевскими Мастерами на основе этой техники была создана новая методика, рассчитанная на работу с зеркалом. Основа ее — все та же, она сводится к получению и активизации энергии молодости, исходящей из наших глаз.

Глаза отражают наши проблемы

Вы обращали внимание на то, как часто, когда мы улыбаемся, наши глаза не освещаются светом улыбки? Они бывают напряжены и тусклы. Тусклые глаза — это признак болезни. Болезни, поразившей нас когда-то давным-давно. Научившись освещать свои глаза внутренним светом, вы вернете себе первозданное здоровье, повернете время вспять, задействуете энергию молодости, а еще — создадите вокруг себя психоэнергетический щит, который будет предохранять вас от разрушительных воздействий деструктивных мыслей и эмоций.

Посмотрите на лица людей, живущих в городе, особенно в крупном. Тысячи и тысячи людей вы встречаете ежедневно, толкаетесь в метро, автобусах, магазинах, на улице. Чувствуете на себе сотни или тысячи взглядов. Разных взглядов, озлобленных, равнодушных, любопытных. Мне кажется, в огромном городе человек чувствует себя более одиноким, чем в лесной глуши где-нибудь в Башкирии или на Алтае. Нет, конечно, если ты упадешь, кто-то обязательно подойдет, поинтересуется, все ли с тобой в порядке. Подойдет, потому что где-то видел, что так нужно сделать. Поначалу тебя это может даже растрогать, надо же, все-таки есть хорошие люди! Потом ты вспоминаешь, как сам ехал в метро и в вагон зашел молодой мужчина с маленькой худенькой девочкой. Как он рассказывал о том, что тяжело ему приходится, что дочь его больна, а денег на лечение не хватает, и вот он, молодой и здоровый, вынужден ходить с протянутой рукой... И ты слышал не раз эту историю. И люди, сидящие и стоящие в вагоне, слышали ее, и потому не спешат люди полезть в карман за мелочью, чтобы поделиться. И когда эти двое подходят к тебе, ты отдаешь им десятирублевую бумажку, хотя лишних у тебя нет настолько, что впору присоединиться к ним третьим. И не потому отдаешь им, что жаль тебе их. Хотя и жаль, наверное, но больше жаль всех остальных, которые не подали... Потому и, когда ты упадешь, кто-то тебя поднимет — не потому, что ему жаль тебя. Просто кто-то должен так сделать. А может, я не прав, не знаю. Не знаю.

Мне всегда забавно видеть: когда в метро уступаешь пожилому мужчине или бабушке место, в ответ первое, что видишь в глазах, — это удивление. На тебя смотрят, как на идиота или какой-нибудь реликт. Тебе нравятся старики, и ты никогда не обижаешься, если какая-нибудь старушка наступит тебе на ногу в толчее, да еще тут же обругает, чтоб не стоял как осел. Ты только улыбаешься в ответ. С их точки зрения, ты и в правду идиот, а тебе просто нравится, когда оживают, оттаивают их глаза. Так надоела эта пластмасса!

Иисус говорил, что нет плохих людей. Надо только уметь достучаться до них. Уметь помочь им проявить себя с хорошей стороны. Уверен, что он прав.

То же самое имели в виду древние мастера, говорившие: нет нужды менять мир, изменись сам, и мир изменится сам собой. Изменить себя непросто. Необходимо огромное количество энергии. И когда будет у человека в наличии свободная энергия, человек попросту перестанет замечать различные конфликтные ситуации. И конфликтные ситуации перестанут замечать человека. И мир изменится.

Упражнение наполнения светом

Это упражнение призвано наполнять светом и энергией наши глаза и через глаза влиять на здоровье, самочувствие, эмоциональное состояние.

Упражнение делается перед зеркалом. Подойдите к зеркалу, посмотритесь в него. Улыбнитесь своему отражению. Внимательно следите за тем, улыбаются ли при этом ваши глаза. Их следует наполнить светом улыбки. Сделайте движение, как будто вы собираетесь улыбнуться. Улыбка вот-вот появится, но вы не даете губам расплыться. В это время перенесите внимание к глазам. Что происходит с ними в этот момент? Они оживают. Ваши глаза наполняются энергией. Продолжайте и продолжайте улыбаться глазами. Освойте это упражнение. Выполняйте его всегда, когда есть возможность. Представляйте, что энергия вашей улыбки поднимается и наполняет глаза. Это первая и очень важная часть упражнения. Когда вы освоите его, вы сможете гасить любой конфликт. Просто посмотрите человеку в глаза и улыбайтесь глазами. Не надо стараться подавить волю другого человека, просто смотрите. Любой, кто встретится с таким взглядом, увидит в нем понимание, сострадание, свет. Человек, желавший причинить вам зло, забудет, зачем он хотел это сделать. Имейте только волю, чтобы смотреть прямо. Не отворачиваться и не опускать глаза, что бы ни происходило. Тренируйте это упражнение также перед зеркалом. Смотрите, что происходит с вашим лицом, глазами. Поначалу, возможно, вас будет пугать ваш собственный пристальный взгляд, это быстро проходит. Для людей, неуверенных в себе, закомплексованных, это первоклассное упражнение, которое поможет вернуть радость общения с миром и выйти из своих тайных «убежищ». Сильным людям это упражнение поможет стать еще сильнее. Потому что в их взгляде помимо воли и решительности появится доброта. А доброта, как известно, сила, которую до сих пор не удавалось переломить никому. При помощи света глаз в дальнейшем вы сможете вбирать энергию окружающего вас мира растений, воды, звезд. При помощи света глаз вы сможете проникать в свои внутренние органы, просвечивая, прощупывая и излечивая их. При большом опыте и энергии вы сможете также оказывать помощь своим близким, друзьям. Хотелось бы подчеркнуть, что те паранормальные способности, о которых много говорится в последние годы, — результат правильной работы над собой, сбережения и накопления энергии, в первую очередь — энергии молодости, которая аккумулируется в глазах, а также возврата энергии, затраченной в прошлом. Чтобы восполнить запасы энергии, нужно также прибегнуть к источнику энергии молодости в своих глазах.

Из Конспекта Кремлевских Мастеров

То, что большинством принимается за сверхспособности, на самом деле — вполне нормальные, обычные человеческие способности, о которых люди зачастую не подозревают. Очень может быть, что в ходе занятий эти якобы сверхвозможности будут активизированы. К этому надо быть готовым и относиться правильно. Если у вас откроется третий глаз, не торопитесь радостно сообщать об этом направо и налево. Третий глаз есть у всех, но он неактивен. Если вы его активизировали — учитесь применять новые способности себе во благо. Не стоит их использовать, чтобы испепелить своих недругов пламенем третьего глаза. Как неожиданно, словно из ниоткуда, сверхспособности появились, так же неожиданно они могут уйти, если неправильно их использовать.

....

Практика для наполнения светом внутренних органов

Когда вы научитесь запускать работу энергии молодости, используйте свет глаз для наполнения жизненной энергией внутренних органов. Будьте готовы к тому, что, когда станете прорабатывать светом глаз внутренние органы, можете вдруг расплакаться, как дитя малое. Бывает, человек прячет свои эмоции глубоко внутри долго-долго. А они, родимые, никуда от него деться не могут и мирно посапывать где-нибудь в печени не могут, а обязательно станут печень ту же разрушать. Тихо так, по-предательски. И как только копнешь поглубже, вот тут-то они с ревом и прорываются наверх. И это хорошо. Лучше их выплакать, чем носить в себе, как осколок от снаряда.

Поза

Садитесь там, где вам удобно: на стул, кресло, на пол. Спина прямая. Макушка словно подвешена на нити. Поясница наполнена, ее распирает назад, словно поясницей сопротивляетесь чьему-то давлению на эту область. Если сидите на стуле, то ноги (ступни) располагаются одна от другой на расстоянии чуть шире плеч. Если на полу со скрещенными ногами, помните, мужчины кладут сверху правую ногу, так как представляют собой небо, или Ян (правая нога янская), женщины — наоборот, представляют собой землю, или чистую Инь. И посему кладут сверху левую ногу. Руки свободно положите ладонями на колени (при любой позе, на стуле или на полу).

Прямое положение спины совместно с распиранием поясницы назад и подтянутой макушкой обеспечивает беспрепятственное прохождение энергии (Ци) по позвоночнику, внутри которого находится главный канал так называемого Малого небесного круга. Поэтому крайне важно научиться сидеть с прямой спиной. Наиболее простой способ поддерживать спину прямой — это сидеть на полу со скрещенными ногами, подложив под ягодицы что-то вроде достаточно толстой и жесткой подушки (бедер она не должна касаться). Тем, кому это затруднительно, можно посоветовать сидеть на стуле, опять же следя за тем, чтобы спина была прямой.

Дыхание

Дыхание ровное, спокойное, глубокое. Хорошо, если вы сможете освоить «обратное» дыхание.

Из Конспекта Кремлевских Мастеров

Суть *обратного* дыхания в том, что при вдохе вы втягиваете живот внутрь, а при выдохе отпускаете. Считается, что ребенок в утробе матери дышит не носом, не ртом, а через пуповину и получает питательные вещества и энергию (Ци) от матери, втягивая животик, а отпуская его, освобождается от вредных веществ. Поэтому *обратное* дыхание ближе к правильному, дородовому.

Но главное — следить за тем, чтобы дышать животом. Следующее, что желательно соблюдать, это работа мышцами анального отверстия.

Из Конспекта Кремлевских Мастеров

Анальное отверстие — «врата жизни и смерти». Душа наша в момент отделения от тела выходит через задний проход.

Независимо от того, обратным способом вы дышите или обычным, мышцы, сфинктеры прямой кишки вы расслабляете во время вдоха и втягиваете, сжимаете на выдохе. Не перепутайте, пожалуйста.

Положение языка

Очень важно для правильной практики положение языка. Его кончик должен находиться сразу же над верхними зубами.

Итак, кончик языка замыкает нёбо над верхними зубами, спина выпрямлена, макушка подвешена, дыхание животом, на выдохе мышцы заднего прохода сжимаются (не сильно).

Как расслабить мышцы

Мышцы всего тела, не участвующие в поддержании позы, должны быть максимально расслаблены. Представьте, что ваше тело — это жесткий металлический каркас, обтянутый мышцами. Так вот, каркас пусть остается жестким и натянутым, а мышцы вокруг него пусть будут расслаблены. Добиваются расслабления следующим образом. На вдохе ненапряженно концентрируют внимание на макушке. На выдохе запускают волну расслабления сверху вниз. Пробегают вниманием затылок и лицо, шею, плечи, руки, грудь, лопатки, живот, поясницу, промежность, ягодицы, бедра, голени, икры, щиколотки, стопы, пальцы ног. Затем на вдохе произвольно поднимают внимание вновь к макушке. Рекомендуется сделать 9 таких циклов, считая вдох и выдох за один раз. Это упражнение очень хорошо расслабляет.

Как войти в нужное состояние

После того как нам удалось расслабить мышцы тела, постараемся освободиться от посторонних мыслей, то есть ввести себя в нужное для эффективного проведения практики состояние. Проще всего наблюдать за возникающими в сознании мыслями, представив сознание, ум, словно плавно текущую реку. А мысль, появляющуюся в уме, представить в виде какого-нибудь предмета, плывущего по реке. Как только этот предмет возникает в сознании, даем реке унести его, не цепляясь за образ, не развивая тему этой мысли и не фантазируя. Можно выполнять это упражнение с открытыми глазами или с полуприкрытыми. Первое время вы будете забывать о реке. Вас будет уносить за предметом. Наберитесь терпения, не сдавайтесь. Вы сами будете поражены тем, насколько плохо вы себя знали.

Как насытить энергией внутренние органы

Итак, мы с вами отрегулировали тело, отрегулировали дыхание, отрегулировали ум. Теперь мы готовы к полной практике.

Работаем с органами Огня

- Выполняйте практику по наполнению светом улыбки глаз, пока не почувствуете, как насыщаются светом уголки глаз (Огонь), нижние и верхние веки (Земля), белки (Металл), зрачки (Вода), радужная оболочка (Дерево).

- Закройте глаза и мысленно дайте стечь свету глаз вниз, через точку соприкосновения языка с верхним нёбом.
- Пусть энергия наполнит язык.
- Дайте стечь энергии к сердцу, постарайтесь создать образ розового или красного шара света, окутывающего ваше сердце.
- Дайте распространиться этому свету по всем кровеносным сосудам, от сердца по всему телу.
- Дайте стечь энергии вниз в брюшную полость к тонкому кишечнику, согревая и заполняя его светом.
- Следующим этапом будет формирование защитной энергетической оболочки вокруг вашего тела. Дайте распространиться розовому свету от сердца за пределы вашего тела и сформулировать розовую или красную ауру в форме огромного яйца, окружающего вас. Постарайтесь увидеть ее внутренним зрением. Величина значения не имеет.

Работаем с органами Земли

- Откройте глаза и вновь некоторое время заполняйте их светом вашей улыбки.
- Закрываем глаза, даем стечь энергии света глаз через язык и заполнить всю ротовую полость.
- Опускаемся через пищевод в желудок, заполняя его энергией.

- ✦ После желудка наш путь к селезенке (она слева, под ребрами). Окутываем селезенку энергией, сгущая ее в шар желтого света.
- ✦ От селезенки распространяем волной энергию, заполняя ею мышцы.
- ✦ И, наконец, выводим ее за пределы тела, окутывая его аурой желтого света.

Работаем с органами Металла

- ✦ Открываем глаза и вновь подпитываем их энергией улыбки.
- ✦ Закрываем глаза, направляем энергию в нос.
- ✦ Затем через ротовую полость вниз в горло.
- ✦ Заполняем легкие и окутываем их энергией, сгущая ее в 2 шара ослепительного белого света.
- ✦ Опускаемся вниманием вниз, в толстый кишечник и заполняем его энергией света глаз.
- ✦ Сосредоточиваемся вновь на легких и распространяем энергию вовне, заполняя ею кожу тела и волосы.
- ✦ Выводим энергию за пределы тела и созерцаем в виде окружающей его ауры белого цвета.

Работаем с органами Воды

- ✦ Открываем глаза. Подпитываем их энергией улыбки.
- ✦ Закрываем глаза, направляя энергию в уши.
- ✦ Через слуховые отверстия опускаем ее вниз, через горло, продвигаясь к почкам.

- Возле почек сгущаем энергию в виде двух световых шаров синего, темно-синего цвета.
- Затем опускаем энергию в мочевой пузырь.
- Вновь переключаем внимание на почки и от них энергию распространяем в кости. Распространяем ее в кости конечностей, ребра, тазовые кости, череп и позвоночник, некоторое время фиксируя свое внимание в них.
- Выводим энергию вовне и формируем из нее ауру вокруг тела синего цвета.

Работаем с органами Дерева

- Открываем глаза. Наполняем их энергией скрытой улыбки.
- Закрыв глаза, проводим световую энергию внутрь к печени и окутываем печень в зеленый, изумрудно-зеленый световой шар.
- Затем опускаем энергию в желчный пузырь.
- Вновь концентрируемся на печени и от нее распространяем энергию, разнося ее по сухожилиям.
- Окружаем тело аурой изумрудно-зеленого света.

Из Конспекта Кремлевских Мастеров

Когда вы насыщаете энергией внутренние органы, старайтесь вниманием максимально присутствовать в них. Будто это вы сами входите в свою печень, к примеру, деловито осматриваетесь, ищете проблемные зоны. Где-то пробки в каналах, их необходимо выбить оттуда. Где-то жесткие участки, их следует размягчить. Освещаете фонариком все темные места, где может застаиваться энергия (Ци). Во время этого осмотра могут возникнуть некоторые болевые ощущения, различные реакции организма, такие как отрыжка, зевота, прочие «эффекты». Пугаться этого не стоит. Именно так наш организм очищается. Боль в органе показывает нам, что здесь была проблемная зона, о которой мы не подозревали. Эта проблема впоследствии могла вырасти в серьезную болезнь, но мы при помощи энергии высветили ее. При помощи энергии же вы эту проблему и решите. Возможно, будут некоторые болевые ощущения, боль уходит с болью. Или клин клином вышибают. Лучше потерпеть немного сейчас и стать здоровым человеком.

....

После работы с органами элемента Дерево нужно некоторое время расслабленно посидеть, удерживая вниманием в воображении световые шары вокруг органов: розовый шар вокруг сердца, желтый шар вокруг селезенки, два белых шара вокруг легких, два синих (темно-синих) шара вокруг почек и зеленый шар вокруг печени. Развивайте в себе способности видеть их, а затем и удерживать вниманием. Чтобы легче создавать мыслеформы цветных шаров, можно вырезать круги из цветного картона, соответствующего элементам цвета, примерно 20 см в диаметре. Прикрепите их где-нибудь на стене перед собой и во время практики поглядывайте на соответствующий цвет время от времени.

Многие люди могут легко представить цвета и без шаблонов, а некоторые могут и в самом деле увидеть цветовые шары вокруг органов. Это означает, что ауры соответствующего цвета действительно существуют и действительно располагаются именно так, как описано выше. Если у вас есть способности к внутреннему зрению, присмотритесь внимательно к цветовым шарам, пятнам вокруг ваших органов. Чистый цвет вокруг них свидетельствует о хорошем здоровье. Если цвет ауры с примесью грязного, то, возможно, у вас есть проблемы. В любом случае с помощью практики вы их решите.

Возможно, эта практика получится у вас сразу. Возможно, вам понадобится несколько недель, месяцев чтобы четко визуализировать цветовые шары. Не торопитесь и не перескакивайте через этапы. В любом случае, полную или неполную практику вы выполняете, пользу вы получаете огромную.

Завершение практики

Завершаете практику следующим образом. Убираете руки с колен и складываете их на нижнюю часть живота, необходимая нам точка, на которую вы складываете ладони, располагается примерно на 2–3 сложенных пальца ниже пупка. Постарайтесь силой воображения представить, что эта точка находится внутри тела, на глубине 2 пальцев от поверхности.

Ладони вы накладываете так, чтобы их центры точно легли на проекцию точки на поверхности тела. Женщины накладывают сначала правую ладонь на живот, а сверху накрывают правую ладонь левой. Мужчины выполняют все наоборот. Центры ладоней должны быть совмещены. Итак, после того как вы сложили ладони на животе, отпускайте вниманием цветовые шары и переносите внимание на найденную точку на животе. Некоторое время ненапряженно сидите в этом положении, стараясь почувствовать ее. Вы можете почувствовать вибрацию, пульс в этой области, жар, распирание, другие ощущения. Это нормально. Следует находиться в этом положении в течение 9 циклов дыхания, считая вдох и выдох за один цикл. Затем не спеша распрямляем ноги (если сидели на полу), растираем колени, лодыжки ладонями. Сидим некоторое время с вытянутыми ногами. Теперь можно возвращаться к своим повседневным делам.

Что делать и чего не делать после практики

Несколько советов по поведению после практики. Постарайтесь минут 10–15 после выдоха не пить, не есть, не ходить в туалет, не разговаривать, не делать резких движений. Категорически запрещено подвергаться воздействию сквозняков, порывов холодного ветра и холодной воды. Допустим горячий душ минут через десять. Лучше не практиковать в темной комнате. Все это угнетает или рассеивает энергию (Ци), мешая ее свободному движению. А воздействие сквозняка и холода может привести к тяжелой простуде.

Ступень 3

Открытие малого небесного круга

Из Конспекта Кремлевских Мастеров

Малый небесный круг образован двумя энергетическими меридианами — заднесрединным и переднесрединным. Оба меридиана насчитывают в себе большое количество биологически активных точек. Заднесрединный (главный) меридиан начинается в точке между задним проходом и половым органом, продолжается через копчик по позвоночнику, проходит через шейные позвонки, входит в большое затылочное отверстие, доходит до макушки, где и заканчивается. Переднесрединный меридиан (рабочий, или функциональный канал) начинается от макушки, опускается вниз по средней линии лба к межбровью, далее через переносицу и кончик носа опускается к носогубной складке и входит в ротовую полость (верхнее небо, сразу же над верхними зубами), через кончик языка меридиан входит в горло, проходит по средней линии груди, живота, опускается в промежность до точки между задним проходом и половым органом, где и заканчивается. У нормального среднестатистического человека энергия движется хаотично, в зависимости от жизни, которую ведет человек. Открывая *малый небесный круг*, мы активизируем и упорядочиваем энергетические потоки внутри себя, тем самым противодействуя любым застойным явлениям.

....

Идеально состояние, когда энергия циркулирует по так называемому *малому небесному кругу*, не прерываясь и не застаиваясь. Если же происходит сбой в ее циркуляции, то это влечет за собой неизбежные негативные последствия. Вы уже знаете, что в связи с несбалансированностью энергии и ее привычкой «гулять самой по себе», возникают различные состояния, когда энергия может застаиваться, скапливаться в одних местах и блокироваться в других. Вы научились отводить энергию от проблемных зон, опускать ее к почкам и ногам, что сразу блокирует боль и недомогания. Но не всегда застой или неравномерное циркулирование энергии приводят к боли и болезни. Иногда просто человек чувствует дискомфорт, вялость, апатию. Всему виной могут быть погодные условия: резкий ветер, сырость или, наоборот, сухость, жара, холод. Они нарушают свободную циркуляцию энергии, результаты мы чувствуем в виде дискомфорта и т. д. Влияние на циркуляцию энергии оказывают и эмоциональные конфликты, резкие переживания или бурные проявления радости. То есть нарушить нормальный, цикличный ход энергии в нас может, в общем-то, все, любые непредвиденные обстоятельства, любые сильные эмоции. Получается, что мы постоянно находимся под угрозой сбоя циркуляции энергии. Но это не страшно, если уметь восстанавливать правильное течение энергии. Заниматься этой практикой надо постоянно, и тогда мы надежно подстрахуемся от болезней, чувства внутреннего дискомфорта, недомоганий и пр.

Чтобы научиться гармонизировать движение энергии по малому небесному кругу, нужно точно знать маршрут, по которому энергии надлежит пройти, то есть точки, через которые проходит малый небесный круг. В первую очередь необходимо осуществить работу по открытию всех точек малого небесного круга. Через них Ци должна свободно проходить и устремляться далее. Открывать точки можно в несколько приемов, не обязательно все сразу. Главное — сделать это. Затем можно перейти ко второй части практики — собственно проталкиванию энергии по нужному руслу, как бы «вправлению» Ци, которая за день может застояться или отклониться от нужного направления. Вторую часть практики рекомендуется проводить ежедневно, после заката, за 2 часа до отхода ко сну.

Точки, через которые проходит малый небесный круг

Для открытия *малого небесного круга* необходимо знать о точках, через которые он проходит. С ними работает вся восточная медицина, им присвоены специальные наименования, чтобы каждый раз не путаться с тем, какая именно точка сейчас имеется в виду.

Перечислим точки, через которые проходит малый небесный круг, а значит, в идеале должна циркулировать энергия:

- 1 точка *хуэй инь*, между анусом и половым органом.
- 2 точка *чан цян* располагается на середине расстояния от заднего прохода до копчика.
- 3 точка *мин-мэнь* находится на спине, между остистыми отростками 2-го и 3-го поясничных позвонков чуть выше линии пупка.
- 4 точка *цзи чжун* располагается между остистыми отростками 11-го и 12-го грудных позвонков чуть выше линии солнечного сплетения.
- 5 точка *я-мэнь* расположена между 1 и 2 шейными позвонками.
- 6 точка *бай хуэй* расположена на средней линии головы. Если от верхних кончиков ушей провести воображаемую вертикальную линию, то в месте пересечения этой линии и средней линии головы и будет эта точка.
- 7 точку *тяньму* найдем в межбровье, опускаясь по средней линии головы.
- 8 точка *инь-цзяо* расположена сразу над верхними зубами, на верхнем небе.
- 9 точка *сюань цзи* расположена внутри яремной впадины в центре.
- 10 точку *(шань) тань чжун* найдем на средней линии груди на уровне 4-го межреберья. В центре грудной клетки, проще говоря.
- 11 точка *чжун вань* располагается на средней линии в области солнечного сплетения, между пупком и мечевидным отростком грудины в центре.
- 12 точка *цихай* располагается на средней линии живота и на 2–3 пальца ниже пупка.

Последовательно открываем точки

Итак, маршрут *малого небесного круга* вы знаете, знаете и необходимые для его открытия точки. Теперь приступим к практике.

- Садитесь поудобнее, согласно наставлениям практики, активизирующей энергию молодости в глазах.
- После того как вы выполните все требования по регулированию тела, дыхания и психики и введете себя в нужное состояние, переносим внимание в точку *хуэй инь*. Дыхание обратное или обычное животом. Концентрируясь на точке, мы стараемся, чтобы она «ответила». То есть мы должны вызвать пульсацию в этой точке.
- После того как это удалось, отсчитываем 36 ударов пульса в точке *хуэй инь*.
- Если это удалось, переходим к следующей точке *чан цян*. Постарайтесь избегать ненужного напряжения.
- Последовательно проходим по маршруту *малого небесного круга*, открывая столько точек, сколько позволяет время или терпение.
- Где бы вы ни закончили практику, завершайте всегда концентрацией энергии в точке *цихай*, сложив ладони на животе.

Следующий сеанс по раскрытию точек малого небесного круга вы можете повторить с точки *хуэй инь* либо со следующей после последней открытой вами точки на предыдущей тренировке. Если вы страдаете повышенным кровяным давление, осторожнее работайте с верхними точками, расположенными на голове. При неприятных симптомах сразу же прекращайте практику раскрытия и собирайте энергию в почки, как описывалось выше. Вспомните, энергия двумя закрученными по спирали потоками собирается в почки. Когда вы раскроете *малый небесный круг* и научитесь провожать по нему энергию, проблемы с повышенным давлением постепенно уйдут.

Продвигаем энергию (Ци) по малому небесному кругу

Практика продвижения Ци по *малому небесному кругу* выполняется тогда, когда вы раскрыли все необходимые точки. Это значит, что некоторое время (несколько дней, неделю, даже месяц) нужно посвятить работе с точками. И только когда все они откроются, можно начинать продвижение энергии по малому небесному кругу.

Для этого надо на вдохе от точки *хуэй инь* подняться к макушке (точка *бай хуэй*), выполняя следующие требования:

- Во время вдоха сокращаете мышцы анального отверстия, как будто стараетесь подтянуть вверх копчик. Это движение обеспечивает более быстрое и успешное продвижение Ци через копчик, который считается труднопроходимым для энергии.
- Во время вдоха пробегаем вниманием по ходу меридиана.
- Когда приближаемся к точке *я-мэнь*, поднимаем глаза вверх и сводим их к межбровью. Этот прием обеспечивает более свободное движение Ци через труднопроходимый для нее участок шейного отдела позвоночника.
- Выдох и движение Ци вниз начинается от точки *бай хуэй*. Глаза опускаем в нормальное положение.

- ✦ Язык обязательно замыкает точку *инь-цзяо* на протяжении всей практики.
- ✦ Не растягивайте искусственно дыхание. Дышите с обычным для себя ритмом. В вашем сознании должен возникать луч света, двигающийся по каналу спинного мозга и внутренней части груди, живота и промежности.
- ✦ Обычно выполняют 9, 18 или 36 витков Ци по малому небесному кругу, завершая собирающим действием в нижней части живота (точка *ци-хай*).

Ступень 4

Правильное начало дня

Как начинается день, так он и проживается. Нужно с утра сделать все, чтобы прийти к вечеру не как выжатый лимон, с ощущением полного истощения энергии и жуткой опустошенности, а с чувством удовлетворения от успешно проведенных дел, с предвкушением отдохновения, с внутренней уверенностью в дне завтрашнем.

Из Конспекта Кремлевских Мастеров

Правильное начало дня — залог правильной остановки деятельности для необходимого отдыха. Человеческое тело — своего рода двигатель, к сожалению, не вечный, но способный на вполне длительную работу. При условии, что эксплуатация его будет правильной. Правильное распределение энергии, правильный ее запуск, отслеживание правильной ее циркуляции, правильные входы и выходы в (и из) циклы активности — залог длительного служения нам механизма нашего тела.

Работаем с языком

Рекомендуется утром после пробуждения чистить язык чайной ложкой, соскребая образовавшийся на нем за ночь белесый налет. Это не только гигиеническая процедура, но и ритуал, оберегающий человека от многих проблем, связанных с тонким кишечником и сердцем, и обеспечивающий нормальную работу желудка.

Нужно высунуть язык, широко раскрыв рот, и чайной ложечкой или еще каким-нибудь предметом, используемым в качестве скребка, пройтись несколько раз по направлению от корня языка к кончику. Стараться при этом подобраться ближе к корню языка. Частенько, когда мы станем делать это, может возникнуть что-то вроде позыва на рвоту. Не стоит этого пугаться, так как это благотворно влияет на желудок, пищевод и глотку, приводя все эти органы в тонус и готовность.

Из Конспекта Кремлевских Мастеров

Если нас заботит состояние нашего желудка и вообще, если мы не враги своему здоровью, день лучше начать с чистки языка. Затем не спеша выпить полстакана прохладной протиевой или некипяченой родниковой воды, периодически совершая челюстями жевательные движения. И во время питья, что очень важно, не надо спешить. Желательно сосредоточиться на ощущениях в ротовой полости, языке, вкусе воды, процессе прохождения воды через пищевод в желудок. При таком подходе любая простая вода становится живой, ибо наша мысль и концентрация внимания делают чудеса. Тем более что вода легко считывает информацию, посылаемую нашим сконцентрированным намерением. И, что очень важно, легко выполняет приказы. Поэтому, когда пьете воду, не читайте, не смотрите телевизор, а мысленно проговаривайте свои желания, надлежащие к осуществлению. Все сбудется.

После того как мы поскребли язык, необходимо его повытягивать. Чтобы проделать это, высовываем язык наружу и вытягиваем его, словно пытаемся языком достать до подбородка и затем до кончика носа. Делаем это попеременно несколько раз, по-честному пытаясь притронуться к максимально низко и высоко расположенным точкам. Во время выполнения этого упражнения челюсти может сводить судорогой. В этом случае путем нехитрых движений нижней челюстью (тело само сделает это) мы устраним это неприятное состояние. Вытягивание языка окажет хорошее косметическое воздействие на мышцы лица, будет способствовать, например, устранению двойного подбородка и разглаживанию морщин передней поверхности шеи. А если во время вытягивания языка вы попытаетесь разглядеть его кончик, это будет дополнительной гимнастикой для глаз, а также одновременно будет тонизировать печень, так как печень непосредственно связана с глазами.

Смывание остатков дневной энергетики

Вообще душ принимать лучше дважды в день. Один раз утром после сна. Утром это может быть прохладный или теплый душ. Лучше же всего контрастный, т. е. с быстрой сменой горячей и холодной воды. Не нужны никакие новомодные дорогостоящие насадки. Все дело только в самих свойствах воды. Утром мы активизируем направленными потоками воды свою энергетику, смываем с тела сонное оцепенение. Принимая утренний душ, непременно внушайте себе уверенность в том, что вода уносит все ваши плохие сны, предчувствия и прочую ерунду. Если в процессе принятия душа вы не скрипите зубами и не стонете, словно попали в капкан, а напротив, мурлыкаете какую-нибудь песенку себе под нос, это очень хороший знак! Он говорит о том, что вскорости у вас все непременно станет налаживаться в жизни, работе, здоровье.

Второй раз душ нужно принимать вечером. Теперь его функция — смывание остатков дневной энергетики, продуктов жизнедеятельности организма, негативной информации. Если он принимается непосредственно перед сном, то может быть горячим расслабляющим, способствующим глубокому, спокойному сну. И также перед сном желательно выпить полстакана воды. Утро начинается вечером.

Вовремя опорожняем кишечник

Необходимо развить в себе привычку ходить «побольшому» с утра. Это и в самом деле не более чем привычка. Причем очень полезная. К тому же полезные свойства этой привычки можно значительно усилить и помочь процессу избавления от шлаков и токсинов дополнительно. Например, так. Вы садитесь в свое укромное местечко для проведения таинства избавления, на вдохе представляете, что все токсины и шлаки собрались где-то ниже пупка. Затем следует длинный озвученный выдох с резким выкашливанием в конце (не перепугайте домочадцев) «ха-а-а-ай». Не обязательно произносить это громко, но в каком-то околошепотном режиме с придыханием. Или можете использовать звук «ха-а-а-ах», это не имеет значения. Главное — чтобы вы при этом представляли, что все токсины уходят через рот. Если есть возможность, повторите это 9 раз (вдох — токсины ниже пупка, выдох «хай» — токсины, выходи строиться наружу!). Если нет возможности повторять 9-кратно, делайте один раз. И после последнего выдоха задержите дыхание (ненадолго) и расслабьте максимально живот. Во время задержки, после выдоха, пальцами рук, кулаками, ребрами ладоней начинайте интенсивно, но не грубо разминать брюшную полость, зоны кишечника, желудка, селезенки, печени. Если захотелось вдохнуть — делайте вдох и продолжайте разминать, нажимать, давить при нормальном дыхании. Такая процедура значительно облегчает процесс опорожнения толстого кишечника с утра, но плюс к этому значительно способствует избавлению от вредных веществ. Регулярно проделывать все это по утрам совсем не трудно. Тем более что все происходит попутно. Почистить язык скребком (ложкой) и выпить воду лучше до похода в туалет.

Из Конспекта Кремлевских Мастеров

Большинство наших проблем происходят из живота и из кишечника. Все наши страхи, неуверенности, зажатости, подавленное настроение. Научитесь не кидать в желудок, что и когда попало. Постарайтесь помочь своему организму в естественном процессе очищения. Употребляйте для питья простую чистую воду. И уже через несколько недель многие проблемы, душившие вас, отступят, исчезнув бесследно навсегда.

Упражнения после пробуждения

Описываемые ниже упражнения основаны на естественной мудрости тела. Любой человек интуитивно делает эти упражнения. Единственное, в чем заключается моя задача, придать осмысленность всем этим движениям и слегка повернуть их в нужном направлении, чтобы эти движения стали упражнениями полноценной энергетически пробуждающей утренней практики.

Итак, что делает любой человек, после того как утром открывает глаза? Предвижу ответ многих из вас: с криком «твою мать, опять проспал!» срывается с постели и устремляется на работу, учебу и т. п. Это все понятно, с этим ничего не поделаешь. Но если у вас есть какое-то время и вы никуда особенно не торопитесь? Если все происходит по давно отлаженному плану, привычно? Вы открываете глаза, сладко *потягиваетесь...*

Потягивание

Первое упражнение — потягивание. Любое животное делает это. Посмотрите, понаблюдайте за кошкой. Как грациозно потягивается она после сна! Она не срывается никуда, сломя голову, пока не потянется. А если срывается (после вашего «кис-кис»), то после 2–3 шагов все равно остановится и выполнит свою «гимнастику».

Итак, природа сама позаботилась о том, чтобы мы начинали свой день с потягивания. Не обязательно иметь точное представление о расположении сухожильно-мышечных меридианов. Просто запомните, что сухожильно-мышечные меридианы несут в себе энергию (Ци), отвечающую за защитные функции организма. И включая с утра посредством потягивающих движений эти сухожильно-мышечные меридианы, мы обеспечиваем то обстоятельство, что внутренний охранник наш собран, спокоен, находится во всеоружии, бдителен и хорошо несет свою службу.

Большинство меридианов берут свое начало в кончиках пальцев рук и ног. Некоторые из них располагаются на задней поверхности ног, некоторые на передней, а также внутренней и внешней стороне рук. Первое, что мы делаем, это вытягиваем носки, пальцы ног, все тело, руки (расположенные вдоль тела) вытягиваем, как можно больше растопырив пальцы, макушка при этом вытягивается в противоположную сторону.

Следующее, что мы совершаем, это, слегка поднимая ноги над кроватью, до предела подтягиваем на себя носки, ступни, одновременно отрываем от постели лопатки, голову, руки. Кисти рук подтягиваем на себя (положение кистей при этом такое, словно мы ладонями упираемся в стену). Что касается головы, то должно возникать ощущение, что вы макушкой пытаетесь дотянуться до собственного пупка. Спина при этом выгибается, мышцы живота напряжены. После этого сразу мгновенно расслабляем все мышцы, опустив спину, голову, руки и ноги на постель. Полное, тотальное расслабление при свободном ровном дыхании. Если есть время и желание повторить, повторяйте столько, сколько пожелаете.

Суть первого упражнения в следующем: вытягивая пальцы вперед, вы активизируете в основном меридианы, проходящие по передней поверхности ног, внешней стороне рук и передней поверхности туловища. Дополнительно советую развить в себе ощущение, что при выполнении этого упражнения ваши пальцы удлиняются так, словно вы собираетесь коснуться ими противоположной стены.

Суть второго упражнения заключается в том, что, подтягивая до предела на себя ступни, кисти рук, выгибая спину, делая тянущееся движение к пупку головой, вы активизируете меридианы, проходящие по задней поверхности ног, внутренней стороне рук, по спине.

Когда после выполнения упражнения вы ложитесь и расслабляетесь (повторюсь, расслабление как можно более глубокое), через меридианы устремляется огромное количество энергии. И вот все ваши мышцы, сухожилия, суставы уже эластичны, подвижны и готовы к работе. В принципе, уже это неплохо. Но лучше продолжить эту нехитрую гимнастику упражнениями по активизации опоясывающего меридиана и соединению меридианов рук, ног, туловища в единую структуру.

Упражнения по активизации опоясывающего меридиана

Знаете, в чем смысл выражения «встал не с той ноги»? И как определить, какая нога «та»? Не надо воспринимать буквально (в данном, по крайней мере, случае) эту замечательную мудрость. Для нас она важна постольку, поскольку возникает вопрос, с какой ноги (или руки) начинать упражнение. Если говорить вкратце (подробности я объясню ниже), то можно сказать следующее. Если вам предстоит трудный день, когда от вашей активности, настойчивости, уверенности в себе зависит ваше дальнейшее благополучие, — начинайте с правой ноги (руки). Если же благополучие ваше на сегодня будет зависеть от того, насколько вы спокойны, расслаблены, благожелательны и уравновешенны, — начинайте с левой стороны. А когда вы не знаете, что вас ждет, нет никаких особых планов, все идет как всегда — доверьтесь интуиции. Вот и все, все очень просто.

1. Вы лежите на спине, затем подтягиваете необходимую вам ногу (скажем, правую) так, чтобы колено и передняя поверхность бедра максимально были прижаты к животу, груди (с правой передней стороны туловища). Как можно плотнее обхватываете голень правой ноги обеими руками (словно обнимаете ее). Носок правой ноги при этом вытянут. Макушкой стараетесь при этом потянуться к пупку и одновременно прижаться правым ухом к внутренней стороне правого колена (если получается, разумеется). Носок левой ноги подтянут при этом до предела на себя. Дыхание спокойное, ровное (по возможности, нога-то все-таки давит на живот, грудь). Ненавязчиво прислушивайтесь к ощущениям в теле при этом (где-то болит, где-то приятно и т. п.) и старайтесь выровнять эти состояния.

2. Немного (несколько секунд) пожив в этой позе, переходите к следующей. Дыхание должно быть по-прежнему ровным, свободным, глубоким. Обхватываете обеими руками ступню правой ноги так, чтобы средние пальцы рук легли на место между основанием 2-го и 3-го пальца стопы. Счет идет от большого пальца ноги. Обхватив таким образом ступню, начинаем плавно, без рывков, вытягивать правую ногу вертикально вверх, выпрямляя (по возможности) ее в коленном суставе. Носок, стопу при этом подтягиваем на себя, а голову опускаем на постель. Носок левой ноги при этом оттягиваем от себя, а макушку тянем в противоположную сторону. Постарайтесь

ощутить ваши руки структурно объединенными в единое кольцо с центром где-то между лопаток. Желательно при этом отслеживать структурно выстроенные сухожильно-мышечные меридианы по следующей схеме: кончики пальцев левой ноги — передняя и внутренняя сторона левых голени и бедра — левая паховая складка — центр между анусом и половым органом — копчик — позвоночник — макушка — от точки между лопатками по внешним сторонам обеих рук — через кончики средних пальцев рук к точке между пальцами на стопе — от точки между пальцами на стопе по внутренней задней стороне правой икроножной мышцы и бедра к ягодичной (правой) складке — и к центру между анусом и половым органом (хуэй-инь). От точки хуэй-инь поднимаемся по передней центральной стороне туловища к пупку, где и остановимся.

3. Какое-то время побыв в этой позе, отпустите стопу правой рукой, левой рукой нажимая на внешнюю часть стопы, опускайте прямую, правую ногу влево так, чтобы она легла внутренней поверхностью голени на постель слева от туловища и под прямым углом к нему (либо под острым углом). Как получится, впрочем. Правую руку тяните вправо, прочь от туловища и также под прямым (строго!) углом к нему, ладонью вверх. Постарайтесь обе лопатки сохранять прижатыми к постели и направьте взгляд на пальцы правой руки. Поясничный отдел оказывается при этом в скрученном положении. Если хотите, можете отслеживать движение энергии по ходу опоясывающего меридиана. Он располагается широкой полосой (сантиметров 10 у взрослого человека) выше и ниже пупка, поднимается назад к почкам, опоясывая (отсюда и название) талию. Отслеживайте несколько витков этого меридиана. Мужчинам рекомендую начинать от пупка влево, назад от левой почки к правой, от

правой почки вновь к пупку. Женщинам, наоборот, от пупка к правой почке, затем к левой, затем вперед к пупку.

4. Ложитесь в исходное положение и с наслаждением расслабьтесь. Закрыв глаза, прислушайтесь к ощущениям внутри тела. Через некоторое время повторите все с другой ногой. Не переусердствуйте, однако. Внимательно, плавно, без рывков и инерционных раскачиваний, по одному разу на каждую сторону.

И еще одно упражнение

Уже приведенных выше упражнений более чем достаточно для того, чтобы безболезненно влиться в новый, непонятно что сулящий день бойцом, готовым к любым испытаниям судьбы. Однако могу посоветовать вам в соответствии с рекомендациями Кремлевских Мастеров еще одно упражнение.

Итак, немного полежав и отдохнув после предыдущих упражнений, плавно поднимаетесь в такой последовательности: оторвите от постели руки и тяните их с растопыренными пальцами (это нам уже знакомо) к носкам ног — отрывается от постели затылок и вся голова — шея — плечи и лопатки — область почек — поясница. Возникает ощущение, что вас сворачивают в рулон как ватманский лист. Затем вы по возможности захватываете ступни (подтягивая последние на себя) сверху или с внешней стороны, либо захватываете за щиколотки. За что можете, за то и захватываете, одним словом. Упражнение состоит из 3 пунктов:

1. Вы захватили то, что смогли достать, выпрямили в коленных суставах ноги, выпрямили спину, вытянули макушку вверх, сохраняя гордое и независимое положение. Словно постовой милиционер застукал вас возвращающимся изрядно навеселе, а вы при этом, немилосердно пошатываясь, пытаетесь

сохранить как можно более вертикальное положение, доказываете ему, что он не прав, заподозрив вас. Так вот и здесь. Некоторое время, находясь в этой позе, ровно и глубоко дышите. Если есть время и возможность на 9 дыхательных циклов (вдох и выдох считаем за «один»).

2. Сгибаем ноги в коленях, не очень сильно (руки не отпускать), стараемся лечь грудью, животом на переднюю поверхность бедер. Задача — максимально расслабить мышцы спины (поясничного отдела особенно). Также 9 дыханий.

3. Продолжая находиться в том же положении, выпрямите ноги в коленях. Задача — стараясь сохранить мышцы спины как можно более расслабленными, максимально вытянуть позвоночник.

Когда и как чистить зубы

Лучше всего чистить зубы после завтрака, а не до него. Если, конечно, не вместо него. До завтрака достаточно прополоскать рот чем-нибудь дезинфицирующим. Крепким соляным раствором, например (после чистки языка, конечно).

Откажитесь от идеи использовать для чистки зубов новомодную электрическую зубную щетку. Щетка должна быть из жесткой щетины. Менять ее на новую лучше каждый месяц. Стоит совершить ей во рту 36 горизонтальных движений с лицевой стороны зубов (вперед-назад считается за одно движение, чистятся попеременно зубы верхней и нижней челюстей, каждый раз), 36 горизонтальных движений с внутренней стороны зубов, 36 вертикальных движений с лицевой стороны зубов и 36 вертикальных движений с внутренней стороны зубов.

Вечером следует повторить процедуру за час до отхода ко сну.

Ступень 5

Правильный баланс «энергетической» и «неэнергетической» еды

Наши предки не зря говорили, что человек есть то, что он ест (и пьет). Это абсолютно верно. Человек ест по двум причинам: чтобы удовлетворить чувство голода и чтобы получить удовольствие от вкуса. Зачастую мы пренебрегаем первой причиной, которая, на самом-то деле, является основополагающей, и недодаем себе энергии, которую должны были бы получать с пищей. Традиционно еда для человека — одно из основных развлечений. Однако надо помнить: то, что обладает изысканным вкусом, может быть бедно необходимой нам энергией. Например, любимые нами чипсы, гамбургеры и конфеты требуют энергетических затрат с нашей стороны для усвоения. Я имею в виду не калорийность продуктов, а совсем другое: присутствие в продукте энергии молодости, здоровья, жизни, которые нам так необходимы. Стоит ли целиком отказываться от «неэнергетических» продуктов в пользу «энергетических»? Очевидно, нет. Нужно соблюдать их правильный баланс. Надо помнить, что от продуктов «для вкуса» можно с легкостью отказаться, в то время как «энергетические» продукты должны присутствовать в рационе каждый день. Это необходимое условие энергетической подпитки извне. Мы с вами научились аккумулировать энергию молодости в глазах, перегонять ее ко всем органам и системам, научились отлаживать правильную циркуляцию Ци по малому небесному кругу. Важно также и постоянно получать энергетическую поддержку с едой и питьем.

Основные принципы соотношения «энергетических» и «неэнергетических» видов пищи в рационе

Оптимальным будет следующее соотношение разных видов пищи и питья:

Трапеза	Часть «энергетических» продуктов	Часть «неэнергетических» продуктов
Завтрак	4	1
Полдник	2	3
Обед	3	2
Ланч	2	3
Ужин	1	4

Каждая трапеза условно может быть разделена на 5 частей по объему. Из них всегда 2 объема занимает питье. Для соблюдения оптимального энергетического баланса следует, формируя свое меню, отталкиваться от приведенных в таблице пропорций.

Вы спросите: можно ли, имеет ли смысл питаться только «энергетическими» продуктами? Конечно да, это было бы правильно, но, к сожалению, еда — это та сфера, в которой мы чаще всего позволяем некие «допущения». Поэтому будем реалистами, не станем держать себя в ежовых рукавицах. Для стабильного поддержания себя в тонусе вполне достаточно придерживаться рекомендации «завтрак съешь сам (4×1), обед раздели с другом (3×2), а ужин отдай врагу (1×4)». Это значит, что на завтрак нужно обеспечить себя максимально «энергетической» пищей, на обед пропорция должна быть слегка в сторону «энергетических» продуктов, а к ужину можно расслабиться и потешить себя «вкусовой» пищей. Однако трапез должно быть пять. Что касается калорийности, то о ней мы ничего не будем говорить, поскольку ей посвящено достаточно много книг и без нас. Хочу подчеркнуть, что ожирение, нарушение обмена веществ происходит в связи с дисбалансом в питании и, как следствие, с образовавшимся на его фоне энергетическим дисбалансом.

«Энергетические» и «неэнергетические» продукты

Сейчас очень модна так называемая *Кремлевская диета*. Реально никакого отношения к разработанному для партийной элиты режиму питания она не имеет. Исследовательская группа, к которой принадлежали Николай и Мария, изучала продукты на предмет энергетической наполненности и составляла индивидуальные рационы для своих «клиентов», учитывая вкусовые предпочтения каждого конкретного человека. Основой для составления рационов служила таблица. Ориентируясь на нее, вы сами сможете составить для себя приемлемый рацион на день, неделю, месяц, год или одну трапезу — как вам захочется, как будет нужно. Главное — соблюдать принцип пропорции продуктов при формировании меню для конкретных трапез.

«Энергетические» продукты	«Неэнергетические» продукты
мясо свежеприготовленное	мясо консервированное, колбасные изделия, мясные деликатесы
рыба свежеприготовленная, рыба свежепросоленная	рыбные консервы, рыба копченая
икра рыбья соленая	икра рыбья соленая консервированная
молоко и молочные продукты свежие	молоко и молочные продукты консервированные, пастеризованные

овощи и фрукты свежие, свежеприготовленные	овощи и фрукты консервированные, засахаренные, варенья и джемы
картофель свежеприготовленный: вареный, жареный, в виде пюре	картофельные чипсы, картофель фри, быстрорастворимое пюре
свежеприготовленные, сушеные, соленые грибы	консервированные грибы
каши свежесваренные из цельного зерна	каши быстрого приготовления
хлеб отрубной, цельнозерновой, ржаной	хлеб пшеничный
орехи, фрукты сушеные	печенье, бисквиты, конфеты, торты и пирожные
яйца свежеприготовленные	сладкий гоголь-моголь
свежеприготовленные соусы	магазинные майонез, кетчуп и пр.
свежеприготовленные взбитые сливки с фруктами (без сахара)	фабричное мороженое
свежезаваренный листовой черный, зеленый чай, каркаде	чай, простоявший в течение часа и более: растворимые и пакетированные чаи
свежеприготовленный кофе	растворимый кофе
протиевая вода	сырая вода из-под крана
минеральная вода	кипяченая и дистиллированная вода
свежевыжатый сок	сок, приготовленный в фабричных условиях
домашний морс, квас	магазинные сладкие напитки: лимонад газировка, квасы, морсы
«живое» пиво	консервированное пастеризованное пиво
сухое вино	полусухое, полусладкое, сладкое, крепленое вино
водка	ликер, наливка
коньяк	вермут

О зеленом чае

В перерывах между трапезами Кремлевские Мастера стабильно предлагают пить зеленый чай с сухофруктами. Этот напиток, в самом деле, обладает огромным количеством положительных качеств. Слава Богу, теперь практически все об этом знают, и достать зеленый чай не проблема. Советую вам его постоянно пить, если у вас повышенное давление, вас одолевают головные боли, у вас нелады с сердечной деятельностью. Не покупайте чай с ароматическими добавками: чем он проще, тем большими лечебными свойствами обладает. Чтобы получить максимум пользы от питья зеленого чая, нужно пить его безо всяких сладостей (можно только с натуральным медом вприкуску или разбавленный молоком). Можно заваривать чай в чайнике или воспользоваться термосом (желательно со стеклянной колбой). Однако, приступая к очередному чаепитию, помните, что чай задерживается в организме дольше, чем простая вода, поэтому не злоупотребляйте им на ночь, чтобы не встать утром с распухшим лицом.

О чем нужно помнить, чтобы не стареть

Итак, мы с вами рассмотрели основные принципы системы, разработанной для оздоровления и омоложения представителей отечественной элиты второй половины XX века. Самое главное — это постоянно следить за энергобалансом в своем организме. Не забывайте:

- вам нужна постоянная полноценная энергетическая подпитка;
- нужно правильно в энергетическом плане начинать день;

- ✦ необходимо постоянно использовать практики специального самомассажа, активизирующего энергию молодости;
- ✦ особое внимание надо уделять глазам, как органам, аккумулирующим энергию молодости;
- ✦ нужно постоянно заботиться о содержании в активном состоянии точек малого небесного круга, через которые циркулирует энергия Ци;
- ✦ нужно постоянно «вправлять» энергию в нужное русло.

Закончить эту главу хочется отсылкой к опыту тибетских мудрецов. О них я прочитал в Конспекте Кремлевских Мастеров:

....

Когда мы в первый раз оказались на Тибете, нам удалось побывать в дальнем, никому не известном монастыре. Говорят, узкая горная переправа, по которой нужно было пройти, чтобы оказаться там, рухнула, уничтоженная временем, и монастырь в настоящее время лишен досягаемости. Мы и тогда, 20 лет назад, пробрались туда с риском для жизни. Там нам удалось познакомиться с пятью монахами, которые потрясли нас своей силой и светом, льющимся из их глаз. Когда такой человек смотрел на тебя, казалось, что в тебе все закипает, поднимается пена, душевная накипь. Хочется тотчас отвести глаза. Но делать этого не надо. Потому что, выдержав прямой взгляд, ты чувствуешь, что пена накипи в тебе оседает. И энергия молодости другого человека входит из его глаз в твои глаза и заряжает тебя. И ты практически физически начинаешь чувствовать, что и твои глаза светятся. Этот свет подобен свету лазера. Он высвечивает всю накипь, выжигает ее в мире вокруг. И все, что остается, — это здоровая, жизнеспособная, молодая плоть. Мы спросили, сколько лет этим мудрецам и как долго они практиковались. Ответ нас ошеломил. Старшему из них было 890 лет, младшему — 280. Каждый жил при монастыре с девяти лет, стало быть, практиковал фактически всю жизнь. Все пятеро наших новых знакомцев не выглядели стариками. Они производили впечатление необыкновенно сильных, здоровых, разумных людей, для которых в этом мире не существует никаких тайн. Для того чтобы перенять их мудрость, потребовалась бы целая жизнь. Мы были ограничены временем. И потому записали с их слов только самое главное — основные техники, которыми может пользоваться современный человек для налаживания своего правильного энергообмена. Система нехитрых упражнений доступна всем. Мы уверены, что она даст достойные плоды всем, кто ее освоит. Она позволит людям черпать энергию молодости и жизни в самих себе и сохранять ее так долго, как им надо.

• •

ПРОБУЖДЕНИЕ СВЕРХСПОСОБНОСТЕЙ

Мы подошли к раскрытию еще одной важной тайны — умения предвидеть будущее и ловить знаки, делать правильный выбор, то есть менять самому и строить свою судьбу.

Что такое судьба? Цепь случайностей или реализация того, что написано на Великих Скрижалях, которые неизвестно кто хранит неизвестно где? Ни то, ни другое. Судьба — это всегда выбор. Наш с вами выбор. Сначала выбор между шоколадкой и пирожным, потом между друзьями-подругами, потом между родителями и собственной семьей. Как видите, ничего особенного — мы только тем и занимаемся всю жизнь, что выбираем. Из микровыборов шажок за шажком складывается дорога, Путь, имя которому — судьба. Причем не только своя, но и близких людей. Хотя, конечно, жить, успокаивая себя мыслью о том, что в твоих злоключениях виноват кто-то другой или вообще никто (черти, рок, злая фортуна), гораздо проще. Потому что не ощущаешь бремени ответственности за свои действия. Чего делать-то, когда что ни сделаешь, все пойдет наперекосяк? Можно и вообще воздержаться от каких-либо действий. Все равно ведь итог один.

Не один. Это только кажется, что, лежа на печи, можно получить полцарства или, наоборот, мешок оплеух. Все, что с нами случится завтра, зависит от выбора, совершаемого сейчас. Это как железная дорога. Есть рельсы, и ты едешь по ним. Вдруг стрелка повернулась, и ты либо благополучно следуешь дальше, до следующей стрелки, либо заезжаешь в тупик или вообще слетаешь с рельс. Только стрелки переключаете вы сами, а не стрелочник. Вам выбирать, по каким рельсам катиться. Вот тибетцы, например, не верят в предопределенность человеческой жизни. Они считают, что жизнь предопределена лишь для тех, кто верит в это, и либо слепо следует судьбе, либо пытается ее обмануть. Остальные — свободны. Один тибетский лама однажды сказал мне: «Представь, что ты — капитан корабля. Корабль — это твоя судьба. И ты плывешь по морю. На пути тебе встречаются рифы, айсберги, отмели, шторма — от этого никуда не деться. Но в твоих силах выбрать безопасный путь и избежать катастрофы».

Механизм принятия решений

Как делается выбор? Механизм принятия нами решений — тайна за семью печатями. Физики говорят, что все «детерминировано и вероятностно», но это не значит, что так оно и есть. Просто физикам так удобнее. Мистики и эзотерики списывают все на карму, толком не договорившись предварительно, что сие означает. Как бы то ни было, очевидно одно: ни профессиональные навыки, ни психологические знания, ни логика не обеспечивают стопроцентного успеха в принятии решений. Верные подсказки дают не папы и мамы, не учителя и не знакомые, не друзья и не первые встречные, даже не духовники и не наши вторые половинки. Только интуиция. Но мы толком не умеем с ней обращаться и не знаем ее законов. Потому нам приходят в голову всякие странные рассуждения насчет Божьей воли, рока, счастливого случая и тому подобное.

Интуиция дана каждому от рождения

А как интуицию приручить? Как заставить ее постоянно играть на своем поле? Или, если она и без наших увещеваний на нем играет, сделать так, чтобы ее голос всегда был слышен и имел статус решающего, чтобы его не забивали всякие «левые» голоса? Вам знакома такая ситуация: вы раздумываете о причинах своего неправильного выбора и, в сотый раз прокручивая ленту памяти назад, убеждаетесь — ведь приходило же в голову правильное решение! Приходило и ушло! Потому что его вытеснили другие соображения! Причем то правильное решение было немотивированным, просто пришло — как будто из ниоткуда, а забили его доводы логики и здравого рассудка! Было такое с вами? Рвали на себе волосы, ругали себя последними словами? Ничего удивительного: все среднестатистические люди слышат голос своей интуиции, но толком не умеют с ней работать.

Можно ли добиться того, чтобы интуиция всегда не давала ошибаться, позволяла получать «из воздуха» разумные и правильные решения, заранее предупреждала об опасности, целыми и невредимыми выводила из кризисных ситуаций? Представьте себе: ДА! Потому что интуиция уже есть у вас, это — главное. Она — продукт деятельности вашего мозга. Все, что требуется, — это убрать помехи, мешающие получать информацию по интуитивному каналу. От тотальной невезучести до везения всего один шаг! Всего один шаг, и ваша жизнь кардинально преобразится! Вместо отчаянного метания из стороны в сторону в надежде на счастливый случай вы начинаете сознательно прокладывать линию своей судьбы!

Что для этого надо? Вникнуть в систему работы с интуицией, говоря другими словами — приручить свое подсознание. Спросите меня, как? Есть проверенные способы, я о них вам расскажу. Вам не придется измываться над собой, часами отрабатывая определенные упражнения, ломать свое тело, садясь в лотос и изгибаясь по примеру йогов. Все гораздо проще. Надо протянуть руку и дотянуться до того «секретного ларчика», который есть у каждого. А потом все пойдет как по маслу.

Что такое интуиция

Первое, на что я хочу обратить ваше внимание: учиться пользоваться интуицией не надо! Это умение заложено в нас природой, интуитивные механизмы работают у человека постоянно. Нужно просто снять блокировки на эти умения. Создаются такие блокировки разными способами. Но основная причина в том, что нас с детства учат мыслить сугубо логически и воспринимать мир в материалистическом ключе. Социальные ограничения тоже вносят свою лепту. Да и, помимо всего прочего, у людей просто-напросто отсутствуют знания о механизмах интуиции, позволяющих успешно ею пользоваться. Давайте для начала ликвидируем этот пробел.

Как возникает интуиция

Из конспектов Кремлевских Мастеров

Мозг человека состоит из двух частей. Одна часть обеспечивает работу сознания. При помощи сознания человек ставит себе цели и задачи, а также совершает волевые усилия для их выполнения. Но чтобы цель была достигнута, этого недостаточно. Необходимо еще настроить организм на решение поставленной задачи. Сознание к такой работе не приспособлено. Этим занимается другая часть психики — подсознание, которое корректирует, перенастраивает работу всех органов и систем человека в соответствии с выбранной сознанием деятельностью.

Большинство систем организма невозможно переключить из одного режима в другой мгновенно. Поэтому необходимо заранее знать, что будет происходить в ближайшее время. С этой целью подсознание собирает информацию обо всех внутренних и внешних условиях и делает свои, независимые, прогнозы изменения окружающей обстановки, реакции человека на эти изменения и планов, которые у него возникнут в дальнейшем. Подсознание способно мгновенно перебрать и учесть весь гигантский опыт, накопленный человеком в течение жизни. Кроме того, оно умеет считывать информацию с энергоинформационного поля Земли. Поэтому оно всегда лучше сознания осведомлено о будущем. То есть, за что бы человек ни взялся, его подсознание уже знает, каков будет итог!

Тибетцы придают огромное значение подсознанию, хотя, конечно, не называют его так. Они называют подсознание *скрытыми состояниями ума*, которые при определенных условиях могут пробуждаться. Проявлениям нашей скрытой природы препятствует постоянное напряжение, навязанной нам воспитанием и цивилизацией.

Однако получать информацию непосредственно из подсознания мы не можем. Почему? Потому что сознание и подсознание используют разные способы обработки информации. Сознание действует по законам логики, подсознание же оперирует образами, чувствами, эмоциями, намерениями. Но есть обходной путь перекачки информации из подсознания в сознание: использовать в качестве посредника тело. Мы всегда можем понять, готов ли наш организм делать то, на что мы настроены. Например, когда человек идет туда, где опасно, подсознание заранее это улавливает и начинает готовить организм к борьбе за жизнь. Если в сознании отсутствует информация об опасности, эта подготовка воспринимается как ощущение некой внутренней помехи, потому что организм настроен на выживание, преодоление трудностей, а не на задуманное дело. И наоборот, если сознание и подсознание дают одинаковый прогноз, то появляется чувство внутренней гармонии, легкости.

Эти ощущения и являются интуицией, точнее ее сигналами, которые один человек воспринимает и активно использует, а другой — нет. То есть интуиция — не что иное, как результат общения сознания с подсознанием. Отрицательные сигналы могут проявляться в виде дискомфорта, чувства тяжести, затрудненности движений или дыхания, торможения. А иногда конфликт между сознанием и подсознанием воспринимается как сопротивление внешней среды. Например, можно почувствовать некую силу, действующую на тело извне, или натолкнуться на внешние препятствия типа «сломался автобус», «не завелась машина», «опоздал на поезд» и т. д. Сигналы интуиции у каждого человека свои. Кто-то хорошо воспринимает ощущения в мышцах, и тогда у него «ноги не идут», или «тело буквально летит» на задуманное дело. У другого возникает чувство тяжести в груди, третьему «подсказывает сердце», четвертый «нутром чует».

Недавно я смотрел передачу о пожаре на нефтедобывающей станции в Северном море. Один из немногих выживших рассказывал, что, спасаясь от огня, он и пятеро его товарищей оказались перед дилеммой: по какой стороне вышки спускаться вниз, по левой или по правой. «Все бросились вправо, а я не смог. Я вдруг почувствовал, что не хочу, не могу туда идти. Мое тело просто отказывалось двигаться в правую сторону. И я стал спускаться по левой», — вспоминал этот человек. Чем дело закончилось, вы, я думаю, догадались. Пятеро рабочих погибли (на правой стороне рванул газопровод), а он спасся. Благодаря тому, что уловил и принял к сведению сигналы мышц!

Один мой ученик рассказал такую историю. Его знакомая отдыхала на Гавайях, и ей зачем-то нужно было попасть с одного острова на другой. А у них между островами курсируют большие самолеты. Лайнер взлетает, набирает высоту, летит две минуты, потом идет на снижение. Нелепо, но тем не менее... Пассажиров немного, и можно было занять любое место. Женщина выбрала место в середине салона, но, спустя несколько мгновений, подчинившись какому-то неведомому ей самой внутреннему импульсу, вдруг встала и пересела в задний ряд. Что ее и спасло, потому что как только самолет набрал высоту, у него сорвало крышу (в прямом смысле) прямо над тем местом, куда эта женщина первоначально села. К счастью, самолет удалось благополучно посадить и жертв было немного. Сидевшие же в задней части салона и вовсе отделались нервным потрясением. Мой ученик спросил знакомую, были ли у нее какие-то предчувствия или необычные ощущения. Нет, ничего не было, просто она машинально пересела в задний ряд.

Такого рода случаев можно вспомнить немало. Не сомневаюсь, что вы не раз слышали нечто подобное. Среди выживших в любой катастрофе всегда найдется человек, который совершил какие-то непроизвольные действия, которые его спасли. Да что это я все о катастрофах? В повседневной жизни интуиция работает точно так же, как и в кризисных обстоятельствах. Например, вам надо обсудить с кем-то важный вопрос, а тело тормозит, ноги буквально не идут к этому человеку. Неизвестные вам обстоятельства не позволяют решить данный вопрос с данным человеком, а подсознание уже уловило это и дало сигнал.

Откуда возникает торможение?

Из конспектов Кремлевских Мастеров

В организме очень много различных мышц, и сознание не в состоянии управлять ими всеми одновременно. Когда мы хотим двинуться, оно управляет только теми мышцами, которые непосредственно участвуют в движении, все остальные курирует подсознание. Когда человек хочет сделать движение для достижения какой-либо цели, подсознание мгновенно делает прогноз и определяет, что из этого получится и, независимо от сознания, начинает готовить организм к увиденному будущему. Если прогноз не совпадает с прогнозом сознания, мышцы, управляемые подсознанием, совершают несогласованные движения с мышцами, которыми заведует в тот момент сознание. В результате возникает ощущение тяжести, торможения или сопротивления окружающей среды.

Помимо телесных ощущений для интуитивного прогноза можно использовать внезапно появляющиеся эмоции, мысли и образы. Иногда подсознание формирует пророческие сны или же образ или голос, который передает информацию сознанию (обычно эти явления списываются на чудесное вмешательство Высших Сил). Непроизвольное появление различных мыслей — довольно частое явление. Вы замечали, что за несколько мгновений до телефонного звонка вам частенько приходит в голову мысль о звонившем? А частенько вы и вовсе знаете, кто звонит, не глядя на определитель номера? Если внимательно наблюдать за собой, то вы обнаружите множество таких «совпадений». В большинстве — это не случайности: это подсознание выдает информацию о ближайшем будущем. Оно даже может оповещать о событиях, происходящих на расстоянии от нас. Мы постоянно получаем колоссальное количество информации по интуитивному каналу, но почти вся она пролетает мимо, потому что мы не умеем им пользоваться!

Мне рассказывала одна моя ученица о таких отмеченных ею в разное время закономерностях. В подростковом возрасте она влюбилась в одного молодого человека, который жил неподалеку от нее. И она точно знала, по какой улице надо пойти, выйдя из дому, чтобы встретиться с ним. Так происходило постоянно, пока она испытывала к нему чувства. Потом накал эмоций упал, и она перестала с ним встречаться. А точнее — перестала задавать себе вопрос, по какой дороге пойти, чтобы его встретить. Через некоторое время, сидя на лекции в институте, она заметила, что ее однокурсница получила записку от другой девушки. Моя ученица сразу поняла, что там обсуждался ее едва начавшийся роман с их общим знакомым. Откуда она это узнала, не читая текста записки и не словив ни одного любопытного взгляда своих приятельниц? Она сама не знает. Просто увидела, как одна перекинула записку другой, и узнала, что эта записка — про нее. Через некоторое время эта молодая дама закрутила очередной роман, который, кстати, окончился потом браком. Но сначала ее мучила неопределенность — она все хотела узнать, как сложатся в будущем ее отношения с избранником и как он к ней относится. Она раз за разом брала в руки колоду карт и спрашивала, кто ей сужден судьбой. Своего возлюбленного она постоянно идентифицировала с бубновым королем. И когда бы она ни вытаскивала из колоды карту, это всегда был бубновый король. Даже если она предварительно тасовала колоду, даже если карты были чужие.

Откуда подсознание черпает информацию о будущем

Каким же образом подсознание получает информацию о будущем? Откуда у него такое могущество?

Из конспектов Кремлевских Мастеров

Чтобы управлять настоящим и прогнозировать будущее, подсознание создает виртуальные модели. Представьте игрушечную железную дорогу с поездами, вагончиками, железнодорожными путями, стрелками и станционными домиками. Если в паровозиках есть двигатели, а стрелки имеют механизмы переключения, то можно управлять всем этим, проигрывая различные варианты развития событий. Такие «игрушки» широко применяются в науке и технике. Например, когда создается новый корабль, его миниатюрная модель обязательно опробуется в специальном бассейне, чтобы выяснить, как будет вести себя в различных обстоятельствах «настоящее» судно. Кроме того, используются компьютерные модели. В компьютере можно создавать модели любых ситуаций и просчитывать варианты развития событий.

Точно такие же модели самого человека, других людей, всех объектов, окружающей среды, а также мест, в которых он бывал или еще только предполагает находиться, имеются и в подсознании. И когда мы начинаем строить планы, подсознание проигрывает на этих моделях все возможные варианты развития событий, выбирая из них наиболее вероятный. Однако виртуальная реальность в нашей голове выглядит несколько иначе, чем в игрушечных и компьютерных моделях. Дело в том, что скорость работы мозга в сотни раз меньше скорости компьютера. Перебор различных вариантов развития событий, а потом поиск среди них оптимального, как это делает компьютер, занимал бы слишком много времени. Подсознание реализует другие принципы работы — голографические.

Чтобы понять, как все это происходит, вспомните, как выглядит голографический рисунок. Это серые пятна, состоящие из множества крохотных точек и черточек. Если направить на пятно под определенным углом луч света, то появится одно изображение, если под другим, то другое. Голографические структуры, создаваемые мозгом, содержат в себе миллиарды изображений. Все, что человек видит, слышит и ощущает, навсегда запечатлевается в его подсознании. И сознание может извлекать эту информацию в виде отдельных «картинок». Наше внимание — это внутренний луч света, освещающий голографические пятна памяти, а руководит им сознание, которое направляет «свет» на них под различными углами. Что происходит, когда мы что-нибудь вспоминаем? Нам необходимо сосредоточиться на неком пространстве внутри головы, которое невозможно описать словами, и выудить оттуда нужную «картинку». Вот это неописуемое пространство и есть голограмма, а процесс сосредоточения — освещающий ее луч света.

Любой объект виртуальной реальности подсознания можно представить в виде темного или светлого пятна голограммы. И вокруг образа каждого объекта, хранящегося в голове (человека, животного, растения, здания и т. д.), тоже возникают голограммы. Они представляют собой энергоинформационные поля, где содержится информация обо всех возможных вариантах поведения этого объекта и всех его возможных взаимодействиях с другими объектами. Эти поля как раз и организуют взаимодействие элементов виртуальных моделей в подсознании. Именно поэтому прогноз возникает не в результате перебора вариантов, а сразу же после постановки сознанием задачи: просто вся картина мгновенно перестраивается в конечный результат. Притом в нем отражаются все аспекты прогнозируемых событий, как внешние, так и внутренние: кто что сделал, какие мысли и эмоции возникли у каждого из участников событий. В роли же компьютера выступает общий фон активности клеток мозга.

Результаты такого моделирования несут гигантский объем информации, но до сознания доходят только отдельные фрагменты — образы или мысли. Извлечение информации из подсознания обычно воспринимается как воспоминание. То есть интуиция (ясновидение, яснослышание, ясночувствование) — не что иное, как вспоминание событий, произошедших в виртуальном будущем. На самом деле это очень распространенное явление. У большинства людей в жизни были моменты, когда они приезжали в какое-то место, где еще никогда не бывали, впервые встречали какого-то человека или попадали в какую-то ситуацию, и при этом ощущали, что все это уже было. Это явление даже имеет свое название: дежа вю, что означает «уже виденное».

Здесь у меня возник вполне закономерный вопрос: откуда, из какого источника в мозг поступает вся эта информация, весь этот богатейший материал для моделирования? И я задал его Мастерам. В ответ Николай попросил меня вспомнить, как обычно рождаются новые идеи. И я вспомнил! Они не возникают в голове, а приходят извне, причем всегда в готовом виде. Это действительно так: подсознание не живет в одиночестве, оно подключено к энергоинформационному полю Земли, точнее является его частью.

Из конспектов Кремлевских Мастеров

Энергоинформационные поля существуют не только в подсознании, но и в окружающем мире. Как только в подсознании отпечатался голографический образ какого-либо объекта, между ними возникает энергоинформационная связь, и в мозг начинает поступать информация обо всех изменениях, происходящих с этим объектом. Причем расстояние здесь не играет никакой роли. Вы увидели человека, и с этого момента ваше подсознание на любом расстоянии знает все, что с этим человеком происходит, а он в свою очередь полностью осведомлен о вас, связь-то взаимная. Допустим, вы планируете разговор с деловым партнером относительно заключения договора. За счет существования энергоинформационной связи с этим человеком ваше подсознание получает из его подсознания все его возможные реакции на ваши слова. Поэтому в глубинах вашей психики еще до разговора имеется информация о его исходе.

Если несколько людей мыслят в одном направлении, их психические энергии сливаются, образуя общее энергоинформационное поле, так называемый эгрегор, структурную единицу глобального энергоинформационного поля Земли. В голове каждого участника энергоинформационного взаимодействия имеется информация обо всех остальных участниках, и эти люди на подсознательном уровне могут обмениваться мыслями, идеями, эмоциями. Вот, почему все интуитивные прозрения приходят к нам извне. Интуиция находится не у вас в голове, а снаружи, и принадлежит не вам лично, а энергоинформационному полю Земли. Можно сказать, что все новые идеи рождаются коллективным усилием человечества.

....

Каково, а? Вот откуда подсознание обо всем знает! Проблема лишь одна: сознание-то пребывает в неведении, лишь время от времени в него прорываются жалкие обрывки информации. Как же вытащить на свет Божий всю правду о грядущем?..

Выводы

Вы сейчас получили уйму информации. Возможно, она оказалась для вас шокирующей, а быть может, вы «интуитивно» обо всем этом догадывались уже давно. В любом случае надо подвести кое-какие итоги, чтобы в голове все разложилось «по полочкам» и стало ясно, в каком направлении двигаться дальше.

Вывод первый. *Интуиция присуща всем людям без исключения. Она является продуктом деятельности нашего мозга и может проявляться в виде ясновидения (видение образов), яснослышания (внутренний голос) и ясночувствования (телесные ощущения).*

Вывод второй. *У обычного, нетренированного человека интуиция срабатывает непроизвольно и время от времени. В основном — в экстремальных ситуациях или при высоком накале эмоций.*

Как улучшить работу подсознания

Что делать, чтобы интенсифицировать работу подсознания? Перестать его контролировать с помощью сознания! Учиться отключать сознание и проживать отдельные фрагменты своей жизни «на автопилоте». Именно важность преодоления контроля сознания над подсознанием лежит в основе целого ряда примет. Например, известно: если рассыпали соль, будет ссора. Тут все неправильно в причинно-следственном плане. На самом деле подсознание уловило «запах» грядущих разборок и толкнуло руку одного из присутствующих к веществу, обладающему свойством нейтрализовывать негативную энергию — соли. Оно таким образом сработало на предотвращение более крупного скандала. В результате все отделались малой кровью. Привыкшее мыслить более прямолинейно сознание уловило закономерность: рука дрогнула, соль рассыпалась, произошел конфликт. Оно решило, что просыпать соль — к ссоре.

Многие творческие люди отмечают, что, когда они заняты какой-то автоматической деятельностью, к примеру, идут по улице или убираются в квартире, им думается гораздо лучше. Эффективность мышления повышается, потому что в этих условиях слабеет контроль сознания и подсознание может беспрепятственно подбрасывать ценные мысли.

Вывод третий. *Интуиция не является чем-то личным, интуитивные прозрения приходят в голову извне, точнее, из энергоинформационного поля*

Земли. Но чтобы выудить из гигантского кладезя информации ту, которая необходима вам в данный момент, нужен настрой на соответствующую структурную единицу этого поля, на эгрегор, объединяющий людей, так или иначе связанных с вашей проблемой.

Помните историю про моего брата, избежавшего смерти в авиакатастрофе благодаря моей интуиции? Вас, наверное, удивило, почему информацию о надвигающейся беде принял я, а не брат. Да потому что полеты были для него привычным делом (ему приходилось довольно часто летать по работе), он не думал о *самом перелете*, не настраивался на него, не сканировал его лучиком внутреннего внимания.

Кто-то, покупая авиабилет, смотрит на него с надеждой отдохнуть во время полета. Кто-то сосредоточен на конечной цели путешествия — на том, как он, прибыв на место, будет плескаться в море, съезжать с горы на лыжах или налаживать деловые контакты. А кто-то тревожится за надежность самолета. Все эти эмоции излучают вибрации определенной частоты, и в каждом из трех перечисленных случаев эти частоты различны. Так вот, чтобы считать, к примеру, информацию о предстоящем полете, надо мысленно его просканировать, прощупать внутренним вниманием. Вот она — настройка, позволяющая извлечь нужную информацию из глубин подсознания!

Но здесь встает вопрос: как выделить из всего потока мыслей/эмоций ту, которая пришла от интуиции? Ведь в голове обычно творится черт-те что. Страхи, сомнения, обрывки воспоминаний, мысли-скакуны — все это сливается в один ком, катящийся в неизвестность. Ответ такой же, как и в случае спонтанных движений: если мысль или эмоция пришла в виде импульса и сопровождается при этом некими телесными или психическими ощущениями, которые трудно описать словами, значит, это сигнал интуиции.

Итак, чтобы обеспечить стабильную работу интуиции, необходимо должным образом настроить тело и сознание на прием информации от подсознания. Для этого вам потребуется провести небольшую работу с собой: обуздать мысли-скакуны, научиться устранять эмоциональные помехи, повысить общую чувствительность. Обучение ясновидению начинается именно с этих, возможно не очень интересных, но необходимых практик.

Первый шаг — очищение сознания

Мы с вами уже сделали большой шаг в этом направлении — очистили наше тело. Остался еще один шаг, который, я уверен, дастся вам легко. Это очищение сознания.

Я не стану вдаваться в описание того, чем занята большую часть времени голова обычного, нетренированного человека. Вы прекрасно знаете это сами: неугомонный ум практически непрерывно ведет диалог с самим собой, а из глубин психики беспорядочно всплывают какие-то мысли, воспоминания, образы. Сигналам интуиции тяжело пробиться сквозь всю эту мешанину. Чтобы воспринимать их, вы должны утихомирить болтовню сознания. Для тех, кто хотя бы немного знаком с йогой или другими более-менее серьезными системами духовного развития, это не новость. Да, влияние сознания необходимо уменьшить, от этого никуда не деться. С другой стороны, устранить создаваемые умом помехи не так сложно, как кажется на первый взгляд. Ведь добиваться абсолютной тишины в голове не нужно. Все, что требуется, — это немного упорядочить мысли, убрать лишнее.

Выполняем дыхательные медитации

Я даю вам три дыхательных медитации, которые нужно выполнять ежедневно (в каком объеме и порядке, будет сказано в их описаниях). В какое время суток вы будете ими заниматься, решать вам. Поступайте сообразно своему распорядку дня. Я прекрасно понимаю, что многие из вас, уважаемые читатели, — люди занятые. Да уж, современный ритм жизни расслабиться не дает! И все же постарайтесь выкроить полчасика на «пробивку» своих интуитивных каналов.

Упражнения делайте спокойно, расслабленно, не гонясь за результатом. Спешка здесь совершенно ни к чему. Чем сильнее напрягаешься в погоне за целью, тем она от тебя дальше: этот закон работает так же четко, как закон гравитации, особенно когда дело касается духовных практик. У одного человека результат наступает через месяц, у другого — через год, это нормально. Так что повторяю — не спешите. Живите внутри каждой медитации, погружайтесь в нее целиком, ни о чем не заботясь, и все будет в порядке. Постепенно ум отвыкнет от болтовни, и сознание очистится.

Дыхание, очищающее сознание

Начните перевоспитание сознания с этого разминочного упражнения. Его следует отрабатывать в течение как минимум трех недель. Это при условии, если упражнение делается ежедневно три раза в сутки. Естественно, если вы филоните, то срок удлиняется.

1. Лягте или сядьте, как вам удобно, и полностью расслабьтесь. Дышите спокойно, чуть глубже обычного, через нос.

2. Начните наблюдать за своим дыханием. Мысленно фиксируйте, как воздух входит через ноздри, проходит через гортань, трахею, наполняет легкие, расширяя грудную клетку, а потом тем же путем выходит. Короче говоря, вы просто-напросто сосредоточиваетесь на процессе, который обычно происходит сам собой, без вашего контроля.

3. Глубоко вдохните и выдохните, а потом задержите дыхание. Во время задержки дыхания сосредоточьтесь на ощущениях в теле. Вы обнаружите, что, несмотря на отсутствие дыхания, грудная клетка продолжает слегка подыматься и опускаться. Продолжайте наблюдать за своими ощущениями: вам хорошо и дышать совсем не хочется. Задержка дыхания должна продолжаться, пока вам это будет приятно, а не до удушья, то есть не более 15–30 секунд. За это время грудная клетка успеет подняться и опуститься 2–3 раза.

4. Уравновесьте дыхание, сделав несколько медленных вдохов и выдохов без пауз.

5. Повторите весь цикл еще два раза.

Человек мыслит только тогда, когда дышит. Когда дыхание прерывается, поток мыслей прекращается. Именно на этом принципе основывается данное упражнение.

Медитация интуитивного озарения

Добросовестно отработав первое упражнение, переходите ко второму. Данная медитация проводится 1 раз (при наличии свободного времени — 2 раза) в день, не раньше, чем через час после еды и не позже, чем за час до сна. Объем занятий не ограничен. Я рекомендую придерживаться такой схемы: 21 день вы выполняете медитацию ежедневно, затем переходите на режим 2 раза в неделю и придерживаетесь его до тех пор, пока ваша интуиция не начнет работать в полную силу.

Уединитесь в помещении, где вы могли бы спокойно посидеть минут 40–45. Телефон лучше отключить, а шторы занавесить, чтобы вас ничто не отвлекало.

Примите удобное положение, расслабьтесь и закройте глаза. Спину и голову держите прямо, старайтесь не горбиться. Если трудно, то лягте на спину и делайте упражнение в лежачем положении. Дышите через нос, чуть глубже, чем обычно.

Переключитесь на нижнебрюшное дыхание: на вдохе живот слегка округляется, на выдохе — втягивается. Но специально производить эти движения не нужно, все должно происходить само собой. Вам вообще не нужно ничего делать и ни о чем думать. Вы просто сидите или лежите и наблюдаете за своим дыханием.

Вдыхая, ощутите, как воздух, заходя в ноздри, касается их. Проследуйте за ним в носоглотку, трахею, легкие... В каком-то месте вы обнаружите точку, где дыхание на мгновение останавливается и воздух направляется обратно. Проследуйте за выдохом и снова ощутите, как воздух, выходящий из носа, касается ноздрей. И вы опять зафиксируете точку, где дыхание останавливается, а потом начинается следующий дыхательный цикл: вдох — остановка — выдох — остановка... Только не надо намеренно удлинять паузу. Дышите в своем обычном ритме, дыхание должно быть естественным и останавливаться само собой. Постепенно пауза между вдохом и выдохом будет увеличиваться сама собой. Ее длительность дойдет до минуты, потом — до нескольких минут. Вдох, пауза — и в течение нескольких минут выдох не происходит. Дыхание остановилось, время остановилось, ум замолк, ход мыслей прекратился...

Во время медитации у вас будут появляться какие-то мысли, эмоции, ощущения, вы услышите какие-то звуки. Рассматривайте их как облака, проплывающие в небе: вы их не отвергаете, но и не привязываетесь к ним. Едва вы зафиксировали, что отвлеклись, сразу же возвращайтесь к наблюдению за дыханием.

Помните, что в ходе этой медитации ничего особенного происходить не должно. Здесь нет успехов и нет поражений. Сидя и наблюдая за своим дыханием, вы превращаетесь в тихую озерную гладь, в которой отражаются проплывающие по небу облака. Ваше сознание расстается с привычкой болтать попусту и настраивается на восприятие интуитивных импульсов.

Медитация ожидания

Эта медитация посложнее, так как она предполагает сидение не только без мыслей, но даже и без наблюдения за дыханием. Поэтому я рекомендую сперва освоить предыдущие упражнения и лишь потом приниматься за это. Делайте его 1 раз в неделю, наряду с медитацией интуитивного озарения.

Сядьте «по-турецки». Обратите внимание: спина должна быть прямой. Если вам трудно находиться в таком положении, спина напрягается или затекает, подложите под нее подушку и выполняйте упражнение на диване или стуле со спинкой. Руки лежат на коленях, ладони сложены в форме чаш. Это одна из древнейших поз, ее практиковали все Великие Учителя человечества, и она является обязательной частью занятий всех серьезных йогов. Поза ожидания устанавливает правильное течение энергии в организме, и человек становится более восприимчивым для энергоинформационных потоков из подсознания.

Ваша задача — просто сидеть в такой позе и ждать. Представьте, что вы ждете важного телефонного звонка: пребывайте точно в таком же состоянии. Только думать ни о чем не нужно. Ваш ум должен быть подобен озерной глади, в которой отражаются проплывающие по небу облака-мысли. Вы должны просто ждать. По прошествии некоторого времени у вас появится ощущение, будто вы окутаны некой аурой: энергия падает на вас как дождь на землю, проникая все глубже и глубже, пропитывая, наполняя все ваше тело. Ваше сознание кристально чисто. Оставайтесь в такой позе от 30 минут до часа, на сколько хватит терпения.

Режим медитирования

Итак, задача ясна. 21 день выполняете первое упражнение, затем переходите ко второму в режиме 2 раза в неделю, еще через 21 день подключаете третье в режиме 1 раз в неделю, итого 3 раза в неделю. И практикуете их до победного конца, то есть пока ваше сознание не очистится настолько, чтобы принимать сигналы интуиции. Для меня эти упражнения — неотъемлемая часть тренировок. Подобно большинству йогов, я занимаюсь ими систематически.

Кстати, почему везде фигурирует период в 21 день? Вам следует это знать. Именно столько времени требуется для закрепления новых привычек. Период привыкания к чему-то новому длится 21 день, на 22-й это новое становится привычной процедурой, такой же, как, например, чистка зубов. Приступая к новым тренингам, важно перешагнуть трехнедельный рубеж, а дальше вам уже не придется прикладывать больших усилий и силком заставлять себя выполнять упражнения: все пойдет как по маслу.

Обостряем восприятие сигналов интуиции

Наш следующий шаг — настроить свою энергетическую систему на прием информации из энергоинформационного поля Земли, частицей которого, напомню, является подсознание.

Из конспектов Кремлевских Мастеров

Человеческий организм — это нечто большее, чем видимое глазу физическое тело. Помимо физического, у любого живого существа есть тело энергетическое, или аура. Несмотря на то, что аура не видна невооруженным глазом, она является реально существующей субстанцией. Специальные сверхчувствительные приборы регистрируют ауру, она даже была сфотографирована и получила название Кирлиановского свечения.

Аура человека имеет сложный состав. Она состоит из нескольких энергетических тел, заключенных друг в друга, подобно матрешкам. Эти тела повторяют плотное физическое тело, но несколько больше его по контуру. Всего энергетических тел шесть. Наиболее значимые из них эфирное, астральное и ментальное. Питает все эти тела особый вид тонкой энергии (в Китае ее называют *Ци*, в Индии — *прана*), которую человек получает через пищу, дыхание, половые сношения, а также из Космоса.

Поступающая извне энергия циркулирует в организме по специальным энергетическим каналам, называемым меридианами. А ее накопление и переработка происходят в энергетических центрах астрального тела — чакрах, расположенных вдоль позвоночного столба. Чакры заведуют всеми процессами, происходящими в организме, и дают человеку физические, психические и духовные силы. То, как человек себя чувствует, как воспринимает себя и окружающий мир, как реагирует на события, зависит от состояния чакр. Способность считывать информацию из подсознания не является исключением: ее наличие или отсутствие также определяется качеством работы чакр. Если чакры в порядке, там нет застоев энергии и они находятся в активном состоянии, человек чувствителен и может в любой момент своей жизни сделать интуитивный прогноз грядущих событий. Эпизодические проявления интуиции свидетельствуют о нарушениях в энергетической системе. Полное же отсутствие интуиции говорит о том, что эти нарушения серьезны.

С чего начинать день

А начинать его нужно с дыхательного упражнения, которое выполняется сразу после пробуждения. Оно элементарное и отнимет у вас максимум две минуты, хотя инструкция занимает несколько страниц (пускай это не сбивает вас с толку!). Цель упражнения — очистить энергетические каналы организма от блокировок. Каналы прочищать необходимо, причем делать это нужно систематически. Если они забиты, то энергия просто-напросто не проходит в чакры, она застревает где-то на полпути. Заниматься чакрами имеет смысл лишь при условии, что вы одновременно прочищаете и каналы тоже.

***Внимание!** Прежде чем приступить к упражнению, сориентируйтесь по сторонам света!*

Прочистка энергетических каналов

Встаньте лицом на восток. Спина прямая. Ноги на ширине плеч. Руки свободно висят вдоль туловища. Все тело, кроме мышц, участвующих в поддержании позы, расслаблено. Направьте свое внимание на дыхание. Дышите в своем обычном ритме, намеренно углублять дыхание не надо — постепенно это будет происходить само собой. Начинаем упражнение.

В начале очередного вдоха разверните ладони так, будто они приготовились что-то зачерпывать и поднимать. Продолжая вдох, синхронно поднимайте руки вверх, мысленно представляя, будто из них течет и выливается на тело энергия. На уровне горла ладони переворачиваются и продолжают подъем внутренней стороной вниз. В самой высокой точке траектории ладони снова переворачиваются. Вдох завершен. На выдохе ладони скользят через стороны вниз, словно вы изнутри ощупываете свою ауру. В конечной стадии движения руки занимают исходное положение.

Обратите внимание: движения рук должны быть синхронны дыханию. На вдохе руки идут вверх, на выдохе — вниз, но господином здесь является дыхание, руки — слуги. То есть, если вдох оказался продолжительностью 3 секунды, то и руки должны подняться в крайнее верхнее положение за 3 секунды. С выдохом все то же самое. На выдохе руки движутся вниз со скоростью, равной скорости выдоха.

На вдохе представляйте, как вместе с воздухом вы вбираете из окружающего пространства чистую прохладную энергию. Сопровождайте образ энергии ощущениями: следуйте за ней в носоглотку, по трахее, легким — до солнечного сплетения. На выдохе рисуйте образ теплой энергии, исходящей из солнечного сплетения. Мысленно проведите ее по подмышечным впадинам, рукам и выведите в окружающее пространство через указательные пальцы. Эти образы также должны сопровождаться ощущениями. Зачем нужны все эти мысленные представления? Когда вы сосредоточиваетесь на каком-то участке тела, вы усиливаете там кровообращение. А вместе с ним увеличивается и ток энергии по этому пути, что и требуется для прочистки каналов.

Проговорю упражнение еще раз. Вы встаете лицом на восток и устанавливаете руки так, будто зачерпываете что-то. Далее совершаете вдох, рисуя в голове образ поступающей вместе с воздухом чистой прохладной энергии. Одновременно с вдохом поднимаете вверх руки, «выливающие» на тело энергию. На уровне горла ладони разворачиваются внутренней стороной вниз и в самой высокой точке траектории снова поворачиваются, но на этот раз внутренней стороной вверх. Затем идет выдох, во время которого руки движутся через стороны вниз с обращенными вовне ладонями, словно поглаживая изнутри сферу вашего биополя. Руки должны опускаться со скоростью выдоха. Выдох и скольжение рук вниз сопровождаются образом и ощущениями движения энергии от солнечного сплетения, через руки с выходом ее по указательным пальцам.

Далее вы разворачиваетесь на юг и проделываете все то же самое, только «выдох» энергии осуществляется через средние пальцы. Потом разворачиваетесь на запад с «выдохом» через безымянные пальцы и, наконец, на север, где энергия «выдыхается» через мизинцы. Четыре дыхательных цикла выполняются с вращением по часовой стрелке: они начинаются с положения лицом на восток и заканчиваются положением лицом на север. Упражнение выполняется один раз: по одному дыхательному циклу на каждую сторону света.

Следите за тем, чтобы при поворотах ваш корпус не раскачивался из стороны в сторону. Представьте, что сквозь вас проходит ось, вокруг которой вы и вращаетесь. Повороты должны осуществляться в период между выдохом и вдохом, когда возникает естественная задержка дыхания.

Умывайтесь и повышайте чувствительность чакр

Как только проделали упражнение, отправляйтесь в ванную. Вот здесь-то и начинается работа с чакрами. Дело в том, что умывание особым способом пробуждает чувствительность верхних чакр, ответственных за интуицию. Проводится оно так.

Включите только холодную воду. Выплесните три горсти воды на лицо, три горсти — на область горла (Вишудха-чакра), верхнюю часть груди (Анахата-чакра) и, наконец, на область солнечного сплетения (Манипура-чакра), после чего хорошенько, докрасна разотрите эти места полотенцем.

«Разгоняем» чакры

Следующие два упражнения направлены на очищение и активизацию чакр. Их достаточно выполнять один раз в неделю. Время суток — любое, но не ранее, чем через час после еды и не позднее, чем за час до сна. Сначала производится очищение чакр и только потом — их активизация. Хотя совершенно необязательно выполнять эти два упражнения подряд. Очистить чакры можно, к примеру, вечером, а активизацией заняться на следующий день.

Очищение чакр

Упражнение достаточно длинное, на него требуется порядка 40 минут — настройка, плюс 5 минут на очищение каждой чакры. Но оно того стоит. Решающую роль здесь играют равномерное дыхание и концентрация внимания на чакрах, поэтому не спешите. Потратьте на упражнение столько времени, сколько потребуется, чтобы настроиться на каждую чакру: с каждым разом вам будет это удаваться всё лучше и лучше, и время упражнения будет сокращаться.

1. Сядьте «по-турецки». Ладони положите на колени, глаза закройте. Кончик языка касается нёба у основания передних зубов. Спина прямая. Если такая поза вам неудобна, подложите под поясницу небольшую подушечку или выполняйте упражнение лежа на спине.

2. Не меняя позы, спокойно дышите в течение нескольких минут. Расслабьтесь, отбросьте посторонние мысли, настройтесь на упражнение. Не надо намеренно углублять и замедлять дыхание, оно должно быть равномерным и чуть более глубоким, чем обычно. Держите такой ритм на протяжении всего упражнения.

3. Направьте внимание на первую чакру — Муладхару: она находится в основании копчика, между анальным отверстием и половыми органами. Сосредоточьтесь на этом участке, постарайтесь почувствовать чакру. Обычно при концентрации на Муладхаре возникает легкое половое возбуждение. Продолжая дышать спокойно и ритмично, представьте, что вы дышите не через верхние дыхательные пути, а через Муладхару. На вдохе чакра насыщается свежей энергией, поступающей из окружающего пространства, а с выдохом из чакры выносится энергетический мусор — его можно представить в виде дыма или потока

грязи. Время такого медитативного дыхания через чакру — около 5 минут.

4. Затем переводим внимание на Свадхистана-чакру, расположенную в нижней части живота, на вершине лобковой кости. Ощутите чакру, настройтесь на нее, а потом начните через нее «дышать». Все просто: вдох приносит свежую энергию, выдох уносит энергетический шлак.

5. Далее переводите внимание на Манипура-чакру, расположенную в области солнечного сплетения, и 5 минут «дышите» через нее. Потом работаете с Анахатой, что в центре груди, на уровне сердца. С Анахаты переходите к Вишудхе, расположенной в области горла. С Вишудхи — к Аджне, которую часто называют «третьим глазом»: она в центре лба. И заканчиваете упражнение Сахасрара-чакрой, расположенной в 1 см над макушкой головы.

6. После того, как вы «продышите» все семь чакр, направите внимание на свое биополе. Аура имеет яйцеобразную форму и окружает физическое тело, ее толщина составляет как минимум 30 сантиметров (у некоторых людей биополе может простираться на несколько десятков метров). Сосредоточьтесь на ауре, постарайтесь почувствовать ее. Продолжая ритмично дышать, представляйте и ощущайте, как с каждым вашим вдохом биополе насыщается свежей энергией из окружающего пространства, а с каждым выдохом освобождается от накопившейся грязной энергии.

7. Закончив очищение ауры, не меняйте положение тела и не открывайте глаз. Дышите медленно и равномерно. Дайте своему организму время усвоить полученную энергию. Только не нужно ожидать каких-то особых ощущений или пытаться вызвать их у себя. Сидите (лежите) расслабленно, думайте только о дыхании.

8. Упражнение закончено. Чтобы выйти из медитации и переключиться на реальный мир, сделайте

два глубоких вдоха-выдоха, хорошенько потрите ладошки друг о друга, проведите ими по лицу, будто вы умываетесь энергией, и откройте глаза. Через пару минут можно заняться своими делами.

Раскрытие чакр

Этот комплекс упражнений, как уже было сказано, можно выполнять только после очищения чакр. Раскрыть чакру означает создать поток энергии между этой чакрой и чакрой, расположенной ниже. Помимо ясновидения, яснослышания и ясночувствования, раскрытие чакр дает улучшение физического самочувствия, так как активно работающая чакра благотворно влияет на прилегающие к ней органы. Но все эти эффекты вы получите только при систематической практике данного комплекса в сочетании с очищением чакр.

Муладхара

Сядьте на пятки, руки положите на колени, спину старайтесь держать прямо. Закройте глаза и сосредоточьтесь на Муладхара-чакре, почувствуйте ее.

Сделайте глубокий вдох и одновременно наклонитесь вперед, округлив спину. На выдохе прогнитесь назад и вслух (можно вполголоса) произносите ЛАМ — это мантра Муладхара-чакры.

Из конспектов Кремлевских Мастеров

Мантры принадлежат традициям ламаизма и буддизма. Это слоги или слова, обладающие особой силой и способные производить изменения в теле и психике человека. В переводе с санскрита слово *мантра* означает «освобождение ума». Каждый звук мантры вызывает резонанс в той или иной части тела и активизирует те или иные чакры, пробуждая скрытые внутренние ресурсы человека.

В мантре главную роль играет сам звук, поэтому не следует стремиться понять, что означает та или иная мантра. За каждой мантрой стоит определенный вид энергии, представляющий собой одну из сил единого Бога. Таким образом, произнося ту или иную мантру, человек не только пробуждает свои внутренние ресурсы, но и взывает к силам Вселенной.

У вас может появиться чувство распирания в копчике или ощущение, будто там что-то ноет, крутит: не пугайтесь, это нормальные ощущения Муладхары. Спустя некоторое время практики (но это произойдет далеко не с первого раза), вы увидите саму чакру. Сидя с закрытыми глазами, сосредоточившись на чакре, мысленно произнося ЛАМ, вы вдруг увидите вращающийся по часовой стрелке вихрь красного цвета. Видение возникает на подсознательном уровне. Обратите внимание на цвет и форму вихря. Чистый ровный цвет говорит о том, что Муладхара в порядке. Грязный цвет, искривление формы воронки, наличие вкраплений являются признаками нарушений в работе чакры. То же верно и для остальных чакр, только у них другие цвета.

Повторите упражнение 7 раз.

Свадхистана

Сядьте на пол, скрестив ноги, и возьмитесь руками за лодыжки. Глаза закройте. Сосредоточьтесь на Свадхистане: мысленно опуститесь сверху вниз и войдите в позвоночник на уровне лобка. Возможно, вы почувствуете распирание, тяжесть, тепло или покалывание в нижней части живота или с боков: это результат концентрации внимания на Свадхистане. По мере практики упражнения вы начнете видеть чакру мысленным взором: она выглядит как вихрь оранжевого цвета.

На вдохе согнитесь вперед, выпятив грудь и прогнувшись в пояснице. На выдохе выгните спину назад и подвиньте верхнюю часть таза вперед, опираясь на седалищные кости. Одновременно с выдохом произносите мантру ВАМ.

Повторите упражнение 7 раз.

Манипура

Примите исходное положение: сидя на полу, скрестив ноги. Закройте глаза. Дышите глубоко и медленно. Спина обязательно должна быть прямой. Мысленно войдите в область солнечного сплетения, где находится Манипура, сосредоточьтесь на ней. Концентрация на чакре часто сопровождается ощущением, будто в солнечном сплетении «сидит» энергетический шарик. Может также возникать ощущение тепла, свербения, вращения и мысленное видение чакры: она имеет вид вращающейся воронки желтого цвета.

Возьмитесь четырьмя пальцами рук за переднюю сторону плеч, а большими пальцами — за заднюю. На вдохе поворачивайте корпус влево, на выдохе — вправо. Правый поворот сопровождайте мантрой РАМ.

Повторите упражнение по 7 раз в каждую сторону.

Отдохните минутку и снова проделайте упражнение, но уже стоя на коленях.

Анахата

Сядьте на пол, скрестив ноги. Дыхание медленное и глубокое. Глаза закрыты. Направьте свое внутреннее внимание в центр груди, на уровень сердца: именно здесь находится Анахата.

Упритесь сцепленными пальцами рук в область сердца, широко расставив локти в стороны. Двигайте локтями вверх-вниз, как пилой, удерживая при этом спину прямой. На вдохе локти идут вверх, на выдохе — вниз с произношением мантры ПАМ.

Сделайте 7 таких двойных движений.

Отдохните минутку и повторите упражнение, сидя на пятках. Не забудьте подобрать таз.

Во время упражнения может возникнуть тепло в области груди, но бывают и другие ощущения, у разных людей они различны. Перед мысленным взором чакра предстает в виде вихря зеленого цвета. Если цвет чистый и воронка не искривлена, значит, Анахата в порядке. Любые дефекты цвета и формы чакры говорят о нарушениях в ее работе.

Вишудха

Примите исходное положение: сидя на полу, скрестив ноги, с закрытыми глазами. Крепко возьмитесь руками за колени и выпрямите руки в локтях. Мысленно проникните в область горла, чуть пониже гортани: здесь находится Вишудха, сосредоточьтесь на ней.

Медленно согните позвоночник в грудном отделе, а потом так же медленно примите исходное положение. При движении вперед вдыхайте, при движении назад выдыхайте и произносите мантру ХАМ.

Повторите упражнение 7 раз и немножко отдохните.

Затем проделываем вторую часть упражнения. Исходное положение — прежнее. Концентрация на чакре сохраняется. Сгибайте спину, одновременно поднимая плечи на вдохе и опуская их на выдохе в сочетании с мантрой ХАМ. Повторите эти движения также 7 раз.

Потом глубоко вдохните, замрите с приподнятыми плечами и расслабьтесь.

Проделайте упражнение еще раз, сидя на пятках.

Во время работы с Вишудхой могут возникать разные ощущения в области горла, как приятные, так и не очень. Если чакра не в порядке, часто появляется удушье или ком в горле: не пугайтесь, продолжайте работать с чакрой, когда она раскроется, все это пройдет. На «ментальном экране» Вишудха имеет вид вихря голубого цвета.

Аджна

Эта чакра очень важна, так как непосредственно отвечает за интуицию. Поэтому ее нужно проработать особо тщательно.

Примите исходное положение: сидя «по-турецки» и обхватив пальцами горло. Глаза закрыты. Мысленно войдите в череп, поднимитесь до «третьего глаза» и «смотрите» между глаз, чуть выше бровей, сведя внутреннее внимание в одну точку. У вас может возникнуть тяжесть и ломота в средней части головы или во лбу: это обычные ощущения Аджны. Спустя некоторое время практики упражнения, вы увидите чакру мысленным взором: она представляет собой вихрь синего цвета.

Сделайте медленный вдох и задержите дыхание. Во время паузы напрягите живот и мышцы промежности, стараясь через позвоночник «выдавить» вверх энергию, как зубную пасту из тюбика. «Выпустите» энергию через макушку, подняв руки со сплетенными в замок пальцами над головой. На выдохе опустите руки и произнесите мантру АОУМ.

Сделайте упражнение еще раз, а потом повторите его, сидя на пятках.

Из конспектов Кремлевских Мастеров

АОУМ — самая главная мантра. Считается, что от этого звука произошли все прочие звуки и слова. Звук АОУМ вводит в резонанс с Космическими вибрациями, это прямое обращение к Богу. На бытовом уровне чтение данной мантры усиливает интуицию и очищает сознание.

Мантра читается нараспев как А+О+У+М. Выдох идет через нос и рот одновременно, потом губы смыкаются, и остается одно М. Все звуки произносятся на одной ноте, плавно переходя друг в друга. При правильном произнесении мантры появляется слабый высокий звон, вызывающий ощущение вибрации в центре лба.

Звук А должен занимать около 20% всего времени чтения мантры, звуки О и У вместе также занимают 20%, а на последний звук М отводится около 60% времени звучания мантры. Но зацикливаться на времени, отсчитывая секунды, не надо. Просто старайтесь примерно соблюсти это соотношение.

Сахасрара

Сахасрара — чакра Знания, связывающая нас с Абсолютом. Развитая Сахасрара дает чистую интуицию, доходящую до Божественных Откровений, и выводит на уровень Космического Знания. Поэтому работа с этой чакрой очень важна.

Сядьте «по-турецки» и поднимите вытянутые руки над головой. Сплетите все пальцы, кроме указательных (они должны быть подняты вверх). Сосредоточьтесь на Сахасраре: она находится в 1 см над теменем. По мере практики упражнения вы начнете видеть чакру: либо вихрь фиолетового цвета, либо ярко-белый свет.

На вдохе втяните пупок, произнося САТ, на выдохе — расслабляйте, произнося НАМ. Делать все это нужно в быстром темпе. Подышите так пару минут.

Затем сделайте медленный вдох. Одновременно с вдохом «выдавите» энергию из основания позвоночника и мысленным усилием направьте ее по позвоночнику к макушке головы, напрягая сначала мускулатуру сфинктера, а потом мышцы живота. Задержите дыхание. Потом медленно, сохраняя напряжение мышц, выдохните и расслабьтесь. Эта часть упражнения выполняется без мантры.

Отдохните и повторите упражнение, сидя на пятках.

После этого отдохните и снова повторите упражнение, но уже без мантры: вместо этого энергично дышите через нос.

Итак, схема вашей работы по обострению чувствительности такова. Очищение энергетических каналов и умывание — ежедневно с утра, упражнения по очищению и «раскачке» чакр — один раз в неделю (это минимум, при наличии свободного времени это количество можно увеличить до двух). И не забывайте о медитациях для очищения сознания!

Как достичь эмоциональной нейтральности по отношению к событиям будущего

Эмоциональная непривязанность к грядущим событиям, — пожалуй, самый больной вопрос в деле предсказания будущего. Обстоятельства, в которых необходимо проявлять интуицию, почти всегда сопровождаются сильными эмоциями. Человек фиксируется на них, и это не позволяет ему трезво оценить ситуацию, не говоря уже о том, чтобы услышать тихий голос интуиции. Если вы хотите узнать будущее, вы должны находиться в нейтральном эмоциональном состоянии. Вам должно быть абсолютно «до фени», чем закончится задуманное вами мероприятие.

Взять те же авиаперелеты. Вы начитались газет, насмотрелись «страшилок» по телевизору, купили билет на самолет, и у вас — мандраж. Что это: предвестник грядущей катастрофы или обычный страх? Или: встали рано утром, не выспались, на работу идти не хочется. Это лень или предупреждение интуиции о том, что сегодня при выходе из дома вам дадут по голове и выпотрошат ваш бумажник? Пока вы эмоционально не отпустите ситуацию, вы этого не поймете. Более того: если начать *думать*, то есть подключить логику, станет еще хуже: вы либо вгоните себя в жестокий депрессняк, либо вообще никуда не пойдете или не полетите и, в конце концов, заработаете себе какую-нибудь фобию.

Вывод очевиден: с эмоциями надо что-то делать, их надо уметь отодвигать на второй план. Иначе говоря, надо владеть особым состоянием психики, которое Кастанеда называет состоянием воина, психологи — субъект-объектным разотождествлением, а я — «средним режимом», или «режимом стороннего наблюдателя». Кстати, именно в этом состоянии танцуют на раскаленных углях, ходят по битому стеклу, левитируют и творят прочие подобные «чудеса». Еще более очевидно то, что волевым усилием такого состояния не достичь. (Естественно, существуют люди, которые от природы наделены этим умением, но таких немного и вряд ли они станут читать эту книгу: она им просто-напросто не нужна.) Стало быть, необходимы какие-то тренинги. И такие тренинги — есть!

Первое знакомство со «средним режимом»

Я предлагаю вам попробовать организовать у себя «средний режим» прямо сейчас.

Поставьте вертикально перед лицом указательные пальцы обеих рук. Остальные пальцы сложите в кулак, а сами кисти разверните внешней стороной к лицу. Расстояние от рук до лица — примерно 20–30 см. Указательные пальцы должны находиться вплотную друг к другу. Представьте, что они слиплись и составляют одно целое.

Сосредоточьтесь на указательных пальцах и начните медленно разводить руки в стороны, удерживая внимание одновременно на них обоих. У вас появится ощущение, будто ваше внимание расширяется. На определенном расстоянии пальцев друг от друга оно начнет перебегать с одного пальца на другой: это происходит потому, что концентрированное внимание больше не может охватывать оба пальца. Для того чтобы воспринимать их вместе, вы должны рассредоточить внимание. Сделайте это, мысленно перебазировав центр внимания вдаль или внутрь головы. Можно также разделить внимание на два потока. Действуйте, как вам удобнее. В результате внимание перестает бегать от одного пальца к другому, оно как бы застывает, становится неподвижным, при этом оба пальца воспринимаются одновременно, но менее отчетливо, чем обычно.

Что вы будете ощущать

Эти действия могут сопровождаться легким головокружением, чувством расширения или сжатия в голове, будто «крыша поехала», ощущением пустого пространства между руками, волнами прохлады или тепла, углубления в себя или ухода внимания вдаль.

Но самое главное — вы должны прочувствовать изменение четкости восприятия пальцев и рассредоточение внимания. Возникает состояние, похожее на то, когда вы с головой погружаетесь в свои мечты или в интересную, захватывающую работу и не обращаете внимания на окружающий мир. Только здесь вместо мечтаний и работы — пальцы. Это состояние некой рассеянности, расплывчатости внимания. А у некоторых людей, может, наоборот возникнуть чувство внутренней мобилизации: обычно это те, кто занимается интеллектуальным трудом.

Это и есть «средний режим». Вот в таком состоянии и нужно жить, смотреть таким рассредоточенным взглядом на окружающий мир, чтобы адекватно воспринимать события и сигналы интуиции и адекватно же на них реагировать. Я не шучу. Пребывание в «среднем режиме» убирает из жизни «черные полосы», она становится более контролируемой, перестают происходить события из разряда «как снег на голову» и «нежданно-негаданно». А еще вы начинаете читать так называемые знаки судьбы. Ведь подсказки насчет ближайшего будущего нам дает не только внутренний мир — ощущения, предчувствия, сны, внутренний голос, — но и внешний. И этих подсказок немало. Просто мы их не фиксируем, потому что наше внимание постоянно бегает с одного объекта на другой.

••••••••••••••••••••••••••••••

Расскажу вам одну историю, которую буквально на днях поведала мне моя ученица. Это был обычный, ничем не примечательный день. Ранняя весна, солнышко, хорошее настроение, никаких дурных предчувствий и кошмарных снов накануне... Женщина сидела на работе, обменивалась с друзьями сообщениями по электронной почте. Словом, все как обычно, ничего особенного. Один из приятелей прислал ей рассказ. Она не помнит точно, о чем он был, кажется, о несчастной любви. Заканчивался рассказ так: парень приходит к девушке домой, а она лежит в ванне в луже крови с перерезанными венами. «Прочитав рассказ, я подумала: какая чушь! И даже возмутилась: пришло же ему в голову послать мне такую ерунду?» — вспоминает моя ученица. Каков же был ее ужас, когда, придя вечером домой, она увидела у себя в ванной точно такую же картину. Только в луже крови лежала ее дочь. Сигнал о грядущей беде поступил. Но женщина его не восприняла. А вот если бы она владела «средним режимом» (хотя здесь дело не только в нем, но и в низкой чувствительности чакр, ведь у женщины не было никаких предчувствий), то ей бы это удалось, и она смогла бы предотвратить беду, дочь осталась бы жива. Потом она допытывалась у своего знакомого, почему он тогда послал ей тот рассказ. Он ответил, что и сам не знает, просто послал и все.

....

Будьте избирательны со знаками судьбы

Многие люди, начитавшись подобных историй, начинают искать знаки судьбы во всем. Приходит на электронный адрес спам с предложением оформить шенгенскую визу в такой-то фирме, и человеку это кажется относящимся лично к нему: «Ага, предлагают оформить визу, значит, суждено мне скоро быть в Европе». Сообщают в новостях об автомобильной аварии, и человек решает, что завтра его ждет то же самое. И так далее. Я хотел бы предостеречь вас от подобных ошибок. Телевизор и разного рода рекламу вообще следует исключить из «поставщиков» знаков судьбы. Иначе вы найдете их столько, что у вас «поедет крыша». Не надо специально выискивать знаки судьбы. Приведите в порядок чакры, очистите сознание, овладейте «средним режимом», и тогда, получив информацию, относящуюся к вашему будущему, вы будете *знать*, что это — знак.

Применение «среднего режима»

Возвращаемся к нашим тренингам. Теперь давайте попробуем применить «средний режим» к реальным обстоятельствам. Вспомните какую-нибудь стрессовую ситуацию, бывшую в прошлом и нанесшую вам настолько глубокую душевную травму, что она до сих пор вас беспокоит. Допустим, вас подставил человек, которому вы доверяли. Мысленно вернитесь в ту ситуацию. Но представлять ничего не надо, вернитесь в нее эмоционально, переживите те чувства, которые вы тогда испытали. А теперь разделите свое внимание на два первых попавшихся на глаза предмета, как вы проделывали это с пальцами: один предмет должен находиться слева от центра зрения, другой — справа. Вы сразу же заметите, что эмоциональная нагрузка уменьшилась. А если в пространство между этими предметами мысленно поместить объект, который вызывает у вас позитивные эмоции, например образ любимого места на природе, вы успокоитесь совсем.

Примерно так работает «средний режим». Если у вас ничего не вышло, не расстраивайтесь. Пробуйте снова и снова, ничего сложного здесь нет, вы просто перестраиваете свое внимание. Рано или поздно у вас получится.

Такой тренинг с разделением внимания можно проводить не только дома, но и непосредственно в «горячих» ситуациях. Пользуйтесь им! И, конечно же, он незаменим при предсказании будущего. «Средний режим» обычно организовывается перед проведением методик интуитивного прогноза. Эти методики ждут вас впереди. Но я не рекомендую хвататься за них прямо сейчас, ведь вы еще как следует не освоили «среднего режима», только познакомились с ним, а без него у вас ничего не выйдет. В данный момент ваша задача — отработать этот режим, довести его до автоматизма. Он просто тупо нарабатывается тренингами. Полагаю, они вам понравятся, поскольку в них присутствует элемент игры. Да еще знакомых удивите, когда продемонстрируете им свои достижения.

Тренинг с карандашом

Начните с самого простого упражнения. Нужно взять карандаш или шариковую ручку, самую простую, без наворотов, и положить ее на ладонь. Вертикально или горизонтально — значения не имеет, кладите как вам удобно. Правшам лучше использовать правую ладонь, левшам — левую.

Представьте, что ладонь и ручка слиплись, стали единым целым.

Теперь направьте свое внимание на два любых предмета, находящиеся справа и слева от центра вашего зрения, и раздвоите его подобно тому, как вы делали это в предыдущем упражнении. Едва ваше внимание сделается рассеянным, начинайте медленно переворачивать ладонь с ручкой внутрь. Но вы не должны отвлекаться на это действие, выполняйте движение рукой как бы *между прочим*, продолжая удерживать внимание на двух выбранных вами предметах. Ладонь медленно разворачивается... И вот она уже перпендикулярна земле, а ручка держится, она прилипла к ладони. Продолжаем разворачивать ладонь... Внимание по-прежнему направлено на предметы по сторонам от вас... Рука с ручкой где-то далеко, вы вообще ее не видите... Ладонь уже параллельна полу, ее внутренняя сторона направлена вниз, а ручка не падает, она намертво приклеилась к ладони, и никакая сила в мире не способна их разъединить.

Стоп! Возвращаемся в реальный мир, даем ручке упасть.

Получилось? Примите мои поздравления! Только что вы организовали «полноформатный» «средний режим». А заодно нарушили закон гравитации. Если упражнение получилось наполовину, то есть ручка держалась до тех пор, пока ладонь не стала параллельна земле, — это тоже успех. Пробуйте более сложные тренинги.

Тем, у кого не вышло ничего вообще, надо продолжать тренироваться и носа не вешать. Возможно, несмотря на указание разделить внимание на два предмета, вам не удалось этого сделать. Ваше внимание осталось сконцентрированным и создавало внутреннее напряжение. А «средний режим» базируется на деконцентрации внимания. Попробуйте еще попрактиковать предыдущий тренинг с раздвоением внимания или прибегните к упражнению, которое следует далее: быть может, оно даст вам более четкое представление о том, как оперировать своим вниманием.

Организация режима стороннего наблюдателя

Из конспектов Кремлевских Мастеров

Прислонитесь к стене так, чтобы крестец, спина и затылок плотно прилегали к ней. Ноги выпрямите, соедините вместе и отодвиньте от стены сантиметров на 15–20. Руки свободно висят вдоль туловища. В таком положении нужно постараться полностью расслабиться. Легкое напряжение остается только в мышцах ног и живота, поддерживающих позу. Если вам не удается без напряжения приложить затылок к стене, просто слегка откиньте голову назад. Очень важно, чтобы голова и шея были расслаблены. Поясницу прижимать к стене не надо, она должна занимать естественное положение легкого прогиба. Когда вы примете такое положение, у вас будет ощущение, что вы стоя лежите на стене.

Теперь переведите внимание назад, сосредоточив его на спине и стене, представляя и самое главное — ощущая, что они слились в одно целое. В результате возникает чувство, будто вы перенеслись назад, и при этом вокруг вас царит атмосфера инертности и стабильности.

Сохраняя это ощущение, посмотрите сзади, как бы издалека, вперед. А можно раздвоить внимание: направить его одновременно назад и вперед. У вас появится немного необычное ощущение отгороженности, отдаления от окружающего мира, тишины и покоя. Возможно, вам даже покажется, что предметы уменьшились в размерах, а расстояние между ними и вами наоборот увеличилось, что изменилась их цветовая гамма, а контуры начали расплываться. Ко всем подобным явлениям надо относиться спокойно: они являются результатом перестройки внимания, а не признаком «съехавшей крыши». Сосредоточьтесь на ощущении себя единым целым со стеной, и это единое целое абсолютно спокойно и неподвижно. Некоторые люди в таком состоянии чувствуют себя защищенными, будто сзади стоит ангел-хранитель, а многим кажется, что они взирают на все происходящее откуда-то сверху.

Вы находитесь в состоянии истинной медитации. Запомните, зафиксируйте в голове и теле свой внутренний настрой и ощущения: отведенное назад внимание, спина, соединенная в одно целое со стеной, расслабленность, абсолютное спокойствие...

Запомнив свое состояние, медленно подвиньте ноги к стене и тихонько отодвиньтесь от нее, сохраняя при этом ощущение единства. Ваша спина остается соединенной со стеной, но уже с воображаемой! Чтобы это чувство не пропало, полностью сохраняйте позу, в которой вы пребывали у стены. Даже голова должна по-прежнему оставаться слегка откинутой назад. Походите в такой позе, сохраняя ощущение отгороженности от окружающего мира и все слагаемые своего состояния: единство с воображаемой стеной, отведенное назад внимание, расслабленность шеи, рук, груди, живота. Попробуйте на ходу немного прогнуть позвоночник, плавно подвигать головой и шеей, исследуя возможность удерживать режим стороннего наблюдателя в других позах. Потом медленно опуститесь на стул. Постарайтесь сесть так, чтобы полностью сохранить позу, особенно положение спины.

Далее начните плавно менять позу, двигая руками, ногами, головой, корпусом. Важно закрепить режим наблюдателя, чтобы входить в него в любой момент и при любых условиях. Для этого достаточно вызвать в памяти свое состояние, когда вы стояли у стены: вспомнить ключевые ощущения и воссоздать позу.

Для выхода из режима наблюдателя переведите внимание вперед на какой-нибудь предмет домашней обстановки и примите привычную позу.

....

Надеюсь, вы поняли, что состояние истинной медитации и есть «средний режим». В остальном данное упражнение, думаю, понятно, поэтому комментировать его не буду. По уровню сложности оно аналогично первому, это азы.

Тренинг со свечой

А вот упражнение посложнее. Для него вам потребуется свечка. Церковная или декоративная, восковая или парафиновая — значения не имеет, сгодится любая. Зажгите ее и наметьте в поле своего зрения два предмета, на которых вы будете удерживать внимание. Очень хорошо, если предметы равного размера или схожей расцветки. Я использовал для подобных упражнений компьютерные акустические системы: они совершенно одинаковые, это удобно, нет никаких перекосов и дисбалансов внимания.

Итак, предметы выбраны. Устройтесь возле свечки. Представьте, что ваша ладонь, неважно правая или левая, покрыта толстенным слоем асбеста. Теперь разведите внимание на два предмета, расположенных справа и слева от центра вашего зрения. Как только внимание станет рассеянным, рассредоточенным, начните как бы невзначай медленно водить рукой над пламенем свечи. Вы совершенно не чувствуете жара... Вы даже тепла не ощущаете... Ведь ваша ладонь покрыта асбестом, а асбест — негорючий материал... Но не отвлекайтесь на манипуляции с рукой, ваше внимание должно оставаться на «опорных» объектах и быть рассеянным.

Если боитесь обжечься, начните с самого верхнего положения ладони над пламенем, а потом постепенно опускайте ее ниже и ниже. Повторяю, вы должны делать все это как бы между прочим, отвлеченно. И ни в коем случае не переводите взгляд на руку, иначе все испортите: «средний режим», который вы с таким трудом организовывали, собьется.

Тренинг с шестом

У нас на очереди тренинг с шестом. Впервые я узнал о нем от Николая и Марии. Происходит это упражнение из *бодзюцу*, одной из разновидностей восточных единоборств. *Бо* по-японски и означает шест. Разумеется, специально покупать его не надо, хотя в спортивных магазинах шесты иногда встречаются. Его с успехом заменит деревянная палка от швабры высотой 150–170 см и диаметром примерно 2,5 см. Сотворить с этой палкой нужно следующее.

Из конспектов Кремлевских Мастеров

Примите устойчивую и в то же время мобильную стойку: ноги чуть согнуты в коленях, правая нога выдвинута вперед на расстояние равное примерно длине вашей ступни. Вес тела должен быть равномерно распределен на обе ноги.

Установите шест на вытянутые, плотно прижатые друг к другу, указательный и средний пальцы правой руки (левшам лучше начинать упражнение с левой руки, но в этом случае вперед выдвигается левая нога). Согнутые мизинец и безымянный палец прижмите к ладони, накрыв их сверху большим пальцем. Ваша задача — удерживать шест в вертикальном положении.

Здесь есть две тонкости.

Первая. Шест нужно как бы взвешивать ногами, чуть сгибая и разгибая колени. Это подобно тому, как мы обычно оцениваем вес предмета: берем его в руку и, покачивая, стараемся прикинуть, на сколько он потянет. Точно так же нужно действовать сейчас ногами. Погрузитесь в процесс «взвешивания» шеста: старайтесь удерживать его в равновесии именно ногами. Вы можете двигать бедрами, смещая свой центр тяжести относительно центра тяжести шеста. На начальном этапе освоения упражнения допускается перемещать ноги, делать шаги в сторону, но лучше сразу приучать себя оставаться на месте.

Вторая. Создайте ощущение единства с шестом, мысленно соединитесь с ним в одно целое и пристально смотрите на него, как бы гипнотизируя взглядом. Ваш взгляд должен быть сосредоточен исключительно на шесте, равно как и мысли.

Доведите время баланса до 3 минут. Когда это произойдет, переходите ко второй, основной, части тренинга.

Установите шест на прямые указательный и средний пальцы любой руки, поймайте его равновесие и подержите на балансе минуты 2–3. Потом с балансирующим на пальцах шестом плавно сядьте на пол, выпрямите ноги и лягте на спину, коснувшись затылком пола. Далее вы садитесь, встаете с шестом, перекладываете его на пальцы другой руки и проделываете то же самое.

Людям, у которых доминирует левое, логическое, полушарие головного мозга, легче удерживать шест на правой руке; тем, у кого доминирует правое полушарие — на левой.

Предвижу, что многие из вас, попробовав это упражнение, сникнут. Выше нос! Все не так безнадежно, как кажется поначалу! Моя дочь, будучи новичком, занималась с шестом через день и освоила оба этапа за полтора месяца. Научиться удерживать палку на балансе довольно легко. Сесть с ней, вытянуть ноги и лечь — тоже нетрудно. Трудно вернуться в вертикальное положение.

Итак, вы пристально смотрите на палку, сверлите ее взглядом, мысленно соединяетесь с ней в одно целое, потом, сохраняя это ощущение, ложитесь и встаете. Ложиться и вставать надо как бы невзначай, не отвлекаясь на движения тела и не отрывая взгляда от палки. То есть снова имеет место раздвоение внимания, но на сей раз *внутреннего*: одна часть, включая взгляд, поглощена шестом, другая — направлена вниз (именно вниз, в землю, а не на тело!). Вот тут-то и нарабатывается «средний режим».

Проверьте, насколько хорошо вы владеете «средним режимом». Проба интуитивного прогноза

«Средний режим» просто тупо нарабатывается. Какого-то четкого режима занятий здесь нет. Занимайтесь, когда у вас есть время, но не слишком редко. Если у вас получаются все приведенные выше тренинги, можете считать себя продвинутым учеником. А чтобы проверить, насколько хорошо вы освоили «средний режим», попробуйте простейшую методику интуитивного прогноза: получить ответ на какой-нибудь вопрос в рамках ДА/НЕТ.

Лягте или примите расслабленную сидячую позу, закройте глаза и представьте по обе стороны от себя два слова — ДА и НЕТ. Какое слово с какой стороны будет — не имеет значения. Мысленно задайте интересующий вас вопрос, предполагающий однозначный ответ — положительный или отрицательный. Один совет: задавайте вопрос, касающийся ближайшего будущего, не залезайте на несколько лет вперед. Теперь раздваиваем поток внутреннего внимания и «смотрим» на оба слова сразу. Ждем... Спустя несколько мгновений (а возможно, минут) одно из них «замигает», «высветится» или подаст какой-нибудь другой сигнал. Возможно, вы услышите голос в голове, который произнесет ответ. У меня на ответе обычно появляются языки пламени, слово начинает «гореть».

Вот и все, что касается подготовительных тренингов. Далее мы будем изучать техники интуитивного прогноза: как «вспоминать» будущее, читать сигналы тела, создать персонального ангела-хранителя и прибегать к его помощи, как вести себя в опасности и перед важными для вас мероприятиями. Помните: чтобы от этих методик был толк, необходимо систематически очищать сознание, «раскачивать» чакры и потихоньку нарабатывать «средний режим». Однако это вовсе не означает, что методиками нельзя пользоваться уже сейчас. Наоборот — пробуйте, учитесь общаться со своим подсознанием. Возможно, что-то начнет получаться сразу.

Техники сканирования будущего

Итак, мы приступаем к изучению методик интуитивного прогноза. Хочу вас порадовать: отрабатывать их не надо, это не тренинги. Проделали один раз по ходу чтения и далее прибегайте к ним только в случае необходимости — перед тем, как принять решение, начать новое дело, осуществить какой-то замысел, перед важными мероприятиями, поездками, полетами, деловыми встречами, свиданиями и так далее. Скажу больше: однажды настанет момент, когда вам вообще не потребуется прибегать к каким-либо методикам. Вы отбросите их как костыли, ставшие ненужными. Механизм считывания информации из подсознания начнет работать автоматически.

Я разделил методики на три части. Первыми идут самые простые — чтение сигналов тела. Накануне тех или иных событий тело дает нам знаки. Такими знаками могут быть, например, боль, чесание, головокружение, першение в горле, ощущение тяжести или давления, а также трудноописуемые ощущения типа «душа ноет» и «ноги не идут». Я расскажу, какие телесные ощущения какие события предвещают. Далее вы создадите себе персонального ангела-хранителя, который будет подсказывать вам верные шаги на пути к цели. Обычно это понятие связывают с неким мистическим существом, но на самом деле ангел-хранитель — инструмент общения с собственным подсознанием. И, наконец, последний блок методик научит вести себя в условиях кризиса, находить выход из ситуаций, называемых обычно тупиковыми.

Тело предсказывает будущее

Сознание не может получать информацию о будущем непосредственно из подсознания. Причина, напомню, в том, что эти две части психики говорят на разных языках и совершенно не понимают друг друга. Однако обходной путь все же имеется: использовать в качестве посредника между сознанием и подсознанием тело, то есть отслеживать свои ощущения. Тело всегда реагирует на происходящее в подсознании, а сознание в свою очередь может эти сигналы уловить и расшифровать. Уловить — ваша задача, а вот с расшифровкой я помогу.

В чтении сигналов тела проще всего опираться на чакры. В местах их проекции на тело ощущения возникают спонтанно, и ими можно руководствоваться при интуитивном прогнозе даже без овладения «средним режимом». Ниже я опишу типичные ощущения, возникающие у людей накануне тех или иных событий. Во время чтения постарайтесь вспомнить, не возникало ли нечто подобное в вашей жизни, и если да, то при каких обстоятельствах. Тогда вы сможете откорректировать мой справочник интуитивных ощущений и создать на его основе свой собственный.

Ощущения в голове

В районе головы расположены две чакры — Сахасрара и Аджна.

Сахасрара — это духовный центр, ворота в мир Бога, Абсолюта. Ощущения, возникающие в месте проекции этой чакры, дают информацию о наличии или отсутствии конфликта с Высшими Сферами.

Вторая головная чакра, Аджна, управляет отделами мозга, обеспечивающими работу сознания. Она ответственна за рождение и воплощение человеком идей.

Ощущения, возникающие в голове, обычно являются предвестниками событий, связанных с возможностью реализации планов.

ЛЕГКОЕ ГОЛОВОКРУЖЕНИЕ перед началом дела означает, что, скорее всего, в итоге вам придется заниматься чем-то другим. Причем вы вынуждены будете отказаться от задуманного из-за внезапно возникших препятствий или людей, которым вы не можете отказать, и вам придется на ходу перекраивать свои планы. Иногда головокружение бывает следствием неорганизованности в планировании, когда вновь пришедшие идеи приводят к резкому изменению планов.

Головокружением часто сопровождается ожидание перемен. Если вместе с головокружением возникает ощущение счастья, то, скорее всего, перемены примут позитивное направление. Страх, ощущение собственного бессилия, внутренняя дрожь, как правило, предупреждают об изменениях к худшему.

ДАВЛЕНИЕ НА МАКУШКУ ГОЛОВЫ свидетельствует о том, что вы стремитесь к самостоятельности, но какие-то обстоятельства или люди заставят вас занимать подчиненное положение. Если вы не хотите отдаваться их воле, сохраняйте свое намерение и «залягте на дно», чтобы дождаться момента, когда можно будет продолжить свое дело.

ТЯЖЕСТЬ ВО ЛБУ и НЕПРИЯТНЫЕ ОЩУЩЕНИЯ В ГЛАЗАХ (РЕЗЬ, ДАВЛЕНИЕ) предвещают противодействие вашим планам, которые вы в результате будете вынуждены изменить. Какой-то человек или группа людей, связанная с вашим делом, имеет собственное мнение, которое придется учитывать, а вы к этому не готовы.

ТЯЖЕСТЬ (БОЛЬ) В ВИСКАХ ИЛИ УШАХ — вас ожидает несправедливая критика и злобные выпады, имеющие целью вас подавить, унизить. Однако вы к этому не готовы: у вас не окажется должной уверенности или информации, чтобы дать отпор.

ТЯЖЕСТЬ В ЗАТЫЛКЕ говорит о том, что вы получите новую информацию, к которой не готовы, и вам потребуется время на ее осмысление. Если же ЗАТЫЛОК ЧЕШЕТСЯ, ваши начинания пойдут прахом.

СВЕРБЕНИЕ В НОСУ — ваши планы сбудутся. Ну а если НОС ЧЕШЕТСЯ, то грядет выпивка: это народная примета, которая, кстати сказать, всегда срабатывает.

Если ЧЕШЕТСЯ ЛОБ, готовьтесь к тому, что для осуществления задуманного дела вам придется просить кого-то об одолжении. Причем, скорее всего, просить долго и униженно. Либо человек, к которому вы обратитесь с просьбой, окажется гордым и высокомерным.

Если накануне важной встречи ЗАЧЕСАЛАСЬ БРОВЬ, надо зафиксировать, какая именно. Ощущения в области правой брови предвещают встречу с честным, порядочным человеком, в левой — с обманщиком и лицемером. По бровям можно угадать и отношение собеседника к вам: если во время разговора зачесалась правая бровь, значит, вы человеку симпатичны, если левая — он относится к вам с недоверием, подозрением, ни во что не ставит или вообще ненавидит.

Ощущения в области щек ничего хорошего не предвещают. Если перед началом дела ЩЕКИ ГОРЯТ ИЛИ ЧЕШУТСЯ, значит, оно примет скверный оборот. Скорее всего, вас несправедливо в чем-то обвинят, выставят на посмешище или случайно выплывет наружу то, что вы предпочли бы скрывать.

Ощущения в области горла

Горло и шею курирует Вишудха. Эта чакра связана с общением, передачей и приемом информации. Когда мы слушаем другого человека или читаем текст, то незаметно для себя воспроизводим горлом все прочитанные и услышанные слова. И если информация идет неточная, не соответствующая действительности, в горле возникают неприятные ощущения.

Кашель, першение или чувство сдавливания горла, возникающие во время разговора, свидетельствуют о том, что ваш собеседник (или вы сами) говорит неправду, либо в его подсознании есть информация, что так, как он говорит, не получится.

Вишудха-чакра чутко отзывается не только на наши слова, но и на мысли. Поэтому вы можете проверить, сознательно врет собеседник или же он просто заблуждается. Скажите мысленно «он лжет сознательно»: если першение исчезнет, значит, так оно и есть.

Аналогичным образом проверяются тексты. Это актуально, например, при заключении договоров. Прочитали документ, если Вишудха не дала неприятных ощущений, значит, все в порядке, можно подписывать.

Этот принцип срабатывает и при принятии решений. Мысленно перебирайте различные варианты решения проблемы и следите за ощущениями в горле. Кашель, першение и удушье подскажут, какие пути *неверны*.

Ощущения в груди

На уровне груди находится Анахата-чакра. Анахата — восточный термин, а христиане называют это место душой. Большинство людей отчетливо воспринимают реакцию Анахаты-Души на различные события. Куда вы прикладываете руку, когда говорите «у меня душа болит»? А где ощущаете восторг, когда находите красивое место на природе и полной грудью вдыхаете восхитительный аромат полевых цветов? Все эти ощущения возникают в центре груди.

Через Анахату наше сознание воспринимает все состояния гармонии и дисгармонии как внутри тела, так и в окружающем мире. Это самый мощный интуитивный инструмент, центр абсолютного ДА и НЕТ. Часто можно слышать такие слова: «чуяло мое сердце, что добром это не закончится». Это душа сообщала вам свое «нет», а вы ей не поверили.

Ощущения в области сердца являются итогом работы всех систем организма, поэтому по ним можно предугадывать конечный результат задуманного дела. Если «душа болит» или «ноет» за дело, итог, скорее всего, будет печальным. Ощущение тяжести в груди предупреждает о том, что дело доставит вам много хлопот, а оставленное на самотек — завязнет.

Легкая боль в сердце или чувство стеснения в груди — признак того, что потребуется помощь других людей или пересмотр своих планов, иначе дело закончится плохо. А вот если «душа поет», значит, грядет успех.

Проверяйте душой все свои задумки и реальные шаги. Перед началом важных дел мысленно перебирайте варианты своих предполагаемых действий и ловите ощущение, когда «душа поет»: оно будет сигналом того, что вы нашли верный путь. Бывают ситуации, когда положительного варианта развития событий не может быть в принципе, то есть душа все равно «ноет»: тогда необходим пересмотр собственных убеждений или изменение планов.

Ощущения в груди не всегда возникают спереди. Иногда при интуитивном прогнозе появляется чувство усталости, как будто вы долго тащили что-то на спине. Это означает, что в деле, которое вы исследуете на предмет прогноза, кто-то живет за ваш счет. Наверняка вы знаете или хотя бы предполагаете, кто этот человек. Как только вы твердо решите больше не «везти» его на себе, возникает облегчение, будто сбрасываешь груз с плеч. Кстати, именно такими словами люди обычно описывают данную ситуацию.

Душой можно также проверять надежность деловых и сексуальных партнеров, друзей, знакомых, тестировать еду, лекарства, травы, косметику. Вот как проводится такая диагностика.

Из конспектов Кремлевских Мастеров

Переключите внимание с внешнего мира на внутренний: сосредоточьтесь на своих ощущениях, почувствуйте свое тело. Возьмите небольшой кусочек какой-нибудь пищи по своему усмотрению, поднесите ко рту и вдохните его запах или дотроньтесь до него кончиком языка. Если ваша настройка на восприятие собственных ощущений удалась, вы зафиксируете изменения в своем теле. Сначала у вас возникнет некое ощущение во рту, которое распространится по пищеводу. И вот вы уже чувствуете, как что-то стало происходить в желудке, кишечнике... Попробуйте воспринять все эти изменения целиком: возникло ощущение во рту — слюна прокатилась по пищеводу — появились ощущения в животе. Вы обнаружите, что где-то в районе груди возникает совершенно определенное чувство, позволяющее судить, приятна вам еда или нет.

Точка диагностики обычно находится в пространстве перед грудью, примерно в 20 см от нее, там, где расположена Анахата-чакра, и может располагаться не строго по центру, а чуть в стороне. Это место легко обнаружить, если поместить туда кусочек пищи, которую вы подносили ко рту, и немного подвигать им вверх-вниз, вправо-влево. Ваша задача — искать *положительные* ощущения, отрицательные сами себя покажут. Если положительных ощущений нет, значит, данный продукт вам не полезен.

Помните, однако, о том, что один и тот же продукт сегодня может быть «полезным», а завтра — «вредным». В организме постоянно происходят изменения, и в разное время ему требуется разная пища. Поэтому не сомневайтесь в собственных ощущениях и не удивляйтесь результатам диагностики. На других чакрах легко ошибиться, а вот Анахата всегда дает верный ответ.

Аналогично диагностируются лекарства, травы, косметика и люди (по фотографиям). Естественно, пробовать их на вкус не надо. Вы просто помещаете предмет или вещество в точку абсолютной диагностики и прислушиваетесь к своим ощущениям.

• •

Ощущения в верхней части живота

Эту область курирует чакра Манипура. Она связана с самооценкой человека, его уверенностью в себе, что, как известно, влияет на исход дела. Своей неуверенностью и сосредоточенностью на плохом мы нередко «портим малину», уверенность же является своего рода двигателем, она толкает нас вперед и в трудные моменты не дает опустить руки.

Ощущение давления или боль в верхней части живота, возникающие при начале дела или его планировании, предупреждают о том, что не все пройдет гладко: вас будут мучить сомнения в благополучном исходе дела. И не просто сомнения. В какой-то момент вам покажется, что все катится в тартары. Но здесь возможны варианты. Поскольку чакра связана с уверенностью, вполне возможно, что дело разрешится удачно, просто вы окажетесь в неловком положении.

Если же перед началом дела в районе солнечного сплетения возникают приятные ощущения, обычно это тепло, значит, грядет успех.

Ощущения в нижней части живота

Внизу живота расположены две чакры — Свадхистана и Муладхара (копчик). Первая связана с глубинным чувством удовольствия, вторая — с выживанием.

Ощущения, даваемые Свадхистаной, хорошо использовать для диагностики людей: они позволяют почувствовать, подходит вам тот или иной человек в качестве друга, делового или сексуального партнера или не подходит. Проводится такая диагностика следующим образом.

Сядьте и расслабьтесь. Если вы сосредоточитесь на нижней части живота, то ощутите, как живот мягко расплывается, растекается, расширяется. Попробуйте так расслабиться рядом с интересующим вас человеком: вам приятно и безопасно с ним или наоборот как-то неуютно, тревожно. Все это можно проделать и мысленно, представляя себе разных людей или кладя рядом их фотографии.

Это о людях, теперь о делах. Если перед началом дела у вас появились неприятные ощущения внизу живота — боли, спазмы, понос, метеоризм, вы должны представить обстоятельства дела и прикинуть, как будете действовать. Исчезновение неприятных ощущений будет свидетельствовать о том, что дело нельзя пускать на самотек, более того — вам придется приложить много усилий для его успешного завершения, выложиться по полной программе.

Если живот прошел, но появились неприятные ощущения в голове, требуется коррекция планов. Возможно, причиной неудачи станет отсутствие у вас каких-то навыков. Чтобы уточнить эту версию, признайтесь себе, что плохо разбираетесь в данном деле: если неприятные ощущения ушли, значит, так оно и есть. Если неприятные ощущения остались, представляйте по очереди участников дела и создавайте ощущение расслабленности внизу живота по отношению к каждому из них. Возможно, виновником провала будете не вы, а кто-то другой. Осуществляя такую диагностику, вы поймете, кому можно доверять, а кому нельзя. Человек, вызывающий у вас неприятные ощущения, не обязательно злодей и предатель, просто он может по рассеянности что-то забыть, и дело сорвется.

Муладхара дает о себе знать, когда обстановка, куда вскоре попадет человек, будет противоположной той, которую он ожидает. Например, думает, что весело проведет отпуск с супругом или супругой, а вместо этого будет постоянно выяснять отношения. Сигналы, исходящие от Муладхары, обычно проявляются в виде дискомфорта в области копчика.

Ощущения в ногах и руках

В конечностях находятся второстепенные чакры. Собственно говоря, это не совсем чакры, а скорее биологически активные зоны. Располагаются они в центре каждой ладони, подошвах ног, локтях и коленях. Именно здесь и возникают ощущения, несущие информацию из подсознания.

Колени связаны с отношениями, а ступни — с жизнеобеспечением. Самые распространенные ощущения в ногах — «колени подгибаются» и «ноги не идут». Это означает, что туда, куда вы направляетесь, идти не следует. Возможно, ситуация опасна для жизни, а быть может, вас ждет ссора, конфликт или недоброжелательная атмосфера. Если вы, идя по улице, несколько раз спотыкнулись, значит там, куда вы направляетесь, вы потерпите неудачу, попадете в конфликтную ситуацию или столкнетесь с жесткой критикой. Одним словом, грядет какая-то неприятность.

Если перед началом дела зудит и чешется локоть, скорее всего, дело провалится. Причем причиной тому будет конфликт, нестыковка характеров или мнений, либо чья-то личная неприязнь к вам. Особенно четко это срабатывает в делах амурных, так как локти связаны с проявлением любви.

И, наконец, о ладонях. Все знают примету: чешется правая ладонь — к прибыли, деньгам, подаркам; левая чешется к убытку, к тому, что вам придется что-то отдать. Это соответствует действительности. Почему? Потому что левая рука с точки зрения энергетики — пассивная, дающая, правая — активная, берущая. Именно правой рукой мы обычно пытаемся схватить вещи, которые нас привлекают. У левшей все наоборот, поэтому и примета у них тоже работает наоборот. Вот и все!

Итак, краткий справочник интуитивных ощущений у вас есть. И я уверен, что пока вы читали его, вам припомнились ситуации, когда вы такие ощущения испытывали. Отследите, какие из них у вас возникают регулярно, и пользуйтесь ими для интуитивного прогноза. Только не пытайтесь вызывать у себя ощущения намеренно. Сознание не должно «командовать парадом», его задача — только фиксировать сигналы, идущие от тела. Иначе включится ум, логика, и вы запутаетесь.

Кстати сказать, отрицательные сигналы обычно ощущаются более отчетливо. Если вы зарегистрировали их, попробуйте исследовать свою проблему при помощи приведенных далее методов интуитивного прогноза и отыскать такой вариант ее решения, когда отрицательные ощущения начнут преобразовываться в положительные. Как только вам это удастся, ваша проблема будет решена. Со временем вы научитесь одинаково четко улавливать оба вида ощущений, и выбор верного пути будет происходить автоматически. Будет просто замечательно, если вы на основе моего справочника интуитивных ощущений составите свой.

Персональный ангел-хранитель

Предположим, вы читаете эту книгу дома, сидя на диване. Вдруг вам захотелось чаю. Вы встаете, направляетесь на кухню и там случайно натыкаетесь коленкой на острый угол табуретки. Какие чувства у вас при этом возникают? Боль и негодование: так и хочется треснуть табуретку в ответ, да посильнее! Самое интересное, если действительно сделать это, боль куда-то улетучится. В детстве вы так и поступали.

Помните, как мама утешала вас: «Плохой стул, ударь его, чтобы он тебя больше не обижал».

Откуда такая реакция? Дело в том, что эмоции генерируются подсознанием, а для подсознания табуретка — одушевленное существо, имеющее свою волю и желания, такое же, как и люди. Неспроста в древности люди одушевляли окружающий мир. Они делали это в соответствии со своими чувствами. И в результате могли забрести в болото или непроходимую чащу и выбраться оттуда. В те времена у каждого человека был свой тотем, ангел-хранитель в виде какого-нибудь растения или животного. Ангелы были бы и сейчас у нас, если бы в XX веке всемогущая КПСС не отделила религию от государства. А заодно не запретила бы и ангелов вместе с остальными пережитками. Что характерно, партийные бонзы оставили ангелов для себя, чтобы было кому их оберегать. А «быдло» лишили персональных защитников.

Нарушилась связь времен. Нам теперь довольно-таки трудно представить, как это — жить под покровительством незримых заступников. Ну и что, верите вы в бога или нет — ваш сугубо личный вопрос. Мы сейчас говорим о технике привлечения ангела-хранителя, а не о сакральном значении этого образа. Так что будем учиться применять это сильнодействующее средство, сгенерированное нашими предками, для интуитивного прогноза. Это получится без особых усилий, ведь оно и так уже «сидит» в нашем подсознании. (Имейте в виду, что подсознание не понимает слов, информация из сознания передается туда в виде *намерения* что-то сделать. Поэтому если вы просто прочтете текст методики, это ничего не даст. Надо по очереди читать каждый пункт, тут же производить описанное в нем действие и только после этого переходить к следующему.)

Создаем образ ангела-хранителя

1. Представьте себе небо, будто вы летите по нему (глаза при этом можно закрыть, а можно держать открытыми). Картинка должна быть как можно более реалистичной. Солнце, облака, дующий в лицо ветер.

2. Теперь вообразите, что на небе появилась грозовая туча. Вы видите молнии, слышите раскаты грома — все очень реально. Обратите внимание на свои ощущения: вы слегка напряглись, стало как-то неуютно, немного не по себе.

3. Ощутите, куда направляется туча. Она летит прямо на вас, стремится загородить вам дорогу вперед или хочет наоборот отрезать путь назад? А возможно, гроза проходит стороной, то есть туча где-то в отдалении, слева или справа от вас.

4. Мысленно разгоните грозовые облака. Если все проделали качественно, то почувствуете, что напряжение ушло.

Если с тучей ничего не вышло, попробуйте представить другой образ. Например, вы идете по лесу, и где-то неподалеку начинает падать дерево. Ощутите, куда оно хочет упасть: вам на голову, впереди, чтобы перерезать вам путь, сзади или в стороне.

Не получилось с лесом, перебирайте другие образы. В горах могут катиться одушевленные камни и обрушиваться снежные лавины, в море — штормить. Можно вообразить машины в воображаемом городе. Только в машинах не надо представлять водителей, машины — одушевленные существа и едут сами по себе. Для верующих людей отличным вариантом будет образ любимой иконы: она может улыбаться, благословлять, показывать кулак, крутить пальцем у виска и т. д. Ваша задача — представить опасную ситуацию и ощутить намерение неодушевленного предмета, его отношение к вам.

Цель данного упражнения — подобрать образ, который станет основой для ангела-хранителя. Попробуйте разные варианты и найдите наиболее близкий для себя. Вы распознаете его по своей реакции: когда человек находит оптимальный образ, возникает сильная эмоциональная реакция на его одушевление.

Как извлекать информацию из подсознания

Подходящий образ найден. Теперь попробуйте с его помощью решить какую-нибудь проблему.

1. Сосредоточьтесь на проблеме, которая в данный момент для вас актуальна. Мой вам совет: что-то сверхсложное, глобальное пока брать не надо.

2. Разделите свое внимание на два потока. Один поток направлен на проблему, другой — на одушевление образа. Обычно проблема представляется впереди, а одушевленный образ — внизу.

3. Ощутите образ: какой он — положительный или отрицательный, и что он намерен сделать. Поскольку образы у всех разные, я приведу пример с горами. Допустим, вы идете по горной дороге и слышите звук катящегося камня. Представьте, что камень своим падением хочет что-то сказать. Куда он падает: на вас, загораживает дорогу вперед или назад, или где-то в стороне. Возможно, камешек крохотный и, даже упав под ноги, не причинит вам вреда. А быть может, камень, наоборот, огромный и намерен зашибить вас. Отрицательный образ означает угрозу, положительный же — просто дружески подталкивает вас в нужную сторону. Действия камня и то, как он выглядит, позитивно или угрожающе, будут символизировать вашу ситуацию. Обычно по конкретной проблеме расшифровка не составляет труда.

4. Двиньтесь в воображаемом пространстве в направлении, которое кажется вам верным.

5. Попытайтесь расшифровать свое движение в приложении к реальности. Если в голову ничего толкового не приходит, представьте какой-нибудь вариант своих действий и заново проделайте все шаги по одушевлению образа. Если путь освободился, значит, это и есть решение вашей проблемы, если нет, придумайте следующий вариант и снова одушевите образ. Поступайте так до тех пор, пока не возникнет такое решение, которое он «одобрит».

6. Если вы не нашли выхода из ситуации, необходимо либо признать свое поражение и примириться с ним, либо как-то преобразовать задачу и решать ее другим путем, либо пока отложить решение проблемы.

Помощь ангела-хранителя в режиме реального времени

Если у вас получилось диагностировать проблемы при помощи одушевленного образа, попробуйте прибегать к его помощи в режиме реального времени.

Например, вы идете на собеседование с потенциальным работодателем. Зайдя в помещение фирмы, вы раздваиваете внимание: одну его часть направляете на окружающую обстановку, а другую — на ваше воображаемое пространство. Этой другой частью внимания вы проделываете все шаги по одушевлению образа. Пускай это будут, к примеру, горы. Ощутите, что в ваших виртуальных горах каждый объект — гора, куст, цветок, камень — живут своей жизнью. Затем «оглядитесь» и ощутите, как все эти персонажи к вам относятся. Кто-то вас не замечает, кто-то хочет помочь, а кое-кто настроен враждебно. Одним словом, ощутите атмосферу воображаемых гор. Если атмосфера положительная, значит, подсознание дает добро. Отрицательная реакция образа ангела-хранителя говорит о том, что вам здесь не место.

В результате такой практики личный образ ангела-хранителя очень быстро закрепляется. При возникновении проблемной ситуации вам достаточно будет просто его вспомнить и по его реакции судить, в каком направлении действовать.

Этот же прием позволяет узнавать свое ближайшее будущее и, если оно вас не устраивает, менять его. Вы просто вызываете образ своего виртуального пространства и наблюдаете, что в нем происходит: то же самое творится и в глубинах вашей психики. Если возникает враждебная атмосфера, значит, куда бы ни пришли, именно в такую обстановку вы и попадете. Точнее, она сама образуется вокруг вас. Мы о себе знаем мало, но другие люди мгновенно считывают атмосферу, которую мы несем с собой (со стороны-то виднее), и начинают общаться с нами соответственно.

Обнаружив вокруг себя негативную атмосферу, вы можете создать другое виртуальное пространство — хорошее и доброе. Тем самым вы меняете программу подсознания со всеми вытекающими последствиями. Только изменив реальную ситуацию, не теряйте внутреннего контакта с созданным вами положительным виртуальным пространством.

Точно так же можно диагностировать, реализуется или нет задуманное вами дело. Думайте об этом деле и одновременно ощущайте атмосферу, возникающую в вашем виртуальном пространстве: если она положительная, то все в порядке, если отрицательная — вас ждет неудача, и надо менять планы.

Интуиция в кризисных ситуациях. И не только

Прежде всего, давайте определимся, какие ситуации являются кризисными. Это моменты, когда на раздумья нет времени и решение требуется принять немедленно. Естественно, лучше всего действовать по заранее разработанному плану. Но бывает так, что обстоятельства резко меняются, и старый план уже не работает... Во всех подобных случаях единственный способ миновать катастрофы — это прибегнуть к помощи интуиции.

Работа интуиции в кризисных ситуациях завязана на мышечных реакциях, то есть информацию мы получаем от мышц. Как уже говорилось, сознание управляет только теми мышцами, которые ответственны за общий рисунок производимого в данный момент движения, остальные мышцы управляются подсознанием. Интуиция возникает на основе согласованности или рассогласованности работы мышц. Допустим, вы хотите бежать в одну сторону, а подсознание знает, что там опасно, и тормозит работу мышц, которыми в это время управляет: тогда у вас возникает ощущение, будто тело сопротивляется движению, «ноги не идут».

А возможен и другой вариант: все движения управляются подсознанием, которое просто приводит туда, куда надо. Он реализуется тогда, когда мы заняты каким-то привычным делом, движемся на автомате, и сознание перестает контролировать процесс движения. Такое состояние может также возникнуть при внезапном попадании в безвыходную ситуацию: человек готов бежать, но не знает куда, в голове — пустота. Мышцы не управляются сознанием, и он подчиняется толчку, возникающему в них вследствие работы подсознания. Интуиция здесь проявляется в виде внутренних импульсов, толчков.

Вот классический пример работы такой интуиции.

•••••••••••••••••••••••••••••

В прошлом году мой сосед по даче, страстный горнолыжник, в очередной раз отправился покорять горы. А в горах, как известно, бывают снежные лавины, которые время от времени накрывают любителей острых ощущений. Сосед спускался с горы, как вдруг почувствовал, что снег едет вместе ним. Обычно лыжники пытаются опередить лавину, но в данном случае такой вариант не проходил, поскольку она двигалась быстрее. Его внимание стало в отчаянии шарить вокруг, но укрыться было некуда. И друзья не могли помочь, поскольку уже были внизу, он спускался последним. Вдруг ему на глаза попался небольшой бугорок на склоне, и его внимание потянулось туда. Он последовал за ним. Под бугорком оказалась довольно просторная пещера. Сосед быстро забрался туда, связался по рации с друзьями и те, когда лавина прошла, благополучно отыскали его, целого и невредимого. А что произошло? Когда сосед бросил внимание в сторону бугорка, подсознание определило, что там спасение, и возникло ощущение притяжения к этому месту, которого он и послушался.

В подобных ситуациях очень важно не впадать в панику и пытаться найти выход, несмотря ни на что. А также помнить, что спасает обычно интуиция, а не разум.

Итак, чтобы пользоваться импульсной интуицией, необходимо уметь снимать контроль за своими движениями. Иначе говоря, организовывать у себя состояние, в котором возникает возможность воспринимать толчки, создаваемые в мышцах подсознанием. С интуицией совместим только импульсный тип движений. Почему? Потому что в этом режиме работают мышцы. Даже если вы застыли на месте, вам только кажется, что мускулатура неподвижно напряжена. На самом деле в мышцах непрерывно проходят импульсы напряжения и расслабления, только это происходит очень быстро. Любое движение начинается с некоего первоначального импульса. Даже для того чтобы остановиться, нужен импульс. Так устроена мускулатура. Поэтому получить информацию из подсознания через мышцы можно лишь в том случае, если вы настроены на восприятие внутренних импульсов. Давайте попробуем организовать у себя такой режим.

Естественность — ключ к интуиции

Человек — существо импульсивное (а стало быть, интуитивное!), однако мы привыкли себя зажимать. В какой-то момент своей жизни, обычно это происходит в подростковом возрасте, мы понимаем, что показывать свои истинные эмоции — опасно. И начинаем тормозить поведение, к которому они нас тянут. Но загвоздка в том, что, когда человек систематически подавляет свои реакции, первоначальные мышечные импульсы, несущие информацию из подсознания, тоже блокируются. И тогда ни о какой интуиции речи быть не может.

Из конспектов Кремлевских Мастеров

Реакция на любое событие разворачивается в два этапа.

На первом этапе тело реагирует на изменение внешней среды микроимпульсом, предназначение которого — адаптировать организм к новым условиям. Такой микроимпульс легко создать произвольно. Представьте, что сейчас кто-то входит в вашу комнату, и вы бросаете мимолетный взгляд в сторону двери. Вы ощутите едва заметный внутренний толчок в области глаз, головы или верхней части туловища. Если вообразить, что входит приятный человек, возникнет толчок по направлению к нему. А теперь вообразите кого-то, кто вам неприятен: вы почувствуете легкий толчок назад. Реакция уже есть, но она еще не развернута, поэтому незаметна окружающим. Человек просто чувствует, что будет дальше. Это предчувствие выражается смутными, приятными или неприятными ощущениями. На основе него и работает интуиция.

Далее, это уже второй этап, мы либо начинаем действовать в соответствии с первоначальной реакцией — в этом случае наши действия очень эффективны, либо никаких действий не производится, и предназначавшаяся для них энергия ощущается как эмоция.

Чтобы улавливать сигналы интуиции, надо при любом изменении окружающей обстановки допускать у себя наличие естественных первоначальных импульсов, позволять своему организму их реализовывать.

Я ни в коем случае не призываю вас менять свое поведение. Открывать свои эмоции окружающим действительно не всегда разумно. Я предлагаю поступить так, как советуют Мастера, то есть просто *позволить* себе быть импульсивными, реагировать на события согласно своей внутренней природе. Дело в том, что в начале раздражающей ситуации эмоции еще не очень сильны. Они начинают раскручиваться, когда мы пытаемся обуздать себя. Поэтому, если сразу реализовать то, к чему нас тянет первоначальный импульс, эмоциональная энергия израсходуется. Тогда душевное равновесие восстановится, и зажимать себя не потребуется. Но главное — вы даете зеленый свет интуиции! Какие же действия надо предпринять?

Первоначальное движение, на которое нас провоцирует зарождающаяся эмоция, всегда простое. Хочется либо уйти, либо приблизиться к собеседнику, либо двинуть рукой, либо что-то выкрикнуть, либо отвернуться. Одним словом, это какое-то примитивное движение приближения к объекту или удаления от него. Такая реакция была отработана в ходе эволюции. Если вы сразу же совершите это движение, ваше поведение останется в рамках приличий, а движение будет восприниматься окружающими как естественное восприятие их слов и действий. Очень важно захватить начальный этап реагирования на ситуацию!

Однако для реализации данной техники требуется постоянный контроль за собой, а это затруднительно. Обычно мы воспринимаем свою реакцию на событие, когда эмоции уже бушуют. Причина тому — отсутствие привычки прислушиваться к своим внутренним состояниям, неумение регистрировать их. Вывод таков: нужен какой-то метод, позволяющий фиксировать начало реакции на событие. Правда, здесь может возникнуть еще одна проблема. Многие люди настолько себя зажали, что первоначальных импульсов у них просто-напросто не возникает. Таким людям надо учиться вновь у себя их вызывать. Мастера рекомендуют следующий тренинг. Он позволяет вернуть естественную импульсивность и ликвидировать внутренние зажимы, препятствующие восприятию мышечных импульсов, посылаемых подсознанием.

Из конспектов Кремлевских Мастеров

1. Вначале надо выяснить, какая область вашего тела наиболее чувствительна. Легонько прикасайтесь кончиком пальца к разным частям тела, слегка вздрагивая от прикосновений. Если спонтанной реакции не возникает, создавайте ее

искусственно: вздрагивайте преувеличенно. Ваша задача — найти место, прикосновение к которому рождает наиболее яркую реакцию.

2. Как только вам удалось организовать внешнюю реакцию вздрагивания, переходите к отработке внутренней. Для этого нужно проследить за мышцами и выяснить, какие из них сильнее всего сокращаются в момент вздрагивания. Создавайте в этих мышцах легкие сокращения, так чтобы внешне движение было едва заметно, но при этом его нельзя полностью блокировать.

3. Следующий шаг — попытаться ощутить внутреннюю реакцию вздрагивания при переводе внимания с одного объекта на другой. Бросьте взгляд на какой-нибудь предмет поблизости, и в момент поворота головы и глаз в сторону этого предмета внутренне вздрогните.

4. Теперь попробуйте реагировать на звуки легким внутренним вздрагиванием и небольшим поворотом головы и глаз в сторону источника звука.

5. Отработайте импульсивное восприятие нескольких объектов, по очереди создавая их в своем воображении.

Как получать информацию из подсознания при помощи импульсов

Теперь о том, как использовать импульсную интуицию. Это несложно. Перед началом дела или во время его выполнения вы должны принудительно войти в импульсный режим (в ходе предыдущего тренинга вы этому научились) и пронаблюдать, куда разворачивается импульс: к объекту, с которым вы имеете дело, или от него. Если импульс идет в направлении объекта, значит, подсознание дает добро на данное дело; если же в сторону, то прогноз отрицательный.

Этот искусственный прием позволит вам совершать то, что автоматически проделывают люди, которым удается успешно преодолевать кризисные ситуации, уходить от опасности. В точности так действовал мой сосед, спасаясь от лавины.

Из конспектов Кремлевских Мастеров

1. Решите, какую область тела вы будете использовать в качестве источника информации: это мышцы, при помощи которых вы создавали импульсы в предыдущем тренинге.

2. Сделайте несколько пробных импульсов навстречу интересующему вас объекту и от него. Если вы ощутили в данной части тела напряжение, устраните его. Для этого нужно расслабиться, выпрямить спину (туловище должно занять вертикальное положение) и легонько покачаться взад-вперед. Амплитуда движений должна быть очень небольшой, такой, чтобы вы ощутили, как тело от малейшего мышечного импульса может отклониться вперед или назад.

3. Сообщите подсознанию о предполагаемом действии: потянитесь вниманием к объекту, относительно которого вам требуется информация из подсознания. При этом не стоит проговаривать что-то мысленно или вслух: подсознание не понимает слов.

4. Снимите контроль сознания с мышц, от которых ожидается ответ. Это легко сделать, если после короткого взгляда на объект разделить внимание на две части: направить его одновременно направо и налево, на оба уха или виска, либо по обе стороны от интересующего вас объекта. Если рассредоточить внимание не удается, попробуйте отвести взгляд в сторону. Но делать все это нужно импульсивно.

5. Получите ответ подсознания и расшифруйте его. В момент рассредоточения внимания ваше тело слегка дернется или отклонится вперед или назад. Если движения не происходит, попробуйте во время раздвоения внимания ощутить, в какую сторону разворачивается импульс. Вспомните, как вы встречаете нового человека: если он вам симпатичен, в первый момент у вас возникает импульсивное желание потянуться к нему, если же человек неприятен — наоборот, отшатнуться от него. Эти воспоминания наглядно продемонстрируют вам толчок к объекту и от него. Мы притягиваемся к объекту, когда наше подсознание готово его воспринимать, и отшатываемся, когда в подсознании относительно данного объекта имеется негативный прогноз.

• •

Этот прием — искусственный. Тем не менее он дает импульсам возможность проявляться, а вам — получать информацию из подсознания. Доведите его до автоматизма, и со временем вам уже не надо будет проделывать эти пять пунктов. Внутренние блокировки исчезнут, и вы начнете улавливать и расшифровывать импульсы мгновенно, сразу же после возникновения проблемной ситуации.

Где еще может применяться импульсный режим

Импульсную интуицию можно использовать не только в «горячих» ситуациях. Собственно говоря, она применима везде. Ею можно проверять начало любого дела, тестировать лекарства и пищу, получать информацию о болезнях, месте пребывании потерянных и украденных вещей, отношении к вам других людей, конечном результате тех или иных действий и т. д.

Работа с лозой, рамкой, маятником

Существует достаточно известная техника, где используется такой вид интуиции. Это биолокация — поиск подземных источников воды, геопатогенных зон и полезных ископаемых при помощи лозы. Лозоходец берет в руки раздвоенный прутик орешника и исследует местность, где предполагается вода или месторождение руды. В месте, где находится искомое, лоза отклоняется вверх или вниз. Возникает ощущение, будто прутик ожил. А что происходит на самом деле? Человек пребывает в «среднем режиме», контроль сознания за движениями сведен к минимуму, и в нужном месте подсознание посылает импульс в мышцы: рука, а вместе с нею и лоза, вздрагивает.

Сейчас вместо лозы используют проволоку, согнутую под прямым углом. Один конец берут в руку, а другой, направленный горизонтально, своими поворотами информирует человека о прогнозах подсознания. Рука, которая держит проволоку, отклоняется вправо или влево. Хотя эти отклонения незначительны, они заставляют горизонтальную часть проволоки поворачиваться. Помимо проволоки, для интуитивного прогноза часто применяется маятник — грузик, подвешенный на нитке, который передает информацию от подсознания своими покачиваниями.

Во всех подобных методиках необходимо предварительно настроить подсознание на нужную реакцию, то есть поставить перед собой задачу что-то найти. В нужный момент подсознание среагирует, посылая импульс в мышцы. Эту реакцию можно ощутить непосредственно, а можно использовать различные приспособления типа рамки и маятника, которые делают микродвижения руки видимыми.

Сама реакция может быть любой и зависит от того, на что запрограммировано подсознание. К примеру, на «да» маятник начинает вращаться по часовой стрелке, а на «нет» — против. В приведенных мною методиках «да» выступает в виде микродвижения по направлению к объекту, а «нет» — в виде отталкивания от него.

Совершенно не обязательно ходить непосредственно по местности, можно двигать руку с рамкой или маятником над картой. Можно формулировать мысленные утверждения и получать ответы «да» или «нет». Допустим, потеряли какую-то вещь, берете рамку или маятник и думаете: «искомое находится дома». Маятник отвечает. Потом уточняете: «на кухне». Получив ответ, например «да», уточняете дальше: «под плитой». Моя жена неоднократно находила таким способом потерянные вещи — сережки, кулоны, заколки для волос.

В момент создания мысленного утверждения возникают импульсы приближения или отталкивания, по которым можно судить о том, что думает по этому поводу подсознание. Таким образом можно извлекать оттуда информацию буквально по любому вопросу.

Генерирование идей с помощью импульсов

А еще импульсы помогают генерировать идеи. Если вы понаблюдаете за человеком, который что-то вспоминает или ищет решение проблемы, то заметите, что его глаза в этот момент куда-то сдвигаются. Поэтому если в процессе поиска новых идей начать создавать импульсы, то очень вероятно, что идеи придут. Попробуйте поразмышлять о какой-нибудь своей проблеме, создавая импульсы каждые несколько секунд. При каждом импульсе немного сдвигайте глаза. Если движения глаз вам мешают, создавайте импульсы, оставляя глаза неподвижными. Действуя таким образом, вы можете получить варианты решения задачи.

Импульсы — наши постоянные спутники, они сопровождают нас всю жизнь. Наше тело автоматически реагирует на все изменения в окружающей среде, и эта реакция всегда однозначна. А потом мы либо действуем в согласии с первым порывом, либо поступаем наоборот, либо подавляем его и подключаем логику. Вот так и формируется судьба... Мышечные реакции создает подсознание, которое знает о будущем гораздо больше, чем мы, только не умеет говорить. Однако у импульсной интуиции есть недостатки: она может сообщить нам всего два ответа — «да» и «нет», и эти ответы даются относительно всего лишь одного действия, которое мы в данный момент намерены совершить.

Универсальный способ получения информации из подсознания

Этот способ в конспектах Мастеров стоял особняком. В принципе, он годится для любых ситуаций, кроме, пожалуй, моментов, когда вам угрожает опасность. Поэтому я обозвал его универсальным. Чтобы успешно им пользоваться, надо уметь хотя бы на время создавать эмоциональную нейтральность по отношению к задуманному делу. Я рекомендую вам применить для этой цели готовую методику под названием «Организация режима стороннего наблюдателя», которая приводилась ранее.

Из конспектов Кремлевских Мастеров

1. Войдите в режим стороннего наблюдателя.

2. Дайте подсознанию знать, какой шаг вы собираетесь совершить по отношению к задуман-

ному делу. Для этого надо сосредоточиться на предполагаемом действии, ощутить: вот сейчас я начну его выполнять. Возможно, до воплощения ваших замыслов еще далеко, но это не имеет значения: сейчас вы должны вообразить и самое главное — ощутить, что уже начали реализовывать задуманное.

3. Разделите внимание на две части. Одна часть остается на предполагаемом действии, а другая тем временем наблюдает за реакциями тела.

4. Зафиксируйте реакции организма: изменения в самочувствии, эмоциональном состоянии, ощущениях. Необходимо внимательно отследить все реакции, даже слабые, незначительные. Обращайте внимание на изменения самых обычных ощущений и эмоций: возник приток сил, возбуждение, расслабление, усилилась лень, появилось ощущение собственного бессилия, собранности и т. д. Важно уловить, куда сдвигаются ваши ощущения или эмоциональное состояние: в положительную сторону или в отрицательную. Помните: информативны не сами ощущения, а их *изменения*.

5. Подумайте, как изменения вашего состояния соотносятся с задуманным делом: помогают настроиться на него или, наоборот, препятствуют. Например, вы планируете поговорить с начальством о повышении в должности, а у вас появилось ощущение сдавливания в горле: значит, здесь что-то не так, возможно, вы получите отказ. Или вы намереваетесь заняться спортом, а у вас ощущение расслабленности: это признак того, что подсознание готовит тело к другой деятельности.

6. Оцените свои ощущения с точки зрения комфортности. Внутренний дискомфорт, боль, усиление симптомов хронических заболеваний говорят о том, что прогноз подсознания относительно данного дела негативный.

7. Если сразу же возникло ощущение комфорта, убедитесь в том, что вы действительно передали подсознанию информацию о задуманном деле. Ведь подсознание принимает в расчет только реальные намерения, а если мы просто его имитируем, информация может не пройти. Попробуйте мысленно начать совершать заведомо неверные шаги к своей цели, ожидая при этом успеха. Если появились признаки рассогласованности сознания и подсознания (пункты 5 и 6), то первоначальным ощущениям комфорта можно доверять.

8. При получении отрицательного прогноза найдите другой вариант своих действий, после чего снова проделайте данную методику и проверьте реакцию подсознания. И так до тех пор, пока подсознание не одобрит ваше решение. Если вас устраивает предложенный подсознанием вариант, его и надо принимать. Если же он не устраивает, можно искать дальше, перебирая другие варианты своего поведения.

. . . .

Зачастую суть реакции организма непонятна для новичка. Поэтому на первых порах я рекомендую вам руководствоваться справочником интуитивных ощущений.

Этот прием получения информации о будущем немного искусственный. Тем не менее он отлично работает, что я неоднократно проверял на себе, своих родных, знакомых и учениках. К нему просто надо привыкнуть. Когда вы проделаете эту процедуру несколько десятков раз, все будет происходить автоматически, то есть, едва подумав о действии, которое вы намерены предпринять, вы будете мгновенно улавливать и распознавать ответ подсознания.

Дополнительные средства стимуляции интуиции

Предвижу, что многие из вас, опробовав на себе все эти изощренные методы выуживания информации из подсознания, воскликнут: «Какой кошмар! Да я потрачу на постижение этого годы, а интуиция нужна мне сейчас!» В какой-то мере это так, с первого раза методики получаются далеко не у всех. Однако процесс можно значительно ускорить при помощи проверенных веками средств. Такими средствами являются травы.

Ароматные травы для пробуждения интуиции

Главную роль здесь играет запах. То, что мы называем запахом, — это молекулы вещества, находящиеся в воздухе «в свободном полете». Действие этих молекул сходно с действием любого другого раздражителя. К примеру, вы поднесли руку к горячему чайнику: нервные окончания на коже ощутили тепло, сигнал поступил в мозг, который, реагируя на него, дал мышцам команду убрать руку. То же самое происходит и с запахом. Когда он попадает на обонятельные рецепторы носа, те посылают соответствующие сигналы в мозг, где происходит их обработка. А далее идет реакция. Разные запахи провоцируют разную реакцию мозга: одни возбуждают, тонизируют, другие успокаивают, снимают стресс, третьи утихомиривают головную боль. А есть растения, ароматы которых обостряют психическое восприятие: они немного гасят работу сознания, вводя в состояние легкого транса, благодаря чему на первый план выскакивает подсознание со всеми его богатыми залежами информации. Недаром курения во все времена использовались во время предсказания будущего, неважно, каким способом это осуществлялось.

Из конспектов Кремлевских Мастеров

Интуицию обостряют следующие растения:

анис,
апельсин,
бадьян,
галангал,
гвоздика (пряная),
гибискус,
древесное алоэ,
жасмин,
жимолость,
имбирь,
кассия,
клевер,
корица,
лаванда,
лавр,
лапчатка,
лен,
лимонное сорго,
мускатный орех,
мята-мелисса,
ноготки,
одуванчик,
пижма,
полынь,
роза,
розмарин,
таволга,
тимьян,
тубероза,
тысячелистник,
фиалка (корень),
шафран.

Использовать растения можно по-разному: заваривать и пить как чай, изготавливать из них ароматные подушки и настойки, добавлять в пищу и ванну. Очевидно, что одна трава действует сильнее, другая — слабее. Поэтому важно правильно их скомпоновать. Ниже я привожу рецепты, почерпнутые мною из конспектов Николая и Марии. Пользуйтесь ими. А потом, когда ваша интуиция пробудится, можете попробовать создать свои.

Рецепты чаев для усиления интуиции

Из конспектов Кремлевских Мастеров

Чай № 1 для усиления интуиции

Смешать:

* 3 ст. ложки розовых лепестков или каркадэ;
* 1 палочку корицы (разломать на несколько частей);
* 1 ст. ложку молотого мускатного ореха;
* 1 лавровый лист (измельчить);
* 1 ст. ложку измельченной травы полыни.

Вскипятить 2 стакана воды. Положить 2 ст. ложки смеси в заварочный чайник, залить кипятком, закрыть крышкой. Дать травам настояться приблизительно 15 минут. Снять крышку чайника и в течение 10 минут вдыхать запах, потом выпить несколько глотков настоя. Проводить такую процедуру каждый день.

Чай № 2 для усиления интуиции

Смешать:

* 3 ст. ложки розовых лепестков или каркадэ;
* 2 ст. ложки измельченной травы тысячелистника;
* 1 палочку корицы (разломать на несколько частей).

Настой готовится аналогично предыдущему. Для обострения интуиции его нужно пить по чашке в день.

Чай № 3 для усиления интуиции

Смешать:

* 3 ст. ложки молотого корня имбиря;
* 1 ст. ложку аниса;
* 1 ст. ложку тимьяна;
* 1 ст. ложку лепестков розы или каркадэ;
* 0,5 чайной ложки шафрана;
* 1 ст. ложку молотого мускатного ореха;
* 1 ст. ложку молотой пряной гвоздики.

Порядок приготовления настоя — то же. Вдыхайте настой 10 минут, а потом выпейте несколько глотков.

Настои можно хранить в холодильнике не более трех-четырех дней. Потом они теряют свою силу, поэтому по истечении этого срока их надо использовать.

....

Саше для ванн

Вода, содержащая мешочек с травами, — нечто большее, чем просто огромный чайник травяного чая, в котором вы купаетесь. Когда травы помещены в теплую воду, они выпускают свои энергии, которые мгновенно обволакивают ваше тело и становятся частью вашей ауры. То есть я хочу сказать, что ванны действуют сильнее чаев. А лучше всего совмещать их друг с другом.

Готовится ванна так. Измельчите пестиком в ступке сухие травы и смешайте согласно любому из приведенных ниже рецептов. Смесь можно приготовить заранее и хранить до тех пор, пока она не понадобится, в герметично закрытой емкости. Контейнер для хранения трав должен быть непрозрачным, неметаллическим и не пластиковым. Как только вы сложили в миску все компоненты, перемешайте их и положите 2 ст. ложки смеси в центр куска марли или хлопчатобумажной ткани. Затем концы марли связываются, и смесь кладется в ванну с теплой водой, в которую вы погружаетесь минут на 15. Когда ложитесь в ванну, постарайтесь ощутить энергию трав, смешивающуюся с вашей собственной.

Некоторые люди предпочитают добавлять травы непосредственно в ванну, не помещая их в ткань. Это рискованно: они могут оставить на коже пятна и засорить трубы, если вы потом не выберете из воды растительные остатки.

Если у вас нет ванны или вы просто предпочитаете душ, зашейте пакетик с травами в махровую ткань и «намыливайте» этой импровизированной мочалкой свое тело после основной помывки.

Обращаю ваше внимание: после травяной ванны нельзя вытираться. Завернитесь в полотенце или халат и дождитесь, пока тело обсохнет.

Повторяйте ванны как минимум дважды в неделю и продолжайте их до тех пор, пока не почувствуете, что они выполнили свое предназначение.

Из конспектов Кремлевских Мастеров

ВАННЫ ДЛЯ УСИЛЕНИЯ ИНТУИЦИИ

Рецепт № 1

* 3 ст. ложки лимонного сорго или пижмы;
* 2 ст. ложки тимьяна;
* 2 ст. ложки апельсиновой цедры;
* 1 ст. ложка пряной гвоздики;
* 1 ст. ложка корицы.

Рецепт № 2

* 3 ст. ложки розмарина;
* 3 ст. ложки пряной гвоздики;
* 2 ст. ложки галангала или имбиря;
* 2 ст. ложки корицы;
* 1 ст. ложка ноготков или корня фиалки.

Рецепт № 3

* 3 ст. ложки тимьяна;
* 2 ст. ложки тысячелистника;
* 2 ст. ложки каркадэ или лепестков розы;
* 1 ст. ложка шафрана или мелиссы;
* 1 ст. ложка мускатного ореха.

....

Ароматические масла

Ароматерапия — тоже прекрасный способ усиления интуиции. Только масла растений должны быть натуральными: это обязательное условие. От наводняющих прилавки искусственных ароматизаторов, выдаваемых за эфирные масла, толку нет никакого. Мои жена и дочь неплохо секут в этих делах и советуют покупать эфирные масла австрийской фирмы «Стикс». Эти масла действительно натуральные, при условии, конечно, что они расфасованы в Австрии, а не у нас. То есть бутылочка должна быть фирменной, запечатанной и с австрийским штрих-кодом. Все, что продается за 20–30 рублей — подделка, хотя на пузырьке и написано «100% натуральное эфирное масло». Натуральное масло не может дешево стоить хотя бы потому, что для его получения требуется большое количество растений, не говоря уже о сложности самого процесса вытяжки ароматической эссенции.

Психическое восприятие обостряют масла лаванды, корицы, лавра, муската, апельсина, розы, мяты-мелиссы, бадьяна (противопоказано аллергикам!), тимьяна, аниса, пряной гвоздики и жасмина. Выбирайте аромат, который вам нравится, и наслаждайтесь!

Помимо масла, вам потребуется нехитрый прибор, называемый аромалампой. Вы капаете в резервуар аромалампы 3–5 капель масла (количество масла зависит от размера помещения) и, чтобы масло не загорелось, разбавляете его теплой водой. Вода должна заполнить весь оставшийся объем резервуара. Затем ставите в нишу аромалампы свечку и зажигаете: масло нагреется и начнет источать аромат. Для аромалами идеально подходят плавающие свечки, называемые чайными. Это короткая свеча, по форме напоминающая хоккейную шайбу, вставленная в металлическую коробочку. Когда содержимое блюдечка испарится, затушите свечку или залейте новую порцию.

Еще эфирные масла хорошо наносить на кожу. Но перед этим эфирное масло нужно развести растительным, иначе на коже может появиться раздражение. В качестве основы подойдут масла жожоба, оливковое, кокосовое, миндальное, из абрикосовых косточек, подсолнечное. Пропорции: 8–10 капель эфирного масла на $^1/_8$ стакана растительного.

Третий способ использования масел — натирать ими камни-талисманы. Но камни в данном случае подходят только те, которые способствуют усилению интуиции: хризолит, черный турмалин, черный агат, адуляр (лунный камень), бирюза, нефрит, горный хрусталь. Натертый маслом камень нужно постоянно носить при себе. Когда аромат испарится, «освежите» его. Эфирного масла для этой процедуры требуется крохотная капелька на кончике пальца, поэтому одного пузырька хватает очень и очень надолго. Это самый экономный способ использования эфирных масел.

Настойки

Ароматические жидкости, известные как настойки, так же эффективны, как ароматические масла. Настойки создаются пропиткой сухих трав в спирте, который поглощает и прочно удерживает аромат.

Процесс приготовления настойки очень прост.

Начать нужно с покупки сухих трав (свежие не годятся из-за высокого содержания в них воды). Некоторые растения не подходят для настоек, так как не растворяются в спирте, и их ароматы не переходят в него. Поэтому смотрите список рекомендуемых трав ниже.

Высушенные травы измельчаются пестиком в ступке до порошка. Затем пересыпьте их в маленькую бутылочку с плотно закрывающейся крышкой. При помощи воронки налейте туда немного спирта, чтобы он только покрыл траву. Спирт потребуется настоящий, 96-процентный. Водка не подойдет: она содержит всего 40% спирта, а этого недостаточно для удержания аромата. И не вздумайте использовать технический спирт: для настоек он совершенно не пригоден из-за отвратительного запаха. Закройте бутылочку крышкой и поставьте в темное прохладное место. Хорошенько встряхивайте бутылочку каждый день.

По прошествии недели профильтруйте настойку через марлю. Аромат должен быть уже достаточно сильным. Если он слабый, добавьте еще травы и долейте спирта. Дайте составу отстояться еще неделю, встряхивая бутылочку каждый день. Спирт должен сильно окраситься и стать ароматным. Определить степень готовности настойки можно, натерев ею запястье. Подождите, пока спирт испарится, и вдохните запах: если он достаточно сильный, настойка готова.

Когда аромат трав полностью перебьет запах алкоголя, профильтруйте настойку в последний раз, перелейте в другую бутылку, добавив туда несколько капель касторового масла или глицерина, чтобы стабилизировать аромат, и храните в темном прохладном месте.

Настойка готова. Что теперь с ней делать? Ни в коем случае не пейте ее! Для питья предназначены чаи. Настойки наносятся на кожу как духи. Но сперва опробуйте настойку на запястье: некоторые травы могут вызывать раздражение и оставлять липкие пятна, а спиртовая основа может сушить чувствительную кожу. Кроме того, настойку можно наносить на камни-талисманы, усиливающие интуицию, и добавлять в ванну (3 ст. ложки на ванну).

Из конспектов Кремлевских Мастеров

Для настоек рекомендуются следующие травы.

БАДЬЯН. Вдыхайте его для обострения интуиции, в особенности перед тем как анализировать проблемы при помощи методик интуитивного прогноза. Настойка имеет недостаток: спирт быстро вбирает в себя запах бадьяна, за счет чего аромат быстро улетучивается.

ГАЛАНГАЛ дает светло-желтую настойку с запахом имбиря и камфары. Настойку можно вдыхать перед осуществлением интуитивного прогноза, наносить на камни-талисманы, запястья и область «третьего глаза».

ПРЯНАЯ ГВОЗДИКА дает изумительный аромат, который, к сожалению, быстро улетучивается. Образует прозрачную светло-коричневую настойку, которую можно вдыхать, наносить на кожу и кристаллы.

ДРЕВЕСНОЕ АЛОЭ дает настойку с запахом имбиря и перца. Рекомендуется для втирания в камни-талисманы.

КОРИЦА дает превосходный запах. Настойка темно-красного цвета с коричневым оттенком. Втирается в камни-талисманы, вдыхается, добавляется в ванны.

ЛАВАНДА дает светло-зеленую настойку. Наносится на область Аджна-чакры перед сном для вещих снов, для обострения интуиции добавляется в ванны.

МУСКАТНЫЙ ОРЕХ — прозрачная, красно-оранжевая настойка. Вдыхайте для обострения психического восприятия, наносите на камни-талисманы.

МЯТА настаивается долго, но результаты стоят усилий. Ею хорошо смачивать подушки для вещих снов.

РОЗМАРИН — богатая, смолистая желто-зеленая настойка. Рекомендуется наносить на кожу — запястья и область Аджна-чакры.

Что касается смесей, то в конспектах Мастеров я нашел только один рецепт.

Из конспектов Кремлевских Мастеров

Настойка «Третий глаз»

Смешайте равные части:

* бадьяна,
* пряной гвоздики,
* мускатного ореха,
* розмарина.

Наносите на область «третьего глаза» перед сном для вещих снов и запястья для усиления интуиции. Подушки и одежду смачивать не рекомендуется, так как настойка пачкается.

Подушки для вещих снов

О пророческих снах я почти не говорил, лишь вскользь упомянул о способности подсознания их формировать. Объясню почему.

В реальной жизни события редко происходят в точности так, как вы увидели их во сне. Как правило, информация о будущем выдается зашифрованной. Например, видеть себя копающим землю — к несчастью, дерьмо видеть — к деньгам, зуб выпал с кровью — к смерти кровного родственника. Отсюда, кстати, пошли многочисленные сонники. Такой шифровкой подсознание занимается вовсе не с целью насолить вам, просто оно по-другому не умеет. Оно работает с материалом, который у вас в голове (лица, впечатления, воспоминания, переживания, мысли и т. д.): выдергивает фрагменты оттуда и отсюда и составляет из них картинки. Это напоминает пазлы. Исходный материал у каждого человека свой, поэтому давать какую-то информацию по символике снов — бесполезно. У каждого символика своя. Вот почему сонники часто врут. Серьезный подход — это записывать сны, отслеживать, какие события за какими снами следуют, а потом составлять индивидуальный сонник. Занятие довольно муторное. Я подскажу вам, как упростить задачу.

Сшейте небольшую подушечку, размером примерно 10×10 см, и набейте ее травами. Травы такие: роза, мята-мелисса, пижма, пряная гвоздика, жасмин, мимоза, ноготки, лапчатка. Энергетика этих трав способствует вещим снам и помогает в расшифровке сновидений. Точнее, расшифровывать вам ничего не придется: проснувшись утром, вы просто будете *знать*, что сон был вещим и к чему он приснился.

Травы должны быть высушенными. Каждую траву можно использовать как по отдельности, так и в составе смесей. Травяная подушка кладется на ночь поверх обычной.

Привожу рецепты Мастеров.

Из конспектов Кремлевских Мастеров

ПОДУШКИ ДЛЯ ПРОРОЧЕСКИХ СНОВ

Рецепт № 1

* 2 части розовых лепестков
* 3 части мяты-мелиссы
* 1 часть цветков пижмы
* 1 часть пряной гвоздики (целой)

Рецепт № 2

* 2 части цветков жасмина
* 2 части цветков мимозы или лепестков розы
* 1 часть ноготков
* 1 часть лапчатки
* 1 часть мяты-мелиссы

Пророческие сны обычно снятся в первой половине ночи, до двух-трех часов. То есть, если вы вдруг проснулись в это время от какого-то сновидения и хорошо помните его, вероятность того, что оно связано с вашим будущим, достаточно велика. Утренние и дневные сны малоинформативны, хотя они и более яркие.

Важно и то, в какой лунный день приснился сон. В лунном месяце есть дни, когда многим людям снятся всякие ужастики. Это неблагоприятные, критические периоды, обычно связанные со сменой лунных фаз: 4-й, 9-й, 15-й (полнолуние), 19-й, 23-й, 26-й и 29-й (новолуние) лунные дни. В такие периоды подсознание под воздействием гравитационных возмущений, вызываемых Луной, выкидывает всю накопившуюся в нем гадость. Поэтому на сновидения, пришедшие в эти периоды, не стоит обращать внимания. Они являются отражением ваших страхов, подсознательных желаний, несбывшихся надежд, непрощенных обид, агрессии. Причем страшные сны могут сниться не только в критический период, но и накануне, особенно перед полнолунием и новолунием, а также в дни солнечных и лунных затмений. Во все остальные лунные дни сны могут быть вещими. Особенно высока вероятность пророческих сновидений на 2-е, 6-е, 7-е, 12-е, 14-е и 25-е лунные сутки. Имейте это в виду и следите за лунным календарем!

Еда, обостряющая интуицию

Из продуктов питания интуицию обостряют: виноград, фасоль, морковь, грибы (любые), морепродукты, апельсины и одуванчики. Известно, что Ленин ел очень много грибов. Видимо, хитрый Ильич знал об их замечательном свойстве и активно применял свои знания на практике. Это дало основание некоторым «ученым» утверждать, что Ленин и сам был грибом, что, конечно, преувеличение.

Напитки, способствующие провидению: зеленый чай (особенно с жасмином), каркадэ (цветки гибискуса) и черный чай с имбирем (натуральным, разумеется).

Членам ЦК готовили салаты из молодых листьев одуванчика. Специально выращивали для них эти одуванчики круглый год. В России питаться одуванами не принято, а вот в Китае их очень уважают. И ЦК их тоже очень уважал, потому как салаты были действенными. Кстати, в советское время мы о зеленом чае и тем более о каркадэ даже не слышали, а вот наши правители потребляли эти напитки в громадных количествах, «сидели» на них, как на наркотиках. И, как вы уже догадались, не только с целью оздоровиться...

Из конспектов Кремлевских Мастеров

САЛАТЫ ИЗ ОДУВАНЧИКОВ

Рецепт № 1

Ингредиенты: 100 г листьев одуванчика, 4 стрелки зеленого лука, 5 веточек петрушки, 5 веточек укропа, 2 ст. ложки растительного масла, 1 ст. ложка натурального яблочного уксуса, соль, перец черный молотый.

Листья одуванчика вымочить в соленой воде (2 ст. ложки соли на 1 л воды) 30 минут. Затем промыть и откинуть на дуршлаг, чтобы дать воде стечь. Нарезать, добавить мелко нарезанный зеленый лук и зелень петрушки, перемешать, заправить растительным маслом, солью, перцем и уксусом, посыпать зеленью укропа.

Рецепт № 2

Ингредиенты: 400 г листьев одуванчика, 100 г зеленого лука, 200 г квашеной капусты, 2 яйца, 80 г сметаны, соль.

Вымочить листья одуванчика в соленой воде (2 ст. ложки соли на 1 л воды) 30 минут, затем промыть, откинуть на дуршлаг и обсушить.

Нарезать листья, измельчить зеленый лук и вареное яйцо. Смешать с квашеной капустой, посолить по вкусу, заправить сметаной.

....

Вообще, все модные нынче книги о так называемых кремлевских диетах — туфта. Никакого отношения к разрабатываемым для партийной элиты рационам питания эти диеты не имеют. Группа, к которой принадлежали Николай и Мария, составляла рационы для своих высокопоставленных «клиентов» на основе энергетических свойств продуктов, с учетом вкусовых предпочтений, состояния здоровья, телосложения и психотипа каждого конкретного человека. Каждый человек питался продуктами, энергетика которых была нужна и полезна именно ему. Любопытно, что зачастую индивидуальные вкусы совпадали с полезностью, то есть на какой продукт тянет, тот и нужно есть. Так что питайтесь сообразно своим предпочтениям, господа, а не тем, что рекламируют или модно, и будете здоровыми и счастливыми!

Напутствие для вашей интуиции

Базовый курс раскрытия интуиции завершен. Я напоминаю, что развивать в себе интуицию не надо. Она является продуктом деятельности человеческой психики и уже есть у нас. В это можно верить или не верить, но от нашей веры или ее отсутствия интуиция никуда не денется, ее не станет меньше или больше. Требуется лишь освободить ей путь, расчистить «дорожку» между сознанием и подсознанием, богатейшим кладезем информации. Приведите в порядок чакры, очистите сознание и научитесь нейтрально воспринимать эмоционально значимые проблемы — этого достаточно, чтобы настроиться на прием сигналов интуиции. Процесс такой настройки происходит не за один день, поэтому поначалу для получения информации о будущем вам придется прибегать к специальным методикам. Не исключаю, что они могут кому-то показаться искусственными, «навороченными», но это не значит, что надо на них забить и остановиться на полпути. Овчинка стоит выделки, увидите! Научитесь в конце концов зреть в корень, станете ясновидящим!

Помните бессмертную сагу о Штирлице? Штирлиц знал, что запоминается *последняя фраза*. Поэтому напоследок дам вам самый главный совет относительно интуиции, который подводит итог всей книге. Прислушивайтесь к своему телу, отслеживайте изменения самочувствия, эмоционального состояния, телесные ощущения! Грохот современной жизни пытается заглушить в нас голос Природы. Не поддавайтесь! Вам сильно не хочется чего-то делать? Не делайте! Надо куда-то идти, а ноги не идут? Не ходите! На вашем пути одно за другим возникают препятствия? Задумайтесь! Быть может, там, куда вы направляетесь, нет того, чего вы ищете, и стоит пересмотреть свои планы.

Вообще, старайтесь ориентироваться на то, к чему вас тянет, чего вы хотите. Нас с детства приучают к словам «надо» и «должен». «Хочу» осуждается. Поступишь по-своему, и сразу тебя начинают обвинять во всех смертных грехах. Ну да, человеком, усвоившим только «надо» и «должен», очень легко управлять. Вот нами и управляют. Другие! А стремиться следует к тому, чтобы нами управляла наша собственная Душа. Поступайте по велению Души! И, если она вам шепчет, что чего-то делать не стоит, откажитесь от своего намерения. Чтобы потом не досадовать: «ведь

чуяло мое сердце...» Иначе вы вдруг обнаружите, что досадовать уже просто-напросто некому. Конечно, такой момент настанет в любом случае, все мы когда-нибудь покинем этот мир, но в наших силах отодвинуть его во времени. Разумеется, если оно нам надо.

ЗАКЛЮЧЕНИЕ

Вот и подошла к концу эта книга. Надеюсь, она была вам полезна. Конечно, я раскрыл вам не все кремлевские тайны, а только самые востребованные. Нам есть еще о чем поговорить, эта книга не последняя. Но, завершая эту встречу (и в надежде на будущую), мне хотелось бы сделать небольшое напутствие.

Вы прикоснулись к тайне, и теперь очень важно как вы распорядитесь этими знаниями. В ваших силах очистить и омолодить свой организм, развить сверхспособности, а значит, коренным образом изменить свою жизнь. Поверьте, завтра все может быть иначе: лучше и интереснее. Вы сможете «поймать удачу за хвост», усталость и болезни останутся в прошлом. Но все это при одном условии: вы должны сделать первый шаг. Я понимаю, что очень сложно оставить старые привычки, поменять образ жизни: заниматься, вместо того, чтобы лежать на диване, есть здоровую «энергетическую пищу», вместо вредного «мусора» вроде чипсов и колы, тратить свободные вечера или выходные на ментальные тренировки, вместо того, чтобы болтать по телефону или смотреть футбол. На самом деле, в недалеком будущем у вас появится время и на телефон, и на сериал, и на футбол, и еще на очень много разных интересных дел. Ведь приз за прилежные занятия очень большой — молодость и дополнительная энергия, здоровье и удача. Поэтому я призываю вас с умом распорядиться полученным знанием:

- Не откладывайте эту книгу, не отмахивайтесь от того, что здесь написано (в глубине души большинство из нас понимает, что надо что-то менять). Обидно, получив на руки миллион долларов, выбросить его в мусорную корзину.

- Не пренебрегайте очищением, заботьтесь о чистоте своего тела, так же как вы заботитесь о чистоте дома.
- Оставляйте хоть несколько минут в день на освоение какой-то техники. Не нужно делать все сразу, но даже одна техника в день — это уже победа.
- Поделитесь своими знаниями с близкими, ведь вы теперь тоже «хранитель тайн».
- Будьте здоровы, молоды, энергичны, ловите удачные моменты, не пропустите того единственного или единственную, и не забудьте купить выигрышный лотерейный билетик. Сейчас вам многое по плечу.

Автор	Название книги	Кол-во стр.	Цена руб.
Наиболее интересные открытия биологии и медицины в серии «Круглый стол Доктора Коновалова»			
И.М.Кветной, С.С.Коновалов	Круглый стол Доктора Коновалова. Волшебные молекулы (тверд.переплет)	224	200
И.М.Кветной, С.С.Коновалов	Круглый стол Доктора Коновалова. Волшебные молекулы (мягк.обложка)	224	111
Популярные энциклопедии в серии «Уникальный Учебник»			
	Как привлечь в дом удачу и благополучие и защитить дом от беды	256	200
	Я учусь быть везучим. Методы привлечения везения	352	200
Секреты народной магии в серии «Книга-талисман золотой»			
Ангелина Королева	Как создать настоящий заговор	128	75
Ангелина Королева	Как сложить защитный заговор	128	75
Школа домашнего волшебства в книгах серии «Самоучитель домашней магии»			
Анна Мэй	Вылечи Дом от негативной энергии!	64	83
Анна Мэй	Защита Дома от порчи и сглаза	64	83
Анна Мэй	Разбуди энергию достатка! Необыкновенная сила домашних вещей	64	83
Анна Мэй	Энергия привлечения денег	80	83
Уникальные знания признанных целителей современности в серии «Великие целители мира»			
Анатолий Маловичко	Полное очищение организма	352	200
Ангелина Королева	Самые сильные заговоры. Уникальный метод создания	352	200
Юрий Хван	Как стать здоровым, ничего не делая?	368	158
Анатолий Маловичко	Большая книга-очищение. Полное очищение организма от грязи и шлаков	320	200
Ищущим свой путь саморазвития укажут дорогу книги серии «Исцеляющий посох»			
Андрей Левшинов	Рэйки. Исцеляющие руки	128	85
Андрей Левшинов	Самая полезная гимнастика в мире. Самомассаж весом собственного тела	128	89
Андрей Левшинов	Космическая йога	160	92
Андрей Левшинов	Золотой ключ богатства и успеха в любом деле	123	92
«Maximum успеха» принесут книги этой серии			
Романус Уолтер	Дави педаль удачи! 4-шаговая модель успеха	160	150
Дик Лайлз	4 всепобеждающие привычки высокоэффективных людей	160	150
Дик Лайлз	Ноль граммов бесплатного сыра. 4 секрета, которые изменят жизнь в сторону 100 % успеха	160	132
Джеф Берч	Путь собаки. Искусство делать успех неизбежным!	160	132

Автор	Название книги	Кол-во стр.	Цена руб.
Серия «100 знаменитых систем оздоровления»			
Александра Крапивина	Питание и очищение по методу Семеновой	64	89
Анастасия Савина	Великая формула здоровья. Эликсир Джарвиса	64	89
Ирина Вознесенская	Ключ к здоровью от Дипака Чопры. Советы великого учителя	64	89
Краткие руководства к действию в книгах серии «Академия здоровья и удачи»			
Сестра Стефания	Ваши желания исполнит Вселенная. Метод пирамиды	160	98
Мария Краснова	Лунный календарь ухода за волосами. Календарь стрижки на 2008–2011 годы	160	92
Сантвани М. Т.	Магнит-метод. Искусство лечения магнитами. Лечение самых распространенных заболеваний без лекарств и хирургии	224	126
Мария Краснова	22 предмета удачи, которые советовала иметь дома Ванга	160	93
Отто Вэлл	Тайна числового кода денег	160	92
Юлиана Азарова	77 ритуалов на богатство	160	91
Сергей Розов	Сенсационная программа освоения живой энергии	160	85
Андрей Левшинов	Научи организм вырабатывать стволовые клетки	128	89
Андрей Левшинов	Буду здоровым и успешным. Тайна шавасаны	128	92
Андрей Левшинов	Семь главных секретов. Как сделать фигуру великолепной	160	92
Андрей Левшинов	Наполнись силой талисмана! Звезда Эрцгаммы	160	85
Анатолий Маловичко	Эта книга принесет вам здоровье. Питание-очищение	160	89
Юрий Хван	Здоровье заказывали? Получите! Сборник специальных упражнений по самовосстановлению организма	160	92
Алиса Ночь	Книга женской силы. Как влиять и управлять	160	82
Алиса Ночь	Книга женской силы. Как добиться непрерывного везения	160	82
Алиса Ночь	Книга женской силы. Путь в счастливое будущее. Современный магический ритуал	128	82

Автор	Название книги	Кол-во стр.	Цена руб.
Природные средства и методики оздоровления в серии «Книга — очищение»			
Анатолий Маловичко	Очищение на клеточном уровне. Правильное питание	128	89
Анатолий Маловичко	Лечение печени. Принципы и методы	224	94
Секреты династии целителей Блаво в книгах серии «Даю вам помощь»			
Рушель Блаво	Трансформинг судьбы. Книга, привлекающая деньги	128	89
Рушель Блаво	Тайна лечения мыслью. Путешествие в Индию	288	140
Дорогавцева, Блаво Р.	Исцели себя водой	256	141
Древнейшие методы врачевания самых распространенных недугов в серии «Знахарь»			
Мария Игнатова	Анастасия. Чудо-встреча, к которой я так стремилась	160	100
Андрей Левшинов	Знахарь. Вылечи спину	64	85
Андрей Левшинов	Знахарь. Избавь свой организм от шлаков	64	85
Андрей Левшинов	Знахарь. Вылечи суставы	64	85
Андрей Левшинов	Знахарь. Снимаю головную боль	64	85
Традиции донских казаков в книгах серии «Казачий спас»			
Дарья Усвятова	Спаси и защити! Молитвы, заговоры, слова благие и черные	160	92
Дарья Усвятова	Справный дом. Как обустроить дом, чтобы все в нем было хорошо	160	92
Дарья Усвятова	Справная Жизнь. Без болезней и нужды	160	92
Наслаждаться каждой минутой жизни научат книги серии «День счастья — сегодня!»			
Дженнифер Аксен, Ли Филлипс	Разденься, как богиня. Секреты стриптиза, которые должна знать каждая женщина	192	115
Книги серии «Персональный убойный отдел» научат давать отпор распускающему руки противнику			
Вадим Шлахтер	Боевая машина. Наука побеждать. Победа в реальном бою, или Как закалять сталь	288	191
Йен Абернети	55 эффективных захватов реального боя	160	112
	600 «убойных» приемов дзюдо. Секреты подготовки бойцов-разведчиков	224	135
Спасительные заговоры старообрядцев-целителей, хранимые в тайне более 300 лет в книгах серии «Заговоры печорской целительницы»			
Ирина Смородова	Гадания от печорской целительницы Марии Федоровской	128	89

Автор	Название книги	Кол-во стр.	Цена руб.
Ирина Смородова	Большая книга заговоров печорской целительницы Марии Федоровской	384	169
Ирина Смородова	Толкователь снов печорской целительницы Марии Федоровской	128	89
Ирина Смородова	Заговоры печорской целительницы Марии Федоровской на любовь нерушимую и верность голубиную	160	92
Ирина Смородова	Заговоры на крепкую семью, достаток в доме и здоровье домашних	160	92
Ирина Смородова	Заговоры печорской целительницы Марии Федоровской на удачу и богатство	160	92
Все о древнекитайском искусстве достижения гармонии с окружающей средов в книгах серии «Лучшие техники Фэн-шуй»			
Шон Митчелл	Войди в богатство. Секреты активизации зоны денег	256	96
Шон Митчелл	Грааль удачи и здоровья у вас дома	256	96
Юлиана Азарова	Магниты изобилия. Маячки везения. Талисманы-Хранители	160	92
Юлиана Азарова	Поток изобилия и достатка. Техники привлечения	160	92
Юлиана Азарова	Щит от неудачи. Как вылечить и защитить дом	160	92
Книги серии «Школа успеха» научат преуспеванию на любом поприще			
Сабрина Голд, Питер Голд	Секретное руководство по расшифровке жестов, поз, мимики. Я читаю ваши мысли	320	202
Сабрина Голд, Питер Голд	Новейшее руководство по расшифровке жестов, поз, мимики. Что она имеет в виду. Читай женщину как книгу!	160	150
Сабрина Голд, Питер Голд	Новейшее руководство по расшифровке жестов, поз, мимике. Что он имеет в виду. Читай мужчину как книгу	160	150
Розалин Гликман	Оптимальное мышление. Главный навык высокоэффективных людей	256	140
	Большая энциклопедия самых популярных диет для здоровья и похудения	416	159
Клер Уолкер	Как стать душой любой компании	192	150
Джон Хувер, Билл Спаркмен	12-шаговый метод продать что угодно кому угодно	320	151
Эрни Зелински	Уволен... Вот это подвалило! Дао лентяя по жизни	288	151
Винай Шарма	Новейший язык телодвижений. Самое полное руководство по языку тела	160	96
Александр Большаков	Большая книга скрытого влияния на людей	256	150
Анна Гиппиус	Как выиграть суд без помощи юриста	160	92
Джеральд Кори	Как стать хорошим психологом	480	190

Автор	Название книги	Кол-во стр.	Цена руб.
Инна Криксунова	Деньги, которые ты обязательно получишь	512	217
«Свет. Сила. Добро» войдут в вашу жизнь вместе с этими книгами			
Алан Уоллес	Невероятная сила вашего подсознания. Медитация. Практическое руководство	352	192
Дарья Усвятова	Казачий спас. Сила и свет знахарей Дона	320	161
Дарья Усвятова	Казачий спас. Казачий щит от нужды и болезней. Справная жизнь	384	165
Александра Крапивина, Анастасия Савина	Система Болотова и настоящий золотой ус — зебрина	256	150
Лакшми Паула	Энергия благополучия, здоровья, силы.		
Хоран	Изучаем рэйки: 108 вопросов и ответов	192	150
Сергей Розов	Управление подсознанием	272	169
Андрей Левшинов	Главный учебник удачи	320	161
Андрей Левшинов	Русский путь здоровья	448	161
Юлиана Азарова	Лунный календарь привлечения денег до 2010 года	256	149
Шон Митчелл	Сотвори деньги и силу!	480	195
Виталий Богданович	Большая защитная книга от вредных людей и предметов, от невезения, от усталости	352	169
Галина Локтионова	Правда о жизни после смерти, или Реальность иной реальности	320	170
Андрей Левшинов	За кулисами мистики. Истории силы	320	191
Проверенные методики оздоровления в книгах серии «Здоровье — это счастье»			
Анастасия Савина	Тайные послания воды. Код любви и здоровья	128	89
Александра Крапивина	Вся правда о стволовых клетках	64	83
Владимир Агафонов	Золотая простокваша тибетского молочного гриба	128	89
Александра Крапивина	Бабушкин метод. Лечение слюной	64	75
Александра Крапивина	Система Семеновой. Советы по чистке организма и питанию	128	89
Александра Крапивина	Болотов. Гениальное учение обретения здоровья	128	89
Александра Крапивина	Избавьтесь от паразитов	160	92
Ирина Вознесенская	11 золотых тайн здоровья	128	89
Андрей Левшинов	Избавление от боли. Система упражнений и лечебных процедур	256	158
Юрий Хван	Методики пробуждения энергии дыхания	128	89
Юрий Хван	Целительные мысли и слова. Методики, которые творят чудеса	128	92

Автор	Название книги	Кол-во стр.	Цена руб.
Юрий Хван	Массаж внутренних органов и систем	128	89
Юрий Хван	Целительный настрой. Методики достижения	128	89
Наполненные любовью к миру растений и мудростью многих людей книги в серии «Огородная душа»			
Владимир Машенков	Народная энциклопедия. Золотые секреты (тверд.переплет)	480	151
Владимир Машенков	Народная энциклопедия. Золотые секреты (мягк.обложка)	480	132
Владимир Машенков	Самые вкусные заготовки	160	92
Владимир Машенков	Уроки мастерства для огородников и дачников	320	132
Сенсационные и ранее закрытые для народа рецепты здоровья, богатства, успеха в книгах серии «Кремлевские секреты здоровья»			
Константин Медведев	«Кремлевская» аэробика для мышц и кожи лица	128	89
Константин Медведев	«Кремлевские» секреты ухода за ногами	128	89
Константин Медведев	«Кремлевские» тайны скрытого управления людьми	128	89
Константин Медведев	Кремлевские секреты молодости и здоровья	128	89
Екатерина Мелехова	Астрагал — трава жизни кремлевских вождей	128	89
Книги серии «Святые вам помогут» научат, как молитвами исцелиться от недугов, обрести семейный мир, наставить детей			
Анна Гиппиус	Вам поможет святой Пантелеимон	128	92
Анна Гиппиус	Вам поможет Ксения Блаженная	128	92
Каждая страница изданий серии «Добрая книга» — это фотография, радующая глаз, и мудрое изречение, согревающее сердце			
	Кошка — это счастье, требующее почесать его за ушком	96	181
	Собака — это мое сердце, бьющееся возле ног	96	181
Художественная литература			
Роберт М.Прайс	Обман да Винчи	272	170
Преуспевание и здоровье. Внесерийные издания			
Маки Шилстоун	Стройная фигура за 4 недели. Олимпийский курс сжигания лишнего жира	352	161
Джени Тартелл, Тед Кавано	Фитнес не покидая постели. Упражнения «лежа на боку»	160	100
Ричард Хиттлман	Золотая книга здоровья. Йога за 28 дней	224	181

Автор	Название книги	Кол-во стр.	Цена руб.
Йедидия Р.	Могущество каббалы. Нумерология, амулеты, техника толкования сновидений, астрологические знаки, символика	160	92
Билл Стейтем	Чем нас травят? Полный справочник вредных, полезных и нейтральных веществ, которые содержатся в пище, косметике, лекарствах	320	140
	Как натренировать ум дошкольника. 25 заданий на эффективное развитие	16	75
Дарья Орлова	Правила дорожного движения для школьников и малышей	32	110
Анна Макгрейл, Дафна Метланд	Беременность. Шаг за шагом	448	305
Лоренс Шапиро	Секретный язык детей	384	172
Сергей Богатов	Как любить и создавать деньги, играя в свою жизнь	320	132
Петр Симорон, Петра Симорон	Бурлан-до, или Как достичь того, чего достичь невозможно (тверд.переплет)	448	207
Петр Симорон, Петра Симорон	Бурлан-до, или Как достичь того, чего достичь невозможно (мягк.обложка)	448	169
Шеннон Маллен	Восхитительный секс в большом и маленьком городе. Каждая женщина должна об этом знать: как правильно давать и брать!	288	132
Эрни Зелински	Разбогатеть без труда. Как? Правила легкой жизни	222	110
Анна Мэй	Скрытое управление сознанием человека. Влияние и защита	96	85
Анна Мэй	Наполни Дом светлой магией. Привлеки деньги и здоровье	220	128
Инна Криксунова	Что надеть, чтобы выглядеть на миллион долларов	256	110
Дик Лайлз	4 секрета, которые изменят жизнь в сторону 100 % успеха. Ноль граммов бесплатного сыра	112	132
Нина Фаревелл	Как получить от мужчин все, что вы хотите, не дав им того единственного, о чем мечтают они	192	92
Андрей Левшинов	Календарь золотой удачи. Книга-талисман до 2010 года	96	86
Андрей Левшинов	Избавление от боли суставов, головы, позвоночника	256	158
Андрей Левшинов	Исцеляющий посох. Реальный цигун	272	125
Андрей Левшинов	Хочу и буду самой любимой!	352	158
Петр Бурлан, Петра Бурлан	Симорон из первых рук, или Как достичь того, чего достичь невозможно	320	115
Анна Гиппиус	Накормить ребенка правильно. Как?	208	150

Автор	Название книги	Кол-во стр.	Цена руб.
Анатолий Маловичко	Лечебное питание при болезнях и не только	288	120
Виталий Богданович	Учебник привлечения денег. Тайна богачей всех времен и народов	272	143
Виталий Богданович	Самый действенный метод улучшения жизни	256	149
Усманов Музаффар Хаджи	Уроки чтения сердцем. Суфийские секреты здоровья	248	126
Пол Канкель	Туалетный тренинг для вашей киски. Чистый дом за 21 день	128	89
Брондуин С. С.	Я учусь колдовать! Посвящение в тайны древней магии	256	158
Юлиана Азарова	Внимание! Настоящая магия! Как очаровать, приворожить, влюбить в себя	160	92

Пособия для будущих, новоиспеченных и бывалых родителей в серии «Добрая книжка для мамы и папы»

Автор	Название книги	Кол-во стр.	Цена руб.
Саймон Бретт	Ах я маленький паршивец! Исповедь маленького негодника. Первый год жизни	224	132
Саймон Бретт	Я объявляю вам войну! Исповедь маленького негодника. Второй год жизни	224	132
Саймон Бретт	Что, опять!? Исповедь маленького негодника. Третий год жизни	256	132

О здоровье и развитии ребенка расскажут книги из серии «Воспитай меня правильно»

Автор	Название книги	Кол-во стр.	Цена руб.
	Уроки Домана. Система раннего развития, которая потрясла мам	96	85
	Уроки Монтессори. Система раннего развития, которая потрясла мам	64	83
Анна Гиппиус	Здоровье ребенка. 100 %	128	89

Советы педагога и психолога с мировым именем в книгах серии «Папочки и деточки»

Автор	Название книги	Кол-во стр.	Цена руб.
Эда Ле Шан	Когда дети и взрослые сводят друг друга с ума	416	332
Эда Ле Шан	Когда ваш ребенок сводит вас с ума	448	159
Эда Ле Шан	Когда дети сводят друг друга с ума	144	121
Эда Ле Шан	Когда эти взрослые сводят вас с ума	160	121
Эда Ле Шан	Ребенок «не такой, как все»	160	92
Эда Ле Шан	Ребенок «капризничает»	128	96

Ответы на вопросы вдумчивых пап и мам в книгах серии «Главная книга родителей»

Автор	Название книги	Кол-во стр.	Цена руб.
Элисон Шафер	Правда о том, как сохранить рассудок и вырастить замечательных детей	288	152

Автор	Название книги	Кол-во стр.	Цена руб.
Элизабет Пэнтли	Как перестать вопить, ворчать, умолять и начать жить в согласии со своими детьми	320	159
Анна Гиппиус	Большая энциклопедия мамы школьника	352	192
Юлиана Азарова, сестра Стефания	Притяните счастье к своему ребенку. Все, что вам необходимо знать как родителю, чтобы счастье не покидало вашего ребенка с рождения	320	167
Юлиана Азарова	Талисманы для детей. Вещи, которые помогут вашему ребенку быть счастливым	128	89
Сестра Стефания	Как назвать ребенка, чтобы он был счастлив	128	89
Анна Гиппиус, Софья Магид	К школе готов!	224	150
Анна Гиппиус, Софья Магид	Как пережить 1 сентября	192	111
Юлиана Азарова	Фэн-шуй для счастья вашего ребенка	128	89
Дуглас Блох	Говорить с ребенком. Как?	320	159
Фред Джереми Зелигсен	Как родить Принцессу или Принца. Советы по беременности императрицы Востока Цзин	160	92
Анна Гиппиус	Правда о вредных товарах	128	89
Анна Гиппиус	Настольная книга мамы	448	180
Дарья Орлова	Большая книга Монтессори	192	135
Дарья Орлова	Игрушки, которые в тысячу раз полезнее, умнее и интереснее, чем в магазине	128	89
Дарья Орлова	Ваш ребенок умнее, чем вы думаете	128	89
	Сохранить здоровье ребенка. Как?	480	171
	Правильно развить ум ребенка. Как?	352	166
	Не родись, а вырасти красивым	384	139